ECRITS
1921-1953
et posthumes

Dans la même collection

DARIUS MILHAUD, Ma vie heureuse.

FRANCIS PICABIA, Ecrits 1913-1920.

JEAN RENOIR, Ecrits 1926-1971.

JEAN WIENER, Allegro appassionato.

FRANCIS PICABIA

ÉCRITS

* *

1921-1953
et posthumes

textes réunis et présentés
par Olivier Revault d'Allonnes
et Dominique Bouissou

LES BATISSEURS DU XXe SIECLE

PIERRE BELFOND
3 bis, passage de la Petite-Boucherie
75006 Paris

Si vous souhaitez recevoir notre catalogue
et être tenu au courant de nos publications,
envoyez vos nom et adresse en citant ce livre.
Editions Pierre Belfond
3 bis, passage de la Petite-Boucherie
75006 Paris

ISBN 2.7144.1120.7

AVERTISSEMENT

Un certaine dose de patience nous a permis de mener à son terme la récollection des écrits de Francis Picabia qui constituent ce tome II et dernier de l'édition intégrale entreprise en 1975. On trouvera dans ce second volume tous les textes de Picabia publiés de son vivant après le 1er janvier 1921 et jusqu'en 1953, année de sa mort.

Pour les détails pratiques, concernant le regroupement des textes, leur datation, les titres, les typographies, l'orthographe, les notes, la correspondance, les inédits, nous ne pouvons que renvoyer à la préface du tome I (Paris, Pierre Belfond, 1975, p. 7 à 15). Il va de soi que nous avons ici respecté les mêmes règles.

Certains ont accueilli le tome I avec étonnement, voire avec irritation : Francis Picabia détestait en effet qu'on se retourne vers le passé, même le plus proche. Rééditer ses écrits plus de vingt ans après sa mort, et dans une édition chronologique, annotée, « scientifique » comme on dit, c'est le trahir, pensèrent-ils, c'est l'ensevelir sous un tumulus académique qui lui va fort mal. Pierre Belfond et moi avons pensé que nous n'avions pas à nous substituer à Picabia pour supputer ce qu'il aurait aimé ou non.

Notre perspective est autre, n'en déplaise aux inflexibles gardiens d'une certaine authenticité. Car ne pas rééditer ces écrits, c'est laisser choir dans l'oubli tout ce que l'on va trouver ici, et qui est digne de demeurer. C'est laisser choir dans la mort tout ce qu'il y a de vie dans Francis Picabia. Entre lui désobéir et l'assassiner, nous avons choisi la première voie, convaincus qu'elle est la seule qui serve à la fois Picabia et le public.

Cette option qui fut la nôtre dès le départ est pour ainsi dire encore plus justifiée pour le tome II : une idée reçue veut en effet que Picabia n'ait eu qu'une heure d'activité et d'influence, autour *de l'époque Dada. Rien que pour les œuvres écrites, ce tome II montrera à l'évidence qu'il n'en est rien, et que Francis Picabia est resté « le même », c'est-à-dire un être chaque jour différent de ce qu'il était la veille, pendant les trente-deux années que couvre ce volume. Il y a donc bien ici, on peut l'avouer sans honte, un document : mais il n'est pas forcément comme les autres car, si le lire est une jouissance, le comprendre est une leçon.*

Olivier Revault d'Allonnes

1921

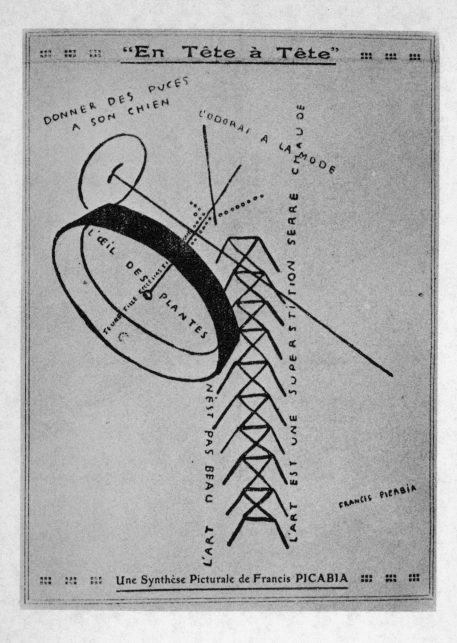

A PROPOS DU « TACTILISME »*

Selon M. Picabia, le « Tactilisme » aurait été inventé par Miss Clifford-Williams en 1916.

Nous avons reçu la lettre suivante de M. Picabia :

J'aime beaucoup Marinetti, parce qu'il a l'air d'un bon garçon et je suis désolé d'être obligé de lui faire de la peine, en lui rappelant que l'art tactile a été inventé à New York, en 1916, par Miss Clifford-Williams. La reproduction ci-dessus est celle d'une des premières sculptures tactiles, elle est extraite du *Rongwrong*[1], petite revue que nous publions à New York, avec Marcel Duchamp : c'est d'après les documents que je lui rapportai d'Amérique que Guillaume Apollinaire fit en 1918, à la Galerie Paul Guillaume, une conférence sur Miss Clifford-Williams, conférence qui fut publiée en partie dans *Le Mercure de France*.

Il est absolument impossible que Marinetti n'ait pas été au courant de cette nouvelle recherche, étant donné les nombreux amis qu'il compte en Amérique ; il se flatte d'avoir tout enfanté, je crois bien que ce ne sont là que des grossesses nerveuses !

Comœdia devient de plus en plus l'organe mondial de toutes les évolutions, mais je suis persuadé qu'il tient plus que n'importe qui à leur authenticité.

---

* *Comœdia*, 18 janvier 1921, p. 1[2].

CHANT DU PILHAOU-THIBAOU*

Les crocodiles sont mes amis
Il n'y a pas de crocodiles modernes
d'anciens non plus
Je suis frère des cerises
et de Dieu
Ce qu'il y a de plus beau dans les cimetières
ce sont les mauvaises herbes
les mauvaises herbes qui poussent sur les tombes
les souvenirs, guano pour géraniums
Ici les chambres d'hôtel
ont le refroidissement central.
Notre nez est le cimetière de millions d'animaux
Ne respirez pas, si vous avez du cœur !
Mais vous n'avez de cœur que pour ce que votre œil voit !
Le cœur représente le début des promenades.

LES DADAS VISITENT PARIS**

Désirant obtenir quelques éclaircissements sur la visite des Dadas à l'église Saint-Julien-le-Pauvre, nous avons téléphoné à M. Francis Picabia.

Etant malade depuis six semaines, nous a-t-il répondu, je ne suis pour rien dans l'organisation de cette manifestation. Tout ce que j'espère, c'est qu'elle ne présentera aucun caractère politique, clérical ou anticlérical, car je m'abstiendrai toujours de participer à une manifestation de ce genre, considérant Dada comme un personnage n'ayant rien à faire avec les croyances quelles qu'elles soient.

---

* Poème de mars 1921, publié par M. Sanouillet, Francis Picabia et 391, (Paris, Losfeld, 1966), p. 140.

** Comœdia, 14 avril 1921, p. 2. En post-scriptum[3].

NINIE*

Les parfums, les fleurs, l'amour, la danse, la musique,
Coucher à la belle étoile,
Aphrodite nue,
Un enfant qui commence à marcher,
Les spartiates,
Mordre sa lèvre inférieure avec ses dents,
Le son de la cithare :
Je suis l'homme qui invente la nouvelle soudure.
Les ruisseaux deviennent des fleuves,
Les auberges des palaces ;
La sensibilité surexcitée des dessous,
Cherche les cheminées, élégance nouvelle,
Dont le four a pour but de fondre les chaînes de la liberté.
L'air n'est pas blanc,
Les hommes riches n'aiment pas la guerre.
Ma vaisselle est en or, je mange dans le plat.
Les pays de côtes ne ressemblent pas aux montagnes.
L'intelligence est la pomme d'Adam
La bêtise celle de Guillaume Tell.
Le jeu de dominos a été inventé par Ménandre ;
Il n'y a pas assez de dominos pour que j'aime ce jeu.
Le croupion est toujours le même,
Le soleil est toujours le même,
La lune aussi,
L'art aussi.
La nouveauté n'est qu'une mascarade de salon ;
Il y a l'esprit,
Mais l'esprit est Italien
Et ce qu'il y a de plus beau en Italie,
Ce sont les mandolines.

P.S. — Don Quichotte est un échantillon.

---

* *La Vie des lettres,* Paris, avril 1921, p. 395[4].

M. PICABIA SE SEPARE DES DADAS*

J'applaudis à toutes les idées, mais rien de plus, elles seules m'intéressent et non ce qui gravite autour d'elles, les spéculations faites sur les idées me dégoûtent. « Il faut vivre », me direz-vous ? Vous savez aussi bien que moi que notre existence est courte par rapport à la spéculation que l'on peut tirer d'une invention ; nous sommes sur terre depuis avant-hier et nous mourrons demain ! Le cubisme naquit un matin pour mourir le soir même et Dada apparut, il fut d'ailleurs aussi éphémère ; l'évolution continue, un être trouvera le nom du nouvel écrin d'un esprit déjà passé, et ainsi de suite.

L'esprit Dada n'a véritablement existé que de 1913 à 1918, époque pendant laquelle il ne cessa d'évoluer, de se transformer ; à partir de ce moment, il est devenu aussi peu intéressant que la production de l'Ecole des beaux-arts, ou que les élucubrations statiques offertes par la *Nouvelle Revue Française* et par certains membres de l'Institut. En voulant se prolonger, Dada s'est enfermé en lui-même. Je regrette, en écrivant ces lignes, qu'elles puissent causer quelque peine à des amis que j'aime beaucoup, ou inquiéter certains camarades qui comptent peut-être sur la spéculation du Dadaïsme !

Vous dire ce qui va se passer maintenant m'est impossible ; je puis seulement vous certifier que notre état d'esprit n'est plus le même que celui de 1913 à 1920, si vous voulez, et que, par conséquent, il se manifestera différemment. Ne croyez pas que je sois en bras de chemise, à minuit, au mois de juillet, en train de contempler la lune, n'ayez aucune crainte, j'ai tout mon bon sens — si toutefois il y a un bon sens ! Ce qui me donne des certitudes, c'est que je sais qu'il est impossible d'arrêter le mouvement ; l'argent lui-même a une valeur — ou n'en a pas ; le papier vaudrait peut-être plus cher que l'or s'il m'était donné de découvrir des mines aurifères aussi importantes que les houillères de Cardiff ! Vous partagez les individus en deux catégories : les « pas sérieux » et les « sérieux ». Personne jusqu'à présent n'a pu m'expliquer ce que c'était qu'un homme sérieux ! Je vais essayer de le faire moi-même ici. Je crois que celui que vous nommez un homme sérieux est un homme capable d'entretenir ses voisins, sa famille, ses amis, à condition qu'il emploie pour cela l'usufruit d'un capital. Un homme pas sérieux est celui qui confond l'usufruit avec le capital, et qui ne cherche pas à faire des dollars avec ses idées ; au point de vue artistique, le copiste du Louvre sera toujours plus sérieux que moi ! Dada, voyez-vous, n'était pas sérieux, et c'est pour cela que, telle une traînée de poudre, il a gagné le monde ; si quelques-uns maintenant le

* *Comœdia*, 11 mai 1921, p. 2.

14

prennent au sérieux, c'est parce qu'il est mort ! Beaucoup de gens vont me traiter d'assassin, ce sont les sourds et les myopes ! D'ailleurs, il n'y a pas d'assassins ; la tuberculose, la fièvre typhoïde sont-elles des assassins ? Sommes-nous responsables de la vie ? Il n'y aurait à mon avis qu'un assassin, celui qui a créé le monde ! Mais, comme personne n'a créé le monde, donc il n'y a pas d'assassin, Dada vivra toujours ! Et, grâce à lui, des marchands de tableaux feront fortune, des éditeurs s'offriront des automobiles, des auteurs auront la Légion d'honneur, et moi... je resterai *Francis Picabia* !

Il faut être nomade, traverser les idées comme on traverse les pays et les villes, manger des perruches et des oiseaux-mouches, avaler des ouistitis vivants, sucer le sang des girafes, se nourrir de pieds de panthères ! Il faut coucher avec des mouettes, danser avec un boa, faire l'amour avec des héliotropes et se laver les pieds dans le vermillon !

Il faut camoufler l'intérieur des églises en transatlantiques et les transatlantiques en choux à la crème, faire sortir des statues de la mer et leur faire réciter des vers au passage des paquebots, se promener tout nu pour se mettre en smoking en rentrant chez soi ; il faut confesser les confesseurs, ne jamais revoir les gens que l'on connaît, enfin ne jamais remettre la même femme dans son lit, à moins d'avoir une maîtresse qui vous trompe chaque jour avec un nouvel amant ! Tout ça est beaucoup plus simple que la foi du chaudronnier qui rit toujours de ce qui est drôle et trouve le noir obscur et le blanc clair ! Le chaudronnier se chauffe au soleil parce qu'il a froid ; n'ayez pas froid, vous verrez alors combien le soleil ressemble à la pluie !

L'existence n'est véritablement tolérable qu'à la condition de vivre au milieu de gens n'ayant aucune arrière-pensée, pas d'opportunistes, mais c'est demander l'impossible...

Le talent n'existe pas, les chefs-d'œuvre ne sont que des documents, la vérité est le pivot de la balance. Tout est ennuyeux n'est-ce pas ? Les feuilles qui tombent sont ennuyeuses, les feuilles qui poussent sont ennuyeuses, la chaleur est ennuyeuse, le froid est ennuyeux. Les pendules qui ne sonnent pas sont ennuyeuses, celles qui sonnent sont ennuyeuses. Avoir le téléphone est ennuyeux, ne pas avoir le téléphone est ennuyeux. Les gens qui meurent sont ennuyeux, également ceux qui ne meurent pas ! Comme le monde est mal organisé, pourquoi notre cerveau n'a-t-il pas la puissance de nos désirs ? Mais tout cela a bien peu d'importance, les tableaux des musées sont des fossiles-chefs-d'œuvre ; on dit d'un homme qu'il a du goût parce qu'il a le goût des autres ; la vie est une guitare sur laquelle vous n'aimez jouer que le même air, éternellement.

Nous avons transmis à M. Picabia, à la suite de l'article publié ces jours derniers, quelques lettres de lecteurs qui demandaient des précisions, les explications de M. Picabia ne leur ayant pas paru d'une clarté absolue. Voici ce que nous écrit à ce sujet M. Picabia.

« Pourquoi je me suis séparé des Dadaïstes ? »

On me dit que l'article que j'ai publié le 13 mai[5] dans *Comœdia* aurait besoin d'une « traduction française », cela m'étonne, il me paraissait clair. Je crois que tous les Français, Anglais, Belges, etc., parlent intérieurement un français, un anglais, un belge différents, aussi il n'y a que ceux écrivant dans de vieilles conventions qui peuvent être compris par le plus grand nombre. Voici donc ma « traduction » :

Mes collègues m'embêtaient de plus en plus, les uns parce qu'ils se croyaient devenus des personnages importants, les autres par leur nullité, leur imbécillité ou leur muflerie. Ce sont là des choses que je ne puis supporter ; j'ai pris le parti de me séparer des Dadaïstes plus ou moins authentiques, afin de retrouver un peu de joie dans la vie ! J'espère cette fois-ci ne plus être obscur pour personne.

Mais il ne sépare pas du Dadaisme

POURQUOI NOUS AVONS LE CAFARD**

On n'a pas oublié le dernier article où M. Francis Picabia exposait, avec courage, les raisons pour lesquelles il avait cru devoir se séparer de quelques-uns de ses amis.

L'article que nous publions aujourd'hui apparaît comme la suite naturelle de la précédente chronique. Il élargit le débat et, si l'on se souvient des tendances premières de M. Picabia, soit comme écrivain, soit comme peintre, il prend une véritable saveur.

On se moque des nègres parce qu'ils aiment porter des uniformes, mais ce sont les blancs qui les ont inventés ! La vénération des blancs pour l'uniforme est en rapport avec le grade qu'il représente, la vénération des nègres pour l'uniforme est en rapport avec la quantité d'or dont il est brodé — c'est pareil. Les blancs, qui n'ont pas inventé les sculptures nègres, les aiment parce qu'elles sont « pures », qu'elles ont un grand style, qu'elles expriment parfaitement la civilisation d'une race, et en cela ils ont raison ; par exemple, je voudrais savoir pourquoi ils n'exigent pas de leurs artistes la même pureté. La même intégrité, la même expression qu'ils exigent des nègres. Voyez-vous que ceux-ci soient influencés par Rodin ou par Boldini ? Les grands hommes blancs de Paris font maintenant un art dont les produits

---

* *Comœdia*, 23 juin 1921. p. 1.

** *Ibid.*, 17 mai 1921, p. 4.

semblent toujours sortir de la maison Hédiard (fruits exotiques de tous pays). La vente fameuse où l'on se pressait l'autre jour, à l'hôtel Drouot[6], nous a offert un exemple typique du snobisme imbécile qui ravage le monde depuis plusieurs années, avec une progression indéniable : le moindre petit bateau de... Madeleine Lemaire[7] vaut mille fois mieux que la plupart des toiles qui ont défilé là et dans lesquelles il n'y avait que malice et *double métier de singe :* truquage de Cézanne, truquage de sculptures nègres, truquage de primitifs italiens. Il n'y a jamais eu dix Paolo Ucello, pas plus qu'il n'y a eu dix Nietzsche, dix Max Stirner, dix Spinoza, dix Confucius, mais il y a dix cubistes et cela montre facilement la spéculation entreprise — il y a aussi cent quarante et un dadaïstes !

Moi-même j'ai été atteint de la maladie « Spéculation » et à cette vente j'ai acquis un tableau avec l'idée d'une revente avantageuse. C'est vous dire si cette maladie est contagieuse, mais on peut en guérir, aujourd'hui j'en suis guéri et c'est pourquoi j'écris ces lignes.

Plus que jamais on a perdu tout plaisir d'invention, les individus se font gloire d'un matérialisme absurde — jouir par la quantité, ne rien connaître, ne rien savoir mais être malin, malin avant tout, c'est l'objectif de chacun ; celui qui roule son ami est sûr de trouver d'autres amis, quant au « roulé », c'est un idiot, paraît-il, et malheureusement il finit quelquefois par le croire lui-même, il trouve le monde mal fait ; il a raison mais Adam et Eve l'avaient dit avant lui et je ne suis pas éloigné de croire que Dieu lui-même soit arrivé à être de cet avis !

Il n'y a rien à faire. Il faut laisser passer cette époque comme une mauvaise épidémie ; la grippe espagnole est venue d'Allemagne, le mercantilisme catholique vient de Judée ; la prostitution de tout est une chose admise et admirée ; ce n'est pas une consolation de savoir que cette épidémie qui a commencé ici règne maintenant dans toute l'Europe et la moitié de l'Amérique ; elle n'en a que plus de force. Tout le monde se plaint actuellement de ne pas s'amuser, d'avoir le cafard ; les femmes trouvent qu'il n'y a plus d'hommes dignes d'être aimés. Paris devient « parisien » et être « parisien » c'est fabriquer des fleurs en celluloïd.

Les fleurs en celluloïd sont vraies à condition qu'on ne cherche pas à les faire passer pour de l'écaille. La plupart des soi-disant génies ne sont que de mauvais caricaturistes des nègres, des byzantins, des primitifs, de Raphaël et d'Ingres ; leurs œuvres sont d'une spéculation facile, car « elles font bien la blague » et actuellement ce que vous aimez par-dessus tout, c'est la blague ; eh bien ! les blagues ne doivent pas durer sous peine de devenir sinistres. « La bonne peinture est celle qui se vend », me disait un marchand de tableaux, et ce même marchand, à force de louanges, était arrivé à se faire racheter très cher, par l'un de mes amis, la peinture de celui-ci dont il avait payé les œuvres quelques francs autrefois — évidemment, comme blague, celle-là assez drôle !...

Une seule toile n'a qu'à faire plusieurs billets de mille francs à la salle Drouot pour que l'on trouve des qualités étonnantes à des œuvres qui n'étaient pas jugées bonnes à mettre dans les chambres d'amis quelques jours avant ! La suggestion transforme tout, mais en vérité les trônes ne sont que des fauteuils...

Fuir ? Mais où aller, aux Indes, en Chine ? Ces rêves-là rendent malheureux ceux qui n'ont pas d'argent pour les réaliser, quant à ceux qui pourraient faire des voyages, ils ont la flemme et préfèrent s'offrir une bonne petite Chine en carton-pâte ! Vous vous habituez au carton-pâte, méfiez-vous. Vous êtes tous des gens bien élevés, c'est entendu, mais je vous assure qu'on peut être bien élevé sans être lâche et que c'est une lâcheté que d'applaudir à toutes les idioties que l'on nous montre sous prétexte de modernisme. J'ajoute que les coups de sifflet et les cris me paraissent encore plus absurdes que les ovations. Ceux qui protestent avec fracas sont si irrémédiablement incompréhensifs qu'ils vous donnent le désir de trouver ravissant ce qu'ils dénigrent. Les pauvretés que l'on nous propose sous l'étiquette de l'art valent exactement le silence

Il faut s'exprimer uniquement à travers soi-même, ce qui nous vient des autres est encombrant, incertain et surtout inutile.

FRANCIS PICABIA ET DADA*

L'Esprit nouveau tente de construire, mais il est vieilles ruines fardées à abattre ; en cela Dada a été utile ; il a tué certains snobismes qui les étayaient encore.

Dada au pire : jeunes gens qui s'amusent.

Dada au mieux : jeunes gens tentant, par des moyens violents, l'assainissement de l'art en ridiculisant les snobismes.

Plusieurs dadas (MM. Tzara, Eluard, Aragon, Breton, écrivains de talent à leurs heures) ont acheté pour eux des Picasso à la vente Kahnweiler... voilà qui est rassurant. M. Picabia, qui fut un actif dadaïste, vient de se séparer de ses camarades ; L'Esprit nouveau lui a demandé les raisons de la rupture.

Petite contribution à l'histoire des débats d'aujourd'hui.

N.D.L.R.

Je me suis séparé de certains Dadas parce que j'étouffais parmi eux, chaque jour je devenais plus triste, je m'ennuyais terriblement. J'aurais aimé vivre autour du cirque de Néron, il m'est impossible de vivre autour d'une Table de « Certa[8] », lieu des conspirations dadaïstes !

Je ne veux pas faire ici l'historique complet du mouvement Dada ; deux mots seulement pour mettre les choses au point : L'esprit Dada

---

* *L'Esprit nouveau,* Paris, n° 9, juin 1921, p. 1059-1060.

18

n'a véritablement existé que durant trois ou quatre ans, il fut exprimé par *Marcel Duchamp et moi* à la fin de 1912 ; Huelsenbeck, Tzara ou Ball en ont trouvé le « nom-écrin » Dada en 1916. Avec ce mot, le mouvement toucha à son point culminant, mais il continua à évoluer, chacun de nous y apportant le plus de vie possible.

Nous fûmes traités de fous, de fumistes, de loustics, etc., enfin, c'était le grand succès ! Ce succès, le plaisir du jeu attirèrent en 1918 plusieurs personnages qui n'ont de Dada que le nom ; alors, tout changea autour de moi, j'eus l'impression que, tel le cubisme, Dada allait avoir des disciples qui *comprendraient* et je n'eus bientôt plus qu'une idée : fuir le plus loin possible pour oublier ces messieurs. Mais, n'est-ce pas, quelques heures cela m'avait amusé, *moi,* ayant la tête dans le vent, de les voir profiter tranquillement de leur opportunisme pour caresser aussi *les gens sérieux* et la *Nouvelle Revue Française.*

Maintenant, Dada a un tribunal, des avocats, bientôt probablement des gendarmes et un M. Deibler[9] : il deviendra comme l'antimilitarisme de Lénine, lequel, pour supprimer un général, en fait un simple soldat et réciproquement.

Dada me fait penser à une cigarette qui laissa autour d'elle une odeur agréable. La marque de ces cigarettes est épuisée, il reste du tabac et je compte sur l'homme de génie qui saura lui donner à nouveau un nom. Mais ne pensons plus au passé malgré l'odeur des cigarettes ; la vie n'est qu'une ombre, gardons l'illusion que notre tête la dépasse.

Il faut toujours regarder en bas, le vertige est plus violent ; nous sommes tous compagnons de voyage, la plupart du temps assez râpés physiquement, nous assistons aux marées ; chaque marée basse est nouvelle comme chaque marée haute, c'est ce que les hommes appellent une évolution ou un progrès et c'est toujours la même chose. La seule force qui puisse nous aider à faire cette promenade, c'est l'orgueil : il faut que notre orgueil soit infini comme l'Univers.

Mais cette parabole m'éloigne un peu du but de mon article : je me suis séparé de Dada parce que je crois au bonheur et que j'ai horreur de vomir, les odeurs de cuisine m'impressionnent désagréablement.

Je rougis d'être aussi faible, mais, que voulez-vous, je n'aime pas les illustrations et les directeurs de *Littérature*[10] ne sont que des illustrateurs. J'aime me promener au hasard, le nom des rues m'importe peu, chaque jour ressemble à l'autre si nous ne créons subjectivement l'illusion d'une nouveauté et Dada n'est plus nouveau... pour le moment.

Les bourgeois représentent l'infini, Dada serait de même s'il durait trop longtemps.

Paris, 13 mai 1921

ZONA*

Il n'y a qu'un système qui soit bon,
c'est le système Epatant (?)

Cela chasse la monotonie des occasions faux cols ! Zizi[11] jappe des appréciations diverses, en connaisseur jaune et blanc. La journée ne veut pas finir ; je rêve que mon arrière-grand-père avait découvert l'Amérique mais, n'étant pas italien, il ne l'avait dit à personne.

Des yeux sont fixés sur mon œil contracté — paroles banales, paroles qui pleurent insensibles.

Quel paysage rabougri dans la solitude du lit ! Zizi n'aboie plus, la vitesse de ma chambre le grise. Les virages fantastiques et automatiques, en courbes savantes, écrivent « Zona » furieusement, sur la couverture encore sensible.

Je savoure mes paupières et mon œil rougi veut saisir la nuit. Je suis fou ! J'ai deux cœurs, l'un est à la place de l'œil, l'autre ruisselle et va mourir dans un souffle faux mouvement. — Pas sommeil, je marche sur la pointe des pieds, vague consolation des nerfs tendus qui portent le masque de la peur en fumant le tabac rigolo, à petits coups.

Depuis vingt-cinq jours, la chambre devient de plus en plus étroite, nous sommes bloqués ; le danger ne passe pas, les jours et les nuits entrent dans la pièce, aujourd'hui est partout dans le monde.

Au bout de la Terre, il y a une église, dans cette église un orchestre qui renouvelle la physionomie des femmes et celle de nos savants-coussins. Le Zona est une poupée qui soulève doucement ma tête, une aurore boréale pointue ressemblant à une poule déplumée. Le bonheur marche, écrasant les faibles qui tombent assommés, pour gêner le malheur des inventions d'oiseaux.

Le lit — je n'ai qu'à obéir — et puis le lit, grand maître de mes tatouages, boutons, odeur fade de parapluie. C'est une curieuse chose, l'œil disparu ! Voici le sommet de la montagne, mais il y a toujours un sommet plus haut. Le sommeil gagne, c'est la mort, mon œil cherche la porte-satisfaction et je reste derrière les marches dorées des talents culinaires.

Vous êtes une aimable femme qui émaillez ma vie de secrets douloureux, votre organisme trafique les bons compagnons, de pays en pays ! Les aboiements me réveillent et votre fantaisie aussi ; malgré ma politesse je tombe de sommeil et mes yeux sont mouillés de larmes.

Les légendes, les rêves, hurler, les bains de soleil, la vitesse, tout cela : baraquements.

Le ciel est toujours gris — ou n'est bleu qu'en Espagne. Changeons de conversation : la sagesse crache le cafard, petite chanson

---

* *La Vie des lettres*, Paris, juillet 1921, p. 512-513.

couleur de miel — qui vrille le soleil dans nos cœurs en chatouillant la grande Table Lucullus.

Je suis ivre de lait, mes mains ne touchent à rien, j'ai peur du danger, tout sombre dans un petit cauchemar où les potins arlequins couronnent la gloire d'un transatlantique.

Ce transatlantique, c'est moi et je sifflote pour avertir les passagers que nous partons pour Paris ! Picotements des yeux, un effort, je pleure, pleure sur la mortalité de l'eau chaude !

P.S. — On m'a apporté le volume[12] d'Aragon, je félicite la N.R.F. de ce livre-passage à niveau, entre Anatole et P. J. Toulet.

la mise-en-page

391*

Le cubisme fut in-
venté par Picasso, il est
devenu une fabrication parisienne.
Le dadaïsme fut inventé par
Marcel Duchamp et Francis Picabia — Huelsenbeck ou Tzara trouvè-
rent le mot Dada —, il est devenu esprit
parisien et berlinois. L'esprit « parisien »,
qu'il ne faut pas confondre avec l'esprit de
Paris, consiste en fantaisies extérieures et spirituelles ; il habite des gens auxquels « on ne la fait
pas ! » il possède le secret de transformer la chicorée
en chicorée, les épinards en épinards et la merde en caca.
Evidemment, la merde et le caca c'est la même chose, mais
un petit coup de vaporisateur à l'opoponax sur le caca
transforme ce caca en choux à la crème que madame la Ctesse
Q... est heureuse de manger et de faire manger à des invités de
choix.
Ces invités de choix sont : . . . .
. . . . et peut être M. André Gide qui ne mange pas de choux à la
crème mais les glisse négligemment dans sa poche où il les oublie et où
ils redeviennent bientôt du caca illustré par Roger de la Fresnaye.

Funny Guy

Ne cachez pas vos secrets dans votre derrière, tout le monde les
connaîtrait.

F.P.**

Accorder sa main est le premier geste pour faire des enfants.

F.P.***

---

* *Le Pilhaou-Thibaou,* supplément illustré de *391 (sic),* Paris, numéro unique
(en fait, n° 15 de *391),* 10 juillet, p. 3.
** *Ibidem,* verticalement dans la marge de gauche.
*** *Ibidem, idem,* à droite.

22

PARDON !!!*

Jean Cocteau m'accuse de détruire ; moi, je l'accuse de tout abîmer ; ainsi :

Dans *Les Mariés de la tour Eiffel,* avec son esprit parisien, il n'a fait qu'abîmer des œuvres françaises qui avaient, elles, tout le charme de l'invention. Le Douanier Rousseau, Delaunay, Cendrars y sont déformés par l'esprit du boulevard des Italiens. Quant à la musique des « Six », il est regrettable d'y trouver l'influence d'un homme qui a pour moyens la malice...

Ce qui me décide à écrire ces lignes, c'est l'impossibilité que j'ai de donner mon opinion derrière le dos de mes amis, bien que je sois, moi aussi, de Paris.

Les glaces déformantes sont drôles, mais ne seront jamais que des miroirs.

P.S. — Ce que je préfère en Cocteau, c'est lui-même, parce qu'il ne m'embête pas.

Le luxe n'est pas un plaisir, mais le plaisir est un luxe.

L'archange Gabriel **

Il n'y a rien de plus semblable à un homme galant qu'une femme galante.

Saint Joseph

CHEF-D'OEUVRE***

Je n'ai jamais écrit pour moi, je n'ai jamais peint pour moi, je n'ai jamais rien fait pour moi ; mes livres sont des aventures, mes tableaux aussi.

Je déplais aux artistes parce que je ne suis pas un artiste, je déplais aux gens pauvres, je déplais aux gens riches, parce que je ne suis pas pauvre et parce que je ne suis pas riche !

Mes métaphores, mon cher Jean, irritent ceux qui m'entourent et mon « je-m'en-foutisme » scandalise les gens qui ne m'entourent pas !

---

* *Ibidem*[13].
** *Ibidem*, p. 4.
*** *Ibidem*, p. 5.

Les gens du monde, voyez-vous, ressembleront toujours à des daguerréotypes à la façon dont Cyrano de Bergerac ressemble à la musique nègre ! Bref, en un mot, la difficulté capitale pour vivre, c'est d'être toujours accompagné de dromadaires !

Tous nos ennemis parlent de l'Art, de la littérature ou de l'anti-littérature, vous inquiétez-vous de savoir si vos œuvres sont de l'art ou de l'anti-art ? Les seules choses vraiment laides, n'est-ce pas, sont l'Art et l'anti-art !

Dieu créa l'homme et la femme, l'homme créa le génie. Le génie me fait songer à Moïse, les rayons qui entouraient sa face ne furent perçus que par le mont Sinaï. Le mont Sinaï seul fut un personnage de génie, lui, du moins, n'ayant jamais demandé des conclusions.

Ceux qui ont donné à l'infini la dimension d'un mètre se sont trompés : la dimension de l'infini est de deux mètres cinquante.

Je crois que tous les livres sont beaux, la seule chose qui me déplaise en eux, c'est la reliure. L'impressionnisme est un cadre-reliure comme le cubisme, le dadaïsme sont des cadres-reliures et de même le catholicisme, le protestantisme, le bouddhisme, etc.

La meilleure religion est celle qui n'existe pas, un appartement vide me sera toujours plus sympathique que lorsqu'il est habité. La terre est un appartement sphérique où il ne devrait y avoir que des bédouins.

On passe son temps à dire : « Vous êtes en avance, vous êtes en retard » ; moi, c'est bien simple, je ne suis pas. Je veux dire par là que je n'ai jamais eu de prix au collège, que je n'ai jamais eu les mains pleines d'orgueil. Ainsi qu'un mortel charmant je me suis abruti de désespoir obscène en regardant mes amis devenir officiers d'artillerie ; depuis trois mois, je n'ai pas eu le courage de leur dire qu'ils m'ennuient épouvantablement.

Aujourd'hui, ils tirent sur Barrès, demain ils tireront sur la gare Saint-Lazare ou sur les forts de la Halle, moi je tire en l'air et les balles retombent dans ma poche sous forme de chewing-gum, de carpes frites ou de Rolls-Royce. La bêtise, égale à l'intelligence, se conserve dans des blagues en caoutchouc, comme le tabac à priser et ce tabac-là, quoique très fort, ne peut faire éternuer mes amis officiers d'artillerie !

Actuellement, je tourne autour de la terre et les astronomes me contemplent de leur longue-vue avare — ceci est une explication comme une autre, de ce qui est difficile à dire lorsque l'on est invité chez des amis.

Funny Guy

Le hasard est immobile.

                                                    F.P.*

Ceux qui parlent derrière moi : mon cul les contemple.

                                                    G.F.**

Tous les juifs sont devenus catholiques et tous les catholiques juifs.

En Amérique, ils ont supprimé l'alcool et conservé le protestantisme,
pourquoi ???

Les Dadas sont tout à fait mûrs pour Paul Poiret[14].

Je n'ai pas besoin de savoir qui je suis puisque vous le savez tous.

                                            Francis Picabia***

Le public a besoin d'être violé dans des positions rares.

L'honneur est l'ennemi de la gloire.

La morale est mal disposée dans un pantalon.

Il n'y a que les dettes que l'on peut payer qui soient ennuyeuses.

Les Parisiens abîment les Français.

                                                    F.P.***

Il est plus facile de se gratter le cul que le cœur.

                                            Saint Augustin****

Le seul uniforme supportable est celui du bain de vapeur.

                                            NAPOLEON****

---

   * *Ibidem*, verticalement dans la marge de gauche.
  ** *Ibidem*, *idem*, à droite (G.F. = Guy Funny).
 *** *Ibidem*, p. 6.
**** *Ibidem*, p. 7.

AVIS*

Avis !!! Ribemont-Dessaignes ne discute pas sur les idées, mais sur l'étymologie des mots. N'oubliez pas vos dictionnaires.

Mon cher Confucius**,

Il y a très longtemps que je ne t'ai donné de mes nouvelles, je m'en excuse, j'ai eu énormément à faire ces temps derniers. Je peux te dire maintenant avec un grand plaisir que je compte aller te voir d'ici peu ; mais le voyage est long et l'on ne sait jamais si l'on arrivera à bon port ; aussi je veux dès à présent causer avec toi, te donner quelques nouvelles : je voudrais te raconter ce qui se passe ici mais... il ne se passe rien, ou du moins il se passe toujours la même chose : Jésus-Christ est un homme qui nous encombre depuis vingt siècles et il n'y a pas de raison pour que cela finisse.

Aujourd'hui, je suis passé par hasard dans une rue où se trouve un grand théâtre et j'ai aperçu par l'une des fenêtres plusieurs représentations qui avaient certainement été conçues par des artistes peintres, c'est-à-dire par des singes ne nous donnant même pas le plaisir d'un véritable onanisme public. Tout est « spirituel » que veux-tu, la jalousie et l'esprit domineront toujours.

Je crois, mon vieux, que Narcisse avait raison ; pour lui, les feuilles des contributions représentaient la même chose que celles des cabinets ! Je te donne ma parole que la neige n'a jamais été vierge, d'ailleurs la seule chose qui ne soit pas virginale, c'est la virginité ! La jeunesse d'ici va au théâtre des Champs-Elysées sourire à des femmes qui ne sont pas jolies mais qui s'habillent avec un joli modernisme... Elles sont ainsi semblables aux représentations ! Les représentations du théâtre des Champs-Elysées ne sont que des ombres de revenants, décolorées par la fantaisie que donne l'intelligence parisienne.

Je vais partir pour l'Espagne afin de m'acheter des bottines ; à Barcelone elles ne   sont pas chères et sont admirablement faites, j'ai aussi un très bon tailleur à Barcelone, et quels chapeaux on trouve là-bas !... Ceci me fait penser à un peintre que tu ne connais certainement pas : Pablo Picasso. Ce peintre s'est acheté un chapeau avec lequel il sortirait volontiers chaque jour sans jamais le brosser, si sa femme ne lui demandait de le faire ! Il expose en ce moment rue La Boétie, dans

---

* *Ibidem*, p. 8.

** *Ibidem*, p. 9[15].

26

une petite galerie-appartement où son ami Rosenberg passe son temps à remettre de la poussière sur le chapeau en question et Picasso a l'air bien décidé maintenant à brosser son chapeau deux fois par jour ! Moi, c'est à ma maîtresse que je demande de brosser mon chapeau...

Tu n'as jamais dû entendre parler non plus du dadaïsme, de « Dada » et pourtant, connaissant tes idées, je sais que tu pourrais faire partie de ce mouvement dont je me suis séparé il y a quelque temps ; figure-toi que les gens qui m'entouraient là, me prenaient pour un ballon d'oxygène ! Or, je tiens à rester gros. « Les gens maigres sont comme les pantalons sans poches, on ne sait pas où mettre ses mains ! » Ainsi s'exprimait devant moi un vieux paysan français ; au fond, moi, j'ai horreur des mains, j'aime une main, deux mains, mais j'aime mieux aujourd'hui que demain ! — dirait mon ami Marcel Duchamp, que tu connais bien, lequel comme toi et Montaigne se couche tard ! Te souviens-tu du temps où tous quatre, à New York, nous finissions nos nuits à 6 heures du matin, chez Walter-Conrad Arensberg et qu'après avoir mangé trop de fraises à la crème, sur trop de whisky, nous les dégueulions consciencieusement dans Broadway !

Je viens d'écrire un livre : *Jésus-Christ Rastaquouère*, livre dont ma mère n'aurait pas permis la lecture à sa fille, tout en sachant fort bien que sa fille était ma maîtresse ! Tu vas sans doute me plaindre, mon cher Confucius, et pourtant suis-je à plaindre ? Vois-tu, je ne suis pas comme tous nos amis qui veulent baptiser leurs chiens et même leurs poissons rouges. Cependant, toi, tu n'as pas été baptisé et tu mènes une bonne et joyeuse existence et depuis longtemps tu n'es plus malade. On m'a dit que tu appartenais à plusieurs sociétés de tempérance, est-ce possible ? Tu aurais tort, ce qu'il y a de pire dans le présent, c'est l'avenir et tu veux que l'avenir t'appartienne, puisque tu fais partie d'une société de tempérance ! Lorsque tu étais jeune — il y a une jeunesse, paraît-il —, un livre de loi et un roman, cela ne faisait que deux livres. Maintenant, cher Confucius, après cette lettre, dois-je encore aller te voir ? J'ai parfois le pressentiment que tu n'es plus à la hauteur de ce que je m'imaginais et peut-être as-tu la même impression... mais vis-à-vis de moi-même ! Avant de me mettre en route, j'attendrai ta réponse, ce sera plus prudent, si tu allais ne pas me recevoir, croyant que je suis devenu... — de ta part, ce serait bien amusant !

Allons, peut-être à bientôt, mon cher Confucius.

Bécon-les-Bruyères, 2 juin 1921.

Funny Guy

(Sans titre*)

Il n'y a vraiment que les médiocres qui aient du génie de leur vivant.

Ce sont les singes qui font les lieux communs.

F. P.*

Le vent favorable a des plumes bleues.

F. P.**

Georges Ribemont-Dessaignes est devenu roumain, Tristan Tzara parisien, voilà ce que fait l'amitié.

F.P.***

« Dire : "Pierre de Massot[16] est trop jeune pour écrire " équivaut à dire : " Cet enfant est trop jeune pour naître. " »

F. P.***

LE PILHAOU-THIBAOU****

Annexe de *391,* le *Pilhaou-Thibaou* demeurera unique, c'est ici son premier et dernier numéro. Pilhaou représente le signe fait à main gauche, lequel étant confirmé par Thibaou, signe fait à main droite, indique que tout va bien. Ainsi le ciel est beau aujourd'hui, j'ai l'impression de vivre au milieu des palmiers, il fait vingt-cinq degrés à l'ombre, je suis vêtu d'un costume blanc, chaussé de souliers jaunes admirablement cirés ; j'ai beaucoup d'argent dans mon portefeuille, cet argent me vient d'une collection de momies que j'ai vendue. J'ai tout à coup le pressentiment que Bérenger sera considéré comme le plus grand poète français ! Mais il est 11 h 30, il faut que j'aille prendre mon bain. Pensées pendant le bain :
Les crocodiles sont mes amis, il n'y a pas de crocodiles modernes, pas plus qu'il n'y en a d'anciens, je sais cela parce que je suis le frère des cerises et de Dieu. Dieu m'a dit que ce qu'il aimait le plus sur la terre ce sont les cimetières et dans les cimetières les mauvaises herbes qui poussent sur les tombes. Le souvenir des morts n'est que du guano pour la culture des géraniums. Dieu garantit au Père-Lachaise le refroidissement central. Midi : il est temps de sortir de ce bain, il devient complètement froid. Mon nez s'allonge dans l'eau, notre nez est le cimetière de milliers d'animaux, donc ne respirez pas si vous

---

   *   *Ibidem,* p. 9.
   *   *Ibidem.* P. 10.
  ** *Ibidem.* P. 11.
 *** *Ibidem.* p. 12.
**** *Ibidem.* p. 13.

avez du cœur, mais vous n'avez de cœur que pour ce que votre œil voit ; le cœur représente le début des promenades, or vous ne sortez jamais, vous êtes tous fils et petit-fils de boutiquiers et vous vivez pour vous, dans votre égoïsme comme dans une boutique. Ne sentez-vous pas que ce que vous nommez votre personnalité n'est qu'une mauvaise digestion qui vous empoisonne et que vous communiquez vos nausées à vos amis ? Un homme se vantait un jour à moi avec beaucoup d'orgueil, prétendant qu'il atteignait au plus grand égoïsme, je lui montrai mon petit chien Zizi et je pus lui assurer que celui-ci était encore plus égoïste que lui ; à mon avis ce sont les êtres les plus proches des animaux qui sont aussi les plus près du parfait égoïsme. Ce que vous prenez pour des « tempéraments » ne sont que des maladies qu'il vaudrait mieux tâcher de guérir que d'exalter. Le snobisme achète des petits morceaux de ces maladies-là dans l'espoir qu'elles deviendront de bonnes affaires. Quant aux gens soi-disant sérieux, ils sont aseptisés par la mort, et quelle mort ! La mort verte, bleue, rose, ou la mort en héros (très joli costume !) ou la mort du poète « au moment où il produisait ses plus beaux vers ». Alors que reste-t-il ? d'un côté des maladies contagieuses, de l'autre la mort ! Je ne vois vraiment que Néron qui présente quelque intérêt, celui-là était un sacré Dada, aussi égoïste que mon ami, c'est vrai, mais du moins, lui, n'avait pas l'air de sortir d'un bocal d'alcool comme la plupart des petits Dadas de chez Certa ! Il faut monter sur les phares pour éclairer le monde ! Moi, j'ai installé une basse-cour sur un phare et je n'ai pas perdu l'esprit pour cela.

A New York la statue de la Liberté éclaire le monde, cette femme vient d'Europe et ne sait ce qu'elle fait, je suis monté sur sa tête et l'ai maquillée en vieux général, elle en parut satisfaite mais cela dura peu, elle demandait un collier de perles ; n'en ayant pas d'assez grosses, je lui fis ce collier avec des ballons du Louvre.

Funny Guy

Plus on plaît plus on déplaît
F. P.*

---

* *Ibidem*, verticalement en haut de la marge de droite.

La seule union illégitime est celle des êtres qui ne s'aiment pas.

La Sainte Vierge*

ALMANACH**

*C'est mon arrière-grand-père qui
a découvert l'Amérique mais, n'étant
pas italien il ne l'avait dit à
personne.*

F. P.

La vaseline des rengaines éloquentes,
Aux pâles lueurs des journaux,
Marine mes amis dans l'huile.
Le moderne est un art qu'il faut supprimer, le vieux moderne aussi ;
En peinture, les Primitifs sont les lumières mourantes des cantiques.
L'idéal serait une œuvre contraire en de pures régions.
Les larrons épaves semblent marcher entourés des ténors ridés de la
     publicité.
Quand on évoque le miracle de la réflexion, la vie ne me dégoûte pas.
Mon cœur est accroché au fil de fer qui commande les crimes.
Ma passion est l'oisiveté du dégoût.

Les Houveaux, 3 mai 1921

---

* *Ibidem*, p. 14.
** *The New York Herald Tribune*, Paris, 12 juillet 1921, p. 3.

LUTTE CONTRE LA TUBERCULOSE*

Pour dix francs, vous pouvez vous payer presque tous les mots de la langue française ; en effet, on se procure des dictionnaires dans toutes les librairies, comme on se procure des comprimés d'aspirine dans toutes les pharmacies ! Dans le dictionnaire, non seulement vous trouverez la totalité des mots, mais encore la façon de vous en servir et leur étymologie !

Goitreux, intelligent, idiot, génial, sensible ! Cinq mots qui, dans Larousse, ont une vie statique et que l'argot et des conventions momentanées transforment en leur donnant une vie dynamique.

Certains littérateurs, poètes ou journalistes n'ont qu'un désir, en se servant de mots *sublimes,* c'est d'augmenter leur convention, ainsi qu'on donne du grade au régiment ! Et beaucoup d'entre eux en arrivent à ne plus faire défiler devant vos yeux que *maréchaux* et *généraux* en des phrases comme celle-ci : « Une grande, une immense douleur nous étreint en songeant à l'admirable poète que nous avons perdu irréparablement ; nous ne pouvons trouver de consolation que dans la sublimité de sa mort, etc. » Eh bien, on ne peut pas dire qu'une douleur soit de grandeur « immense », pas plus qu'on ne peut qualifier une mort de « sublime ». La mort est peut-être une convention absolue, quant à la grandeur, elle n'existe que d'une façon subjective dans notre cerveau. La convention du mètre est tout au plus acceptable, lorsqu'il s'agit de mesurer la taille d'un homme sous la toise, mais la toise pour *grands hommes* n'existe pas objectivement et, subjectivement, elle est une des bonnes blagues de la bêtise humaine !

Je ne vous dirai pas : voyez la vie comme elle est, étant donné que nous ne la voyons pas, que nous ne la comprenons pas ; vous savez bien qu'il n'y a rien à comprendre, que nous pouvons tout juste constater. Nous constatons que la terre tourne autour du soleil par le fait de la nuit et du jour, mais la nuit n'est pas le contraire du jour, pas plus que le noir n'est le contraire du blanc. Nous sommes bien d'accord : une pierre, un chapeau, un homme, un chien subissent les

---

* *Comœdia,* 3 août 1921, p. 1.

mêmes lois de la pesanteur, font partie du même mouvement, mais l'homme a pris conscience du temps dans l'espace, par suite du contact qu'il a eu de son individu et du déplacement de cet individu ; de là, cet immense orgueil qui lui fait croire être plus vivant que les autres êtres ! Le chien pisse sur le chapeau, mais l'homme, lui, a fabriqué le chapeau ! Et nos braves littérateurs peignent ce chapeau en rose, en bleu, en violet, afin de nous convaincre de la poésie ou de la grandeur des produits végétaux et animaux, une fois que ceux-ci ont passé par la main de l'homme !

Tout cela est pour en arriver à vous demander si vous jugez utile de créer des conventions, afin de vous les mettre sur la tête ? Sera-t-il plus beau, ce chapeau, parce qu'il sera porté par M. de Fouquières ou par M. Henri Barbusse ? Non, n'est-ce pas ? Ce sont les boniments des camelots de la littérature qui font accepter, par paresse, cette poésie qui sort des chapelleries et qui a la même valeur que vos romans sortant de chez l'éditeur.

Le plus grand poète est certainement celui qui s'en doute le moins, il a cela de plus sympathique que le soi-disant grand homme qui tâche à le devenir un peu plus chaque jour en fabriquant d'autres grands hommes qui devront à leur tour servir à lui renvoyer l'encensoir.

Assez de toutes ces bêtises, de toutes ces insanités à deux cent cinquante francs l'article ou quatre sous la ligne ; désormais, nous pouvons nous intéresser aux seuls individus qui nous apportent un centième de millimètre de personnalité et de vie. Tout nous lasse, surtout des lieux communs ou répétitions, qui donnent à nos réactions chimiques paresseuses l'illusion de la compréhension et nous entraînent ainsi peu à peu vers le moindre effort, la léthargie et la mort.

Les êtres se divisent en plusieurs catégories — pôles actifs, pôles réceptifs — il y a ceux qui sont uniquement réceptifs, ceux qui possèdent ces deux facultés unies, et d'autres qui sont *neutres* au sens chimique du mot puisque rien ne peut les transformer pas plus qu'ils ne peuvent contribuer à la moindre transformation. Ces êtres-là nous encombrent à la manière des cafards... Ce que j'avance ici, je suis persuadé qu'on pourra le démontrer bientôt à l'aide d'appareils enregistreurs du même principe que ceux qui nous incitent dans les gares sous l'étiquette « Essayez vos forces », mais il faudra que les molécules des métaux dont seront faits ces appareils ne soient pas hyper-suggestionnables !

Le pôle actif cherche, crée, se fatigue de tout dans la vie, sauf de vivre : le pôle réceptif l'égale bien souvent par sa compréhension et l'assimilation pratique des trouvailles du créateur qu'il sert, mais comment voulez-vous que ceux-ci comme ceux-là puissent tolérer les parasites vivant sur toutes les conventions admises et admirées ? — admiration qui s'apparente à celle que l'on peut avoir pour les médecins militaires dont la science est en rapport avec le nombre de galons !

Ne pensez pas aux honneurs, aux décorations, à la publicité mercantile que procure la vente d'un ouvrage à quinze mille exemplaires, je ne veux pas dire par là : soyez « Dada » car, au fond de vous-même, vous l'êtes déjà, pour peu que vous ayez des besoins actifs ou réceptifs, mais il en est aussi parmi vous qui sont comme la pierre ou le chapeau : il faut pisser dessus ou dedans !

Est-il rien de plus ennuyeux qu'une exposition de peinture, même dans un endroit agréable ? Par exemple, chez un de mes amis où l'on ne s'ennuie pas trop, la salle d'exposition, elle, est vraiment mortuaire et il vaut mieux garder son argent pour boire du champagne dans le jardin que d'y acheter un Degas qui a l'air d'être peint par Claude Monet ou un Claude Monet par Degas alors que l'ensemble semble être de Daumier ou de Manet. Ne chérissez donc pas les tableaux comme vous pourriez chérir les beaux yeux d'une femme, l'œuvre d'art n'est que l'objectivité subjective qui dirige les hommes vers la transparence. Transparence qui pourra donner du bonheur et de la joie, sans religions, sans croyances artistiques, mais uniquement par les points de contact qui s'établiront entre les individus, dans un silence de vie interne, jusqu'au moment où d'autres hypocriales officielles viendront pourrir cette nouvelle évolution.

La nature est amorale, ne cherchez pas à lui mettre le vilain costume de la moralité, dans le seul but de vos besoins mercantiles.

FRANCIS PICABIA*

M. Francis Picabia, dont l'œuvre semble les débris de tableaux de maître dynamités, est-il aussi révolutionnaire dans la mode que dans la peinture ? Voici ce qu'il pense :

Bien que je ne fasse pas partie de la pléiade des imbéciles qui se font appeler « Mon cher maître », je ne peux résister à l'amabilité de votre lettre qui m'érige en arbitre des élégances !

Naturellement, il n'y a qu'un seul col tolérable : le col mou, aussi mou que possible, et, sur ce col, la veste ample, afin de permettre à tous les individus une circulation indispensable au bon fonctionnement cérébral.

Quant aux cols évasés, dits « à l'américaine », à New York ils n'ont jamais été portés que par les nègres ou par quelques cabots de cinéma !

---

* *L'Intransigeant,* 6 août 1921, p. 2[17].

Moi je ne sais rien et je ne comprends rien*.

FUMIGATIONS**

Je voudrais visiter l'intérieur des plantes et aussi l'intérieur des gens, comme on visite l'intérieur des églises, arriver à diminuer mon individu de telle façon que je puisse me glisser, m'asseoir, me reposer dans le cœur d'un ami, m'introduire dans sa vessie et, à l'aide d'une petite pirogue, boucher le canal de l'urètre afin de faciliter les inondations mortelles ; faire des ascensions dans le foie m'encordant avec d'autres excursionnistes qui auraient, eux aussi, plaisir à vivre parmi les bacilles du tube digestif et à villégiaturer sur les plages du rein[20] ! Mais nous devons nous contenter de la périphérie terrestre et faire des courses à chameau dans le désert ; je dois réhabiliter ici le chameau, cet animal n'a jamais donné le mal de mer à personne, c'est une pure invention des officiers de marine. Mais quelle était donc l'idée première de mon article ? C'est là l'important et, j'ai beau chercher, je ne retrouve plus cette idée, d'ailleurs j'avais le pressentiment que cela m'arriverait, lorsque j'ai commencé à écrire, continuons donc par n'importe quoi.

Un de mes amis m'a dit l'autre jour que j'étais un mauvais Européen ! Sans doute, lui, se juge-t-il comme un bon Européen parce que, tel un filtre Pasteur, il filtre tout ; il filtre les clowns, il filtre les nègres ; n'est-ce pas, filtrer, c'est tout ce que peut faire l'Europe après s'être épuisée en efforts pour la conquête de l'Alsace-Lorraine ! Filtrer l'Alsace-Lorraine serait assez curieux ; nous aurions bien vite le plaisir d'entendre une jolie romance berlinoise ! Je suis un mauvais Européen comme je suis un mauvais Américain, comme je suis un mauvais peintre, un mauvais littérateur, un mauvais mari, mais... je conduis très bien les voitures automobiles ! Je voudrais tellement faire de la peinture comme je conduis une automobile, 130 à l'heure sans écraser personne — dans Paris, naturellement ! Enfin mon ami le bon Européen est bon littérateur, bon dessinateur, bon poète, mais il ne sait pas conduire une automobile ! Peut-être, moi non plus d'ailleurs ! Ce serait bien amusant de conduire une voiture à deux directions, une à l'avant, l'autre à l'arrière, surtout si cette voiture était peinte en rose et noir ! allons, tout cela est déjà bien vieux...

Je voudrais trouver un ingénieur qui soit à même de réaliser ma dernière invention ; cette invention consiste à monter des cercles autour de la terre, cercles qui seraient rendus immobiles par une attraction centripète ; sur ces cercles seraient bâtis des palaces qui

---

* *Le Gaulois,* 29 octobre 1921, p. 3[18].
** *The Little Review,* Londres et New York, automne 1921, p. 12-14[19].

tourneraient sur eux-mêmes. En cette façon, sans quitter notre chambre, nous ferions le tour du monde, ou plutôt nous le verrions faire son tour en vingt-quatre heures ! Voici Le Caire avec la vision des pèlerins de La Mecque, la haute Egypte, puis New York, Brooklin et Riverside Drive, voici Paris, la Seine, etc., et pendant ce défilé inouï, des jeunes filles joueraient au piano des mélodies de Reynaldo Hahn ! Il n'y aurait plus de voyages, plus de trains manqués, plus de nuits, donc beaucoup moins de danger d'attraper des refroidissements, enfin, la mise en pratique de ma découverte offre des avantages sérieux. Si jamais un ingénieur américain a une idée en lisant ces lignes, je lui serais très obligé de m'écrire afin que nous puissions causer ensemble d'une mise au point possible. Bien entendu, les habitants des cercles bénéficieraient de « l'anationalité ».

Il y a des gens qui sont amoureux de la nature, ils regardent les animaux avec adoration, les plantes avec exaltation, ils éprouvent des sensations voluptueuses en voyant le coucher ou le lever le soleil ; ces gens sont en général très aimés par les êtres simples, moi, je n'aurais vraiment qu'un désir celui d'attirer les fous, c'est un peu ce qu'a fait Napoléon !

Ah ! ah ! ah ! ah ! figurez-vous un être suivi par tous les fous du monde, par toutes celles qui se croient la Sainte Vierge, ou Jeanne d'Arc, par ceux qui se croient Néron, Charlemagne, Guillaume II, Edouard VII... ou moi ! Par ceux qui se croient des chevaux, des lions ou des tigres, des monstres ou des oiseaux-mouches ! Ne croyez-vous pas que ces êtres, eux aussi, sont près de la nature ? Ils ne participent pas aux joies de la famille et manquent souvent de cette curiosité qui est impitoyable !

Il y a des êtres qui ne lisent rien, qui ne pensent à rien, qui ne font absolument rien, mais qui soignent méticuleusement leur rhume de cerveau quand ils en ont ! Ils vont parfois au cimetière porter quelques fleurs à des êtres qu'ils ont connus et qui pourrissent consciencieusement ; leurs fleurs pourriront, eux-mêmes pourriront, vous voyez bien qu'il n'y a pas lieu de se préoccuper ; la Nature se charge de tout ; il n'y a qu'à la laisser faire, elle fait bien ce qu'elle fait. Les idées pourrissent comme les fleurs et les gens et il y a des gens qui veulent momifier les idées comme les Egyptiens momifiaient les cadavres.

Je suis pour l'incinération qui conserve sous le format le moins encombrant, idées et individus.

Chers amis de tous les pays du monde, renouvelez et bousculez, brûlez et noyez, assassinez, volez, tout et tous... excepté moi.

Je félicite le journal *Le Matin,* non seulement de découvrir les secrets, mais de les comprendre*.

---

* *Le Matin,* Paris, 10 novembre 1921, p. 1[21].

FEMMES FUMIGATIONS*

C'est plus littéraire des lentilles sodomites odeur de femme
dont l'idéal s'étend pendant quatre jours
La vie des Saints
danse autour d'un plumeau taillé dans une cloche
Les cloches sont des bulles percées par les valses philosophales
Des odeurs un corps d'accusé sans indiquer le lieu
Langoureuses lanternes de cave pont-levis
C'est le squelette
En bas-relief des Ste Catherine impasse
J'ai à la maison une langue va-et-vient
Image du mystère des détails réservés
Aux quatrièmes pages des journaux j'ai aperçu mon confesseur
Il aime l'hiver et le tremplin
j'enfile mes bottines[23].

> Un doreur-encadreur
> qui travaille pour le Salon
> d'Automne devient
> souvent encadreur d'horreurs.
>
> Piccabia**(sic)

---

* *Bleu*, automne 1921[22].
** *Le Petit Bleu*, 20 nov. 1921[24].

L'OEIL CACODYLATE*

Le Matin a été très fier de montrer, en première page, mon tableau du Salon d'Automne, *Les Yeux chauds*[26], en publiant au-dessous le schéma d'un frein de turbine aérienne, paru dans une revue scientifique en 1920 ! « Picabia n'a donc rien inventé, il copie ! » Eh oui, il copie l'épure d'un ingénieur au lieu de copier des pommes !

Copier des pommes, c'est compréhensible pour tous, copier une turbine, c'est idiot. A mon avis, ce qui est encore plus idiot, c'est que *Les Yeux chauds*, qui étaient inadmissibles hier, deviennent maintenant, par le *fait* qu'ils représentent une convention, un tableau parfaitement intelligible à tous.

Le peintre fait un choix, puis imite son choix dont la déformation constitue l'*Art* ; le choix, pourquoi ne le signe-t-il pas tout simplement, au lieu de faire le singe devant ? Il y a bien assez de tableaux accumulés et la signature approbative d'artistes, uniquement approbateurs, donnerait une nouvelle valeur aux œuvres d'art destinées au mercantilisme moderne.

Le tempérament ? Quelle bonne blague ! Celui qui en a véritablement, l'emploie autrement qu'à faire toutes ces grimaces que l'on nomme peinture, sculpture, etc. Moi, je voudrais fonder une école « paternelle » pour décourager les jeunes gens de ce que nos bons snobs appellent l'Art avec un A majuscule. L'Art est partout, excepté chez les marchands d'Art, dans les temples d'Art, comme Dieu est partout, sauf dans les églises, car j'imagine que s'il y a un Dieu, il doit préférer la vie au pain azyme !

Les tableaux du Salon d'Automne et leurs auteurs sont du pain azyme ; j'aime beaucoup mieux ce journaliste qui a cru me faire de la peine en reproduisant la turbine aérienne.

Mes tableaux passent pour des œuvres peu sérieuses, parce qu'ils sont faits sans l'arrière-pensée de la spéculation et parce que j'y travaille en m'amusant comme on fait du sport. Voyez-vous, l'ennui est la pire des maladies et mon grand désespoir serait justement d'être pris au sérieux, de devenir un grand homme, un maître, un homme d'esprit que l'on invite à causer de ses décorations, de ses relations et parce qu'il fait bien dans les dîners, où les gens qui mangent beaucoup sont des gens qui n'ont rien dans le ventre ! Vous voyez ce que je veux dire, l'artiste-ministre, l'artiste-député ! Or, moi, je l'ai écrit bien souvent, je ne suis rien, je suis Francis Picabia ; Francis Picabia qui a signé l'œil cacodylate, en compagnie de beaucoup d'autres personnes qui ont même poussé l'amabilité jusqu'à inscrire une pensée sur la toile ! Cette toile a été terminée, lorsqu'il n'y a plus eu de place dessus et je trouve ce tableau très beau et très agréable à voir et d'une jolie

---

* *Comœdia*, 23 novembre 1921, p. 2[25].

harmonie, c'est *peut-être* que tous mes amis sont un peu des artistes ! On m'a dit que j'allais me compromettre et compromettre mes amis, on m'a dit aussi que ce n'était pas un tableau. J'estime qu'il n'y a rien de compromettant si, peut-être, ne pas se compromettre ; et je pense qu'un éventail couvert d'autographes ne devient pas un samovar ! C'est pourquoi mon tableau, qui est encadré, fait pour être accroché au mur et regardé, ne peut être autre chose qu'un tableau.

Aux Indépendants, je compte exposer des souris blanches, sculptures vivantes, un gardien sera près d'elles et vendra du pain au public, afin d'assurer la vie de ces petits animaux indispensables à mon œuvre.

Le Matin découvrira que j'ai emprunté ces souris à un marchand d'oiseaux, ce qui ne m'empêchera pas d'être très content de mon idée.

BONHEUR MORAL ET BONHEUR PHYSIQUE*

Je pense que le bonheur physique consiste avant tout en une santé aussi parfaite que possible. C'est-à-dire une santé permettant l'oubli de son corps à l'individu qui peut ainsi réaliser plus librement son bonheur moral.

J'entends par bonheur moral la possibilité pour cet individu d'agrandir le cercle de ses connaissances en tous points, aussi bien en science qu'en art, sans qu'il soit constamment forcé pour cela de recourir aux ressources de la médecine moderne : piqûres de cacodylate, de glycéro-phosphate ou d'oxygène.

Un être sain devrait pouvoir entretenir sa vitalité par la compréhension de l'évolution des autres et l'évolution qu'il peut apporter lui-même. Généralement, les êtres particulièrement intelligents ne font rien, non parce qu'ils sont paresseux, non parce qu'ils se portent mal, mais parce que leur instinct de tout leur fait sentir l'inutilité de tout, ainsi leur bonheur moral vit dans un espace empoisonné de pessimisme. Il y a bien pour ceux-là le suicide, mais il y a aussi leur curiosité qui voudrait la certitude de survivre à sa complète destruction, ce qui leur causerait à mon avis une émotion bien plus intense que d'assister à la destruction d'une cathédrale par des abrutis ayant le seul désir de la faire changer de nationalité ! Le bonheur physique n'a pas de nationalité, je me demande pourquoi vous voulez en donner une au bonheur moral ? Après tout ce n'est pas plus bête que de s'embarrasser de la table des logarithmes ou d'apprendre le grec et le latin ! Comprendre ces langues est « une chose très belle » comme disait Guillaume Apollinaire, mais, en art

---

* *Ça ira*, Anvers, n° 16, novembre 1921, p. 98-101[27].

comme en science, il n'y a rien à comprendre, nous pouvons tout juste constater avec le désir d'être moins mal, de moins nous ennuyer.

Comprendre, pour le public, c'est le bonheur moral et la plupart des artistes, par faiblesse ou manque d'inspiration, cédant à cette exigence erronée, se servent des lieux communs avec l'espérance d'être compris. Le bonheur moral se contente d'« être bien », il ne s'ennuie que lorsqu'il porte un costume trop étroit aux entournures ou quand on lui refuse la quantité de nourriture indispensable à son bon équilibre.

Savez-vous que, pour bien des gens, le bonheur moral se synthétise par le plaisir de revêtir des maillots de couleurs bulgares qu'ils exhibent dans les stations d'hiver à la mode en cherchant désespérément à imiter les guides qui, eux, font du sport avec le même naturel que nous lorsque nous avalons notre petit déjeuner du matin !

Actuellement, l'exagération du sport, l'importance qu'on lui donne en ont fait un art ; le respect qu'on a pour tel ou tel boxeur se montre aussi grand que celui que l'on peut professer pour un ingénieur génial ou un artiste renommé ; et certes un docteur qui sauverait une partie de l'humanité d'une affreuse épidémie ne serait pas porté en triomphe de façon plus tumultueuse que Georges Carpentier ou Dempsey[28].

Bien entendu, si ces deux boxeurs appartenaient au même pays il n'y aurait pas en leur faveur un pareil enthousiasme, un élan de passion aussi intense, c'est que les différents nationaux qui assistent aux préparatifs du match voient dans celui-ci non seulement la lutte de deux hommes, mais encore, et plus, la lutte de deux races ! Toujours le même stupide instinct !

Ce qu'il y a d'amusant, c'est que les journaux de France et d'Amérique annoncent avec la même absolue certitude la victoire de leur champion respectif ! Enfin dans quelques jours l'un ou l'autre pays aura le bonheur moral de la victoire de son représentant ! Merde ! pourquoi ne soutenez-vous pas autant, Français et Américains, ceux qui d'une façon plus obscure contribuent au bonheur de chacun par leurs inventions et découvertes ? Par exemple celui qui assurerait actuellement la suppression de toutes les frontières n'aiderait-il pas à une évolution vers ce bonheur physique et moral de l'univers ? Et pourtant il serait impossible de vous demander pour cet être-là une véritable admiration qui ne serait pas une admiration de publicité, mais un amour militant de tous les hommes, de toutes les femmes pouvant seul lui faciliter les moyens de vivre et de s'exprimer ; mais, n'est-ce pas ? la plupart des patriotes cachent leur cupidité sous le drapeau du patriotisme et à la Chambre des députés les honnêtes et bon législateurs s'occupent plutôt d'améliorer le sort de l'ouvrier — moyen de soigner les futures élections — que d'assurer le sort d'un malheureux individu qui peut valoir à lui seul cinq cent mille ouvriers, mais n'a que son unique voix à porter aux urnes, ah ! celui-là, MM. les législateurs ne s'en foutent pas mal ! Un petit employé des Galeries

Lafayette travaille autant qu'un *travailleur*, mais il compte moins parce qu'il se lave les mains et met un faux col ; pour être un bon *travailleur*, il faut porter la crasse comme une bannière ! Et vous parlez d'une égalité — qui serait bien d'ailleurs la chose la plus ennuyeuse à supporter. Ce qui fait la beauté de la vie, c'est son injustice ; voyez-vous toutes les femmes ayant le même visage, la même taille, les hommes tous blonds, avec des yeux bleus, une grande barbe, comme taille 1,83 m ? Et tous artistes peintres ou ouvriers ? Je suis contre le communisme, contre cet idiot de Lénine qui fit d'un général un soldat et d'un soldat un général, ce qui revient exactement au même[29]. Ils ont peut-être en Russie le bonheur moral, mais pour que ce bonheur moral puisse durer il faut y ajouter le bonheur physique.

La seule chose qui m'ait intéressé un instant chez les Russes, ce fut la Révolution, mais elle ne dura que quelques semaines et maintenant ils ont le même esprit « famille bourgeoise » qu'ici. La révolution a exterminé les imbécillités tsaristes pour les remplacer par d'autres absurdités qui nous apparaissent avec les mêmes exagérations opportunistes que celles enfantées par le capitalisme autocrate du gouvernement impérial.

La noblesse russe a vendu ses bijoux pour continuer l'élan de son plaisir, bientôt ils vont vendre leurs cœurs à la façon dont les malheureuses prostituées de Moscou vendent leurs fesses ou, ce qui est encore plus embêtant, les donnent pour rien à un arrière-petit-cousin du nouveau tsar Lénine... Pardon mon cher Lénine, c'est vrai vous n'êtes pas tsar, vous concentrez l'idéal et les besoins de votre époque, lesquels sont pour la plupart de vos admirateurs le désir de se mettre du poil à gratter dans le nez ! L'autre jour, passant près de chez vous, j'ai escaladé la barrière de votre jardin, ayant aperçu des fruits magnifiques sur les arbres, et j'ai secoué énergiquement un de ces arbres afin d'étancher ma soif et de calmer ma faim. J'ai alors reçu sur la tête une superbe merde que je compte exposer et vendre à la salle Drouot au profit des animaux de vos jardins zoologiques, s'ils n'ont pas eu encore la gloire d'être mangés par vous !

2 juillet 1921, 10 heures du matin.

FRANCIS PICABIA

 EST UN IMBÉCILE, UN IDIOT, UN PICKPOCKET !!!

MAIS

IL A SAUVÉ ARP DE LA CONSTIPATION !

LA PREMIÈRE ŒUVRE MÉCANIQUE A ÉTÉ CRÉÉE PAR MADAME TZARA LE JOUR OÙ ELLE MIT AU MONDE LE PETIT TRISTAN, ET POURTANT ELLE NE CONNAISSAIT PAS

FUNNY-GUY

FRANCIS PICABIA

est un professeur espagnol imbécile, qui n'a jamais été dada   FRANCIS PICABIA N'EST RIEN !

FRANCIS PICABIA   AIME LA MORALE DES IDIOTS

LE BINOCLE DE ARP EST UN TESTICULE DE TRISTAN

FRANCIS PICABIA   N'EST RIEN !!!!

Les hommes couverts de croix font penser à un cimetière

FRANCIS PICABIA

EST UN LOUSTIC
EST UN IDIOT
EST UN CLOWN
N'EST PAS UN PEINTRE
N'EST PAS UN LITTÉRATEUR
EST UN IMBÉCILE
EST UN ESPAGNOL
EST UN PROFESSEUR
N'EST PAS SÉRIEUX
EST RICHE
EST PAUVRE

MAIS : ARP ÉTAIT DADA AVANT DADA

BINET-VALMER AUSSI
RIBEMONT-DESSAIGNES AUSSI
PHILIPPE SOUPAULT AUSSI
TRISTAN TZARA AUSSI
MARCEL DUCHAMP AUSSI
THÉODORE FRAENKEL AUSSI
LOUIS VAUXCELLES AUSSI
FRANTZ JOURDAIN AUSSI
LOUIS ARAGON AUSSI
PICASSO AUSSI
DERAIN AUSSI
MATISSE AUSSI
MAX JACOB AUSSI
ETC... ETC... ETC.....

EXCEPTÉ Francis Picabia !

LE SEUL ARTISTE COMPLET !

FRANCIS PICABIA   VOUS CONSEILLE D'ALLER VOIR SES TABLEAUX AU SALON D'AUTOMNE,

ET VOUS PRÉSENTE SES DOIGTS A BAISER.

FUNNY-GUY.

MARIHUANA *

Les Mexicains ont trouvé le moyen d'éprouver tout le plaisir que peut procurer le cinéma, sans sortir de chez eux et avec un minimum de dépense ! Ils s'installent devant un mur blanc, après avoir absorbé une petite quantité de pâte de Marihuana et, peu après, sous l'influence de la drogue merveilleuse, ils voient surgir devant eux des personnages animés exprimant leurs désirs, à la manière des acteurs des plus beaux films de Rio-Jim.

Ce préambule est pour rendre plus compréhensibles les lignes qui vont suivre...

L'Art n'a que deux dimensions : la hauteur et la largeur ; la troisième dimension étant le mouvement — la vie — *l'évolution* de l'art la représente, c'est le bras de l'opérateur tournant le film au cinéma. Cette évolution est la seule chose qui puisse nous intéresser. Guillaume Apollinaire aimait la quatrième dimension, parce qu'il était poète ! La quatrième dimension, c'est le « sublime », c'est-à-dire l'inconnu, c'est Rimbaud dont l'œuvre est plus poétique du fait qu'il mourut jeune, après en avoir détruit la presque totalité. Forain, qui professe tant d'admiration pour l'auteur du *Bateau ivre,* serait moins enthousiaste si le poète vivait encore !

Actuellement, la troisième dimension sert de prétexte pour tout abîmer : abîmer la musique américaine et les sculptures nègres, abîmer Michel-Ange, Greco, Goya, Paolo Ucello, enfin à plagier sans instinct ceux qui ont créé quelque chose ; or, si on peut *copier* un homme de génie, on ne peut pas l'*imiter*. Il est vrai que vous ne concédez de génie aux autres que pour vous en attribuer à vous-même ! Aujourd'hui, *il n'y a plus que des hommes de génie* et leurs œuvres me font penser à la construction des gracieuses voitures Machin.

Le don n'existe pas ; j'ai le souvenir d'avoir eu dans ma jeunesse un professeur de mathématiques qui avait été toréador !

J'aimerais des artistes dans le sens bête du mot et voilà qu'il n'y a plus que des gens intelligents ! Ils peignent l'intelligence et arrivent à s'exprimer de la même façon que les amateurs de Marihuana qui se projettent eux-mêmes sur le mur-écran à force d'onanisme cérébral. Je

---

* *Comœdia,* 21 décembre 1921, p. 1.

préfère les « idiots » avec leur idéal mystique, alors qu'ils peignaient des vierges entourées d'anges ; hélas ! les vierges actuelles sont Kahnweiler et Rosenberg et les anges Picasso, Derain ou Guirand de Scévola[31]... Tout près, un pianiste joue un *Allah's Holiday* parisianisé à la façon d'un poisson sorti de la glace après un an et accommodé pour quelques snobs par un habile cuisinier qui le baptise : « Rêve à la crème de maquereaux ». Il y a aussi le bel article écrit par un critique influent pour faciliter aux marchands le mercantilisme — mercantilisme qui ne va pas tarder à s'effondrer en ensevelissant pour très longtemps les demi-génies de la rue de la Baume et les génies de la rue d'Astorg[32] : les Allemands n'achètent plus parce que c'est trop cher et ceci entraîne les Norvégiens et les Suédois à aimer moins cette marchandise soi-disant moderne que je trouve plus démodée que le couturier à la mode, plus démodée que certains Dadas, fils de la Veuve Joyeuse ! Picasso seul vaut véritablement quelque chose ; pourvu que ses fréquentations bourgeoises ne déflorent pas peu à peu son mysticisme nomade !

Moi, voyez-vous, plus je vis, plus j'ai envie de vivre, non vivre dans le sens de la durée, mais dans le sens du plaisir ; devant l'immobilité de la campagne je m'ennuie tant que l'envie me prend de manger les arbres ; dans les villes, à Paris, par exemple, il me semble que je serais capable de transporter l'Obélisque à l'Olympia ! « Ce n'est pas un plaisir », me direz-vous ! Eh bien si, et c'est un plaisir plus grand, à mon avis, que de prendre la Marihuana et de regarder le mur ! Un jour viendra où les grands intoxiqués préféreront à n'importe quel tableau une toile blanche qui ne parlera pas mais dont la signature suggestionnera les gens au point de leur faire voir sur cette toile ce que contiendra leur propre cerveau. Mais, voyons, il y a une chose plus belle encore : le suicide ! Pourquoi, chers amis qui trouvez stupides tous ceux qui font quelque chose, ne vous détruisez-vous pas une fois pour toutes ? Vous auriez la chance d'échapper au châtiment suprême, puisque la société ne peut punir de la peine de mort le crime du suicidé, égal cependant aux autres crimes, car se tuer ou tuer son voisin, c'est pareil : le meurtre est un !

Il vaut mieux avoir l'amour de la lutte, ne pas craindre les longues visites chez des amis qui vous font oublier les rendez-vous « sérieux ».
— Il n'y a rien de sérieux, il n'y a rien de bouffon, mais il n'est plus possible de vivre à l'ombre des conventions ; vivez donc au soleil et évitez la stagnation afin de ne point pourrir.

1922

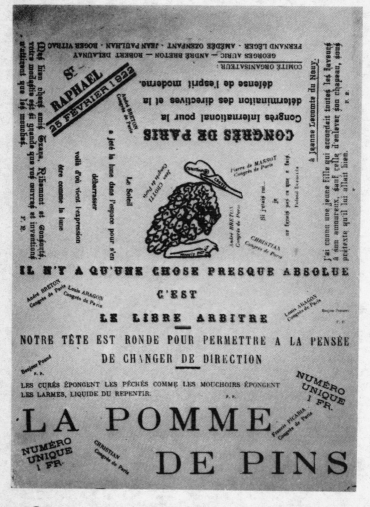

Couverture de la publication " *La Pomme de Pins* "
Saint-Raphaël 25 Février 1922.

(Tract*)

Le Salon des **INDÉPENDANTS** n'est plus *indépendant ! ! !*

Il a refusé deux tableaux à *Francis PICABIA !*

Le Salon des Indépendants a pour Président un homme qui s'est fait décorer de la Légion d'honneur à titre d'artiste peintre !

Or, la devise des Indépendants est *"ni jury, ni récompenses !"*

Le Salon des Indépendants devient très "Salon d'Automne".

Le Salon d'Automne est devenu "la Nationale".

La Nationale est devenue le "Salon des Artistes Français".

Le Salon des Artistes Français est devenu de la merde !!!

Il faut fonder un nouveau Salon qui deviendra...........
..........? ? ?

Les deux Tableaux refusés sont exposés au bar MOYSÈS, 28, Rue Boissy-d'Anglas, pendant la durée de l'exposition des Indépendants.

---

* Texte du 17 janvier 1922[33].

ON REFUSE M. PICABIA AUX INDEPENDANTS*

Nous recevons la lettre suivante :

Paris, 18 janvier 1922

Monsieur le Rédacteur en chef,

Comme vous le savez, la Société des Artistes indépendants va prochainement ouvrir son exposition au Grand Palais des Champs-Elysées ; or, j'ai reçu ce matin une lettre recommandée, signée du président Paul Signac et du secrétaire général Igonnet de Villers, par laquelle ces messieurs m'informent que cette Société, à laquelle je ne connaissais pas de jury, refuse deux de mes toiles sur trois que j'avais envoyées ! L'un de ces tableaux refusés est mon portrait par moi-même, accompagné d'une photographie d'après laquelle il a été fait : l'autre est composé d'une corde, d'une carte de visite et d'une invitation à la soirée de réveillon donnée dernièrement par Marthe Chenal[25], le tout collé sur la toile ; en travers, cette inscription : « Merci pour celui qui le regarde »[34].

A l'époque où la Société des Indépendants faisait son exposition dans des baraquements sans prétention sur les bords de la Seine, elle ne jugeait pas inopportunes des œuvres exécutées en bouchons ou en timbres-poste, non plus que la mystification imaginée par Roland Dorgelès, mystification que personne n'a oubliée et qui était due au pinceau qu'il avait attaché à la queue d'un âne ; je vous rappelle aussi les tableaux cubistes composés bien souvent de sable, d'objets collés, tels que pipes, journaux, etc.

J'espère que vous voudrez bien insérer cette lettre et enregistrer ainsi ma protestation contre ce fait sans précédent : refus d'œuvres indépendantes par une Société d'artistes soi-disant indépendants, alors que ces œuvres ne sont revêtues d'aucun caractère pornographique.

Veuillez agréer, Monsieur le Rédacteur en chef, l'assurance de ma considération distinguée.

---

* *Journal du peuple,* 19 janvier 1922. Cette lettre parut également le même jour dans de nombreux quotidiens de Paris : *Paris-Midi, L'Eclair, Le Matin, New York Herald Tribune* et dans *Comœdia.*

TROMPETTES DE JERICHO*

Les hommes ont toujours besoin d'un dieu ! Un dieu pour les défendre contre les autres hommes. Le jour où ils ont fait d'un homme un dieu, ils ont fait de Dieu un homme ; ils ont agi ainsi par bêtise, par faiblesse, avec l'envie de faire parler d'eux, à la façon des organisateurs du Congrès moderniste de Paris[35] — ces jésuites de 1922 ! Les organisateurs du Congrès moderniste n'ont pas d'idées, ils n'ont que des convoitises. Je serais désolé de me tromper en émettant cette opinion, car j'ai horreur de ces organisations où le troupeau veut diriger le berger, j'ai envie d'y mettre le feu, après les avoir aspergés de pétrole ! Et dire qu'il y a des gens qui se plairont à leur verser quelques gouttes de parfum du « Jardin de mon Curé », par exemple !

Les moyens de développer l'intelligence ont augmenté le nombre des imbéciles, il n'y a vraiment qu'un être qui me plaise, c'est l'homme « brut », le musicien brut, le peintre brut, l'écrivain brut, eux seuls existent vraiment, les autres ne sont que des fondeurs, des ciseleurs, des chimistes qui se servent de l'or pour fabriquer un manche de parapluie, une cuillère à sucre ou un bidet ! Oui, mes chers amis, voilà l'art actuel : un tas de petites saletés que l'on vend le plus cher possible. Il faudrait faire fondre tout cela afin d'en retrouver la valeur initiale ; dans l'or brut apparaîtraient les noms de : Spinoza, Goethe, Greco, Wagner, Beethoven, Rimski-Korsakov, Michel-Ange, Picasso et aussi l'empreinte des races jaunes, rouges et noires.

Sans doute, ce Congrès de Paris ne me déplairait pas si mon ami André Breton arrivait à jeter dans le creuset toutes nos « célébrités modernistes » et à obtenir comme résultat une superbe pépite qu'il traînerait derrière lui sur un petit chariot et qu'il signerait *André Breton*. Malheureusement, Breton lui-même n'est pas « brut », aussi je crains bien qu'il ne réussisse pas dans son entreprise et qu'il n'arrive qu'à aggraver la laideur de certaines ciselures dont le modernisme fait penser aux objets en étain exposés par une boutique d'avant-guerre, sous le nom de *Kaisersine*.

Le poids de la vie n'existe que pour ceux qui portent dans leur cerveau des ciselures et des œuvres d'art ; les œuvres d'art ne sont pas seulement représentées par un tableau, une sculpture, une page de littérature ou de musique, elles existent aussi en religion, en amour, en politique et les législateurs comme les amoureux ou comme les membres des conciles, fabriquent les mêmes horreurs que nos bons artistes anciens ou modernes.

Ce besoin du « brut » peu de gens encore ont le courage de l'avouer ; je sais qu'il est impossible, mes amis, que vous me compreniez immédiatement, mais un malaise existe, vous le sentez tous et à force de vous ennuyer, d'être obsédés par les œuvres

---

* *Comœdia*, 19 janvier 1922.

« artistiques », « intelligentes », offertes par les groupements « modernes », vous enverrez un jour promener les soi-disant artistes dont la seule ambition est le mercantilisme.

Tout article est monté sur un pivot, mon article tourne et s'arrête maintenant devant les opinions littéraires de M. Pierre Benoit. Celui-ci reproche, je crois, aux jeunes littérateurs de manquer d'érudition ; eh bien, je ne suis pas de son avis, je trouve que la plupart de nos auteurs possèdent une érudition énorme, ils ne la puisent pas dans les conventions officielles, heureusement, mais, avec un choix d'abeilles, ils s'intéressent aux hommes dont la parure est en écaille et non en celluloïd. Les guides du musée du Louvre ont en peinture une érudition infiniment plus étendue que la mienne ; les bibliothécaires de Sainte-Geneviève connaissent les noms des plus infimes poètes et prosateurs des siècles passés et je suis étonné que, chacun dans sa spécialité, ne se serve pas de son érudition pour faire de ces petits chefs-d'œuvre à succès qui transforment leurs auteurs en feux d'artifice pendant quelques instants, feux d'artifice d'ailleurs inoffensifs puisque les gens susceptibles de s'y intéresser sont des aveugles-nés !

M. Pierre Benoit se plaint qu'il n'y ait plus d'écoles ! Je suis forcé à nouveau de le contredire ; notre génération a vu la fin du symbolisme, l'impressionnisme, le cubisme, le futurisme, le dadaïsme !

A travers ces différentes écoles, des centaines d'hommes et de femmes ont cherché à exprimer la vérité par rapport à eux-mêmes, mais leurs œuvres ne contenant pas assez de lieux communs, n'ont évidemment pas le succès en ruolz d'un Didier Pouget[36] ou d'un Pierre Benoit !

Les véritables penseurs ne peuvent espérer être glorifiés par les foules, du moins de leur vivant, à la façon de Charlot, de Dempsey ou de Carpentier, aussi je m'étonne de voir M. Pierre Benoit mettre sur la même balance des êtres dont les moyens d'expression n'ont pas plus de rapport qu'un caméléon avec une mante religieuse ! Je considère que des hommes comme Apollinaire, André Breton, Aragon, Ribemont-Dessaignes, Jean Cocteau, le Dr Serner, Marcel Boulenger, Pierre de Massot[37] et combien d'autres dont je ne cite pas les noms trop peu connus malheureusement ont une érudition déconcertante et une personnalité incontestable. Je ne pourrais en dire autant de M. Pierre Benoit dont *Le Lac Salé* manque même de « dessalage », si je puis dire, et dont les « pièges à loups » ont fait sourire tous ceux que le temps de guerre n'a pas privés d'érudition...

Si nous nous arrêtons au théâtre moderne, mettons en regard les philosophies chinoise ou persane, la Bible et le simple catéchisme, nous verrons là des personnages tout aussi nouveaux et sympathiques que ceux de *La Revanche du Mari*, du *Verbe Aimer*, de *Lorsqu'on aime* ou je ne sais quoi encore. Sans doute est-ce l'érudition considérable des auteurs de ces pièces qui les a empêchés d'apporter dans celles-ci la moindre parcelle d'invention dont notre théâtre aurait tant besoin pour se rajeunir ; ces messieurs ont cherché à faire du Kodak et n'ont aperçu dans le viseur que la cocaïne ou la prostitution, tel M. Henry Bataille dans *Possession*. Ce n'est pas que ces choses soient vilaines à voir ou immorales à vivre, mais combien elles sont banales, de présentation vulgaire, faites de lieux communs et de vieux artifices de théâtre ! J'ai eu du moins le plaisir de constater que le public le plus facile ne prenait aucun goût à ces absurdités et il est certain qu'il s'émeut davantage à un film de Charlot ou de William Hart[38].

Hélas, ce que les hommes ont trouvé de mieux à faire avec l'or, ce sont des pièces de vingt francs...

(Sans titre*)

...Je n'y comprends rien, *nous répond-il*. C'est inimaginable ! Quand je pense qu'autrefois les Indépendants exposaient dans de simples baraquements sur les bords de la Seine, et que c'est grâce à mes efforts qu'ils ont pu finalement obtenir le Grand Palais !

Hélas, monsieur Picabia, la reconnaissance est une vertu bien rare. Mais ne voyez-vous pas ce qui dans ces tableaux a pu effaroucher quelque susceptibilité pointilleuse ?

Pas du tout : l'un est mon portrait par moi-même, accompagné de la photographie d'après laquelle il a été fait : vous savez que beaucoup de nos portraitistes abusent de ces reproductions. L'autre consiste en une corde, une carte de visite et une invitation à la soirée de réveillon organisée récemment par Marthe Chenal ; en travers, une simple inscription : « ... pour celui qui le regarde. »

Les points de suspension expriment naturellement vos remerciements au spectateur admiratif ?

Naturellement, alors je vous le demande, les Indépendants sont-ils indépendants ou bien la liberté dans l'art n'est-elle qu'un vain mot ? Notez bien que mes œuvres ne sont pas pornographiques, comme j'en ai vu certaines exposées parfois chez ces mêmes Indépendants ; d'autre part, c'est de la peinture, et non des débris de bouchons ou de timbres-poste amalgamés sur une toile — ou bien encore un pinceau promené au hasard par la queue d'un âne, comme l'imagina facétieusement un jour Roland Dorgelès, qui put exposer ainsi l'œuvre de... Boronali.

Non, *termine notre interlocuteur en nous reconduisant,* je vous le répète, je ne comprends pas, et je désire que ma protestation soit rendue aussi publique que possible, car la mesure dont on me frappe est inadmissible et constitue un fait sans précédent dont les conséquences ne tendent à rien de moins qu'à supprimer la liberté dans l'art.

---

* *Bonsoir*, 20 janvier 1922[39].

M. PAUL SIGNAC,
M. FRANCIS PICABIA
ET DADA*

Nous demandons à l'artiste si Mlle Chenal s'était convertie au dadaïsme.

« Non, répond-il. Vous avez, d'ailleurs, dû voir dans les journaux les lettres que j'ai écrites pour apprendre au public ma séparation d'avec les Dadas. Je ne voulais pas prendre la responsabilité de manifestations inconsidérées. Et pourtant, j'étais en quelque sorte le père spirituel de Dada. Je lui avais donné une philosophie... »

Et comme nous donnons acte à M. Francis Picabia de cette paternité trop légitime, il ajoute :

« Et puis, après tout, je travaille comme il me plaît. Je cherche à trouver du nouveau, de nouvelles formules, de nouvelles méthodes.
" Une nouveauté qui ne dure que cinq minutes vaut mieux qu'une œuvre immortelle qui ennuie tout le monde ". »

A MONSIEUR PAUL SIGNAC,
PRESIDENT DE LA SOCIETE DES INDEPENDANTS**

Cher Monsieur Signac,
J'ai toujours sur moi un petit cadre en bois doré, au travers duquel je contemple les couchers de soleil ; aujourd'hui je m'en sers pour vous regarder, vous et la Société des Indépendants...
La publicité qui se fait autour de moi, c'est vous qui la créez, il me semble. Je n'avais nul désir d'être refusé aux Indépendants, et j'en ai été extrêmement froissé ; oui, je fais des tableaux pour qu'on en parle et aussi pour les vendre ; vous, vous en faites pour qu'on n'en parle pas et sans doute uniquement en vue des musées.
Quant au reproche que l'on me fait d'être trop riche, sachez que je suis assez mercanti pour vous proposer d'échanger vos revenus contre les miens, mais faites attention, ce serait une mauvaise affaire pour vous et vous seriez bien vite obligé de vivre uniquement du produit de vos œuvres.
Veuillez agréer mon cher Président, avec l'assurance de toute ma considération, mes sentiments choisis.

---

* *Le Figaro,* 20 janvier 1922, p. 1 (extrait), signé G. Ch.
** *Comœdia,* 23 janvier 1922, p. 3[40].

52

SUR LES BORDS DE LA SCENE*

Un de mes amis vient de me proposer d'écrire pour *Les Potins de Paris*[1]. Je connais peu ce journal, pourtant j'ai accepté avec empressement, heureux de ne pas y trouver comme voisins les gens qui passent pour « sérieux » et « érudits ». Je suis persuadé qu'au temps des civilisations grecques et romaines, il y eut un esprit « Potins de Paris », esprit formant un tout avec les doctrines philosophiques d'Epicure, de Socrate ou de Sénèque, de même qu'aujourd'hui cet esprit ne fait qu'un avec les théories de Bergson, de Leroy et d'Einstein.

J'aime mieux *Le Matin, Le Rire, Le Sourire, Le Cri de Paris, La Vie Parisienne* ou *Le Merle Blanc* que *La Nouvelle Revue Française*, de même que je préfère un fauteuil au Casino de Paris à un fauteuil à l'Académie : le spectacle y est moins long et les plaisanteries qui durent peu sont les meilleures ! Je vais évidemment passer aux yeux de bien des gens pour un parfait idiot : eh bien ! ce n'est pas pour me déplaire ! J'aime les idiots, non pas « l'idiot » dont on a fait un personnage aussi officiel que « l'intellectuel », mais les idiots. Et puis, voyons, en y regardant de près, l'effort de *La Nouvelle Revue Française* ne ressemble-t-il pas à celui que font les gens qui veulent donner le change aux autres en portant au-dessus du téton gauche une décoration ayant pour but de faire croire qu'ils ont rendu à l'humanité des services exceptionnels, alors que c'est généralement le contraire ? Les écrivains de *La Nouvelle Revue Française* vivent enfermés dans une rosette de la Légion d'honneur pour faire croire à leur célébrité.

Les revues de haute intellectualité sont ennuyeuses pour la plupart parce que les gens qui y écrivent n'ont souvent rien à dire. Ils parlent des œuvres des autres comme un chimiste ferait une analyse d'urine, mais avec moins de franchise et d'honnêteté : leur analyse est influencée par leurs sympathie et antipathie qui procèdent de leurs intérêts. Oui, l'intérêt, il n'y a que cela qui compte et l'éducation actuelle donnée par nos bonnes écoles ne tend qu'à enseigner aux jeunes gens l'art d'attaquer un voisin sympathique, qui devient antipathique le jour où l'on ne peut plus rien lui voler !

Ceci m'amène à vous parler de tout ce qui se passe dans les milieux dits artistiques et basés sur la jalousie. La peinture « indépendante » consiste pour certains à faire toute leur vie des petits

1. *Pour cette rubrique, et aussi régulièrement que possible, le journal* Les Potins de Paris, *qui compte un beau lustre d'existence et atteint déjà l'âge de raison, se fera un plaisir de donner la parole à des écrivains illustres ou totalement inconnus qui auront toute liberté de pensée et de langage. Et leurs dires ne sauraient engager, naturellement, la responsabilité morale de notre gazette. Avis aux amateurs.*

---

* *Les Potins de Paris*, 3 février 1922, p. 1-2.

points sur des toiles et à cacher, sous un aspect bon garçon, une âme étroite de bourgeois ! D'autres ont le cerveau qui baigne dans l'alcool et s'appliquent à faire toujours un petit bateau, une petite pomme, un petit nu. D'autres encore cherchent honnêtement le « secret de la lumière », alors qu'il serait si simple, en ce cas, d'exposer une lampe *Pigeon* ! Ce serait trop simple même, il faut bien faire tourner la table des suggestions professionnelles, crier bien haut la modestie professionnelle, la misère professionnelle, enfin se mettre en groupe pour tâcher d'assembler les intelligences professionnelles momifiées par l'onanisme et la crasse. Dans certains cafés, par exemple, vous avez un assemblage de buveurs de potins et d'apéritifs qui exposent leurs œuvres comme les mouches marquent leur passage sur les glaces des restaurants de province... Messieurs les habitués de ces cafés sont tous indépendants, mais leur indépendance ressemble à celle du pauvre serin qui siffle durant toute sa vie la même chanson pointilliste, chanson de prisonnier volontaire, bien soigné par un maître, le marchand de tableaux à la mode !

Messieurs les artistes indépendants, vous êtes un tas de pompiers, un tas d'hommes prétentieux et le seul moyen de se débarrasser de vos œuvres indépendantes serait d'appeler les vidangeurs ! Le titre d'artiste, que vous vous attribuez et qui vous fait croire que vous êtes au-dessus d'un épicier, d'un curé ou d'un militaire, est une erreur ; en tout cas, j'aime mieux le militaire ou le curé, leur uniforme se voyant de loin, on peut foutre le camp lorsqu'ils arrivent !... Cézanne a dit quelque chose comme cela, je crois... Votre esprit indépendant est le même que celui de Cormon ou de Bonnat, vous ressemblez au Salon d'Automne, comme le Salon d'Automne ressemble aux autres Salons. Jugez de l'indépendance de Frantz Jourdain, président du *Salon d'Automne,* qui voulut faire refuser un paravent sous prétexte que celui-ci, « n'étant pas peint comme un paravent doit l'être, n'était pas un paravent » ! Comme je témoignais de mon étonnement, M. Desvallières s'approcha de moi et me demanda discrètement ce que j'avais fait pendant la guerre ! Voilà, mes chers amis, l'esprit des maîtres des Salons modernes et ce qui est plus triste encore, c'est que dans tous les milieux c'est la même chose, une petite indépendance est acceptée à condition d'être nourrie par les haricots blancs de la bourgeoisie.

André Breton, que je viens de voir, sort du Salon des Indépendants ; il me dit la foule énorme circulant avec peine dans le Grand Palais, mais quelle déception pour le public, moins bourgeois que les peintres, de ne voir aux murs que des tableaux-cartes postales ! Le public ne peut plus admirer vos petits chefs-d'œuvre, messieurs les génies, il a plus évolué que vous et vous oublie, chers maîtres de l'art contemporain, pour regarder Suzanne Duchamp, Crotti et Man Ray — le reste est moins intéressant qu'une exposition canine ! Il est regrettable que Georges Ribemont-Dessaignes se soit retiré de la lutte pour s'adonner à la philosophie de l'Amour et des Champs ; il joue de la petite trompette à Montfort-l'Amaury, mais n'effraie que les oiseaux qui se posent sur sa fenêtre !

Les peintres traditionalistes parlent de leur peinture comme d'une maîtresse chérie, et ne s'aperçoivent pas, les malheureux, qu'ils serrent dans leurs bras une vieille femme légitime que le maquillage exotique n'arrive pas à rajeunir !

Impressionnistes, pointillistes, cubistes, vous ressemblez à M. de Borniol, le roi de la bière, qui aurait été heureux d'enterrer avec vous tous ce tableau où est écrit : « Marthe pour celui qui le regarde ! ».

Ces deux mots d'esprit sont un petit entracte pour vous laisser souffler et essayer de vous entraîner dans un domaine où on ne parle pas d'art ! Mais c'est impossible, n'est-ce pas ? Tout est de l'art : l'amour est de l'art ; offrir une tasse de thé c'est de l'art, comme les tableaux de Marie Laurencin sont de l'art à côté des images d'Epinal, bien que ces images aient plus de santé et de fraîcheur ; les tableaux du Fauconnier (ou du vrai comme vous voudrez) sont de l'art à côté des photos du Dr Doyen ; Gleizes fait de l'art mais j'aime mieux le chromo-nickel de la maison Krupp ; Luc-Albert Moreau fait de l'art, mais j'aime mieux le journal *La Vie au grand air* ; Lhote, fils naturel de Maurice Denis et de Picasso, fait de l'art, mais j'aime mieux les tableaux de Boechlin ; Braque fait de l'art, grâce à Picasso qui lui a fait cadeau du cubisme, paraît-il ; Léger fait de l'art, mais j'aime mieux le cidre de Normandie ; Philippe Soupault, l'enfant prodigue, fait de l'art mais j'aime mieux les Saint-Cyriens ; Delaunay fait de l'art, mais j'aime mieux la Tour Eiffel !

On m'accusera encore de tout détruire,... croire qu'il y a des démolisseurs ou des constructeurs, quelle prétention des deux côtés !

(à Ambroise VOLLARD.)

LES ARTS*

Pontificats.

On m'a conté l'histoire d'un homme qui portait sur lui les « virginités » de ses deux filles ! « Ainsi, disait-il, je pourrai les offrir aux maris éventuels qui se présenteront ! »

Les marchands de tableaux et les éditeurs voudraient agir à la façon de ce père trop scrupuleux — vendre aux amateurs libidineux le pollen virginal des très rares êtres qui ont le don de voir avec leurs propres yeux et d'entendre avec leurs propres oreilles. Heureusement, ces êtres exceptionnels portent en eux leur pureté et ne la donnent pas à garder aux maquignons des arts, du moins de leur vivant.

---

* *Ibidem,* 10 février 1922, p. 1-2.

Mais toutes les vieilles et jeunes ...[1] de la littérature ou de la peinture font queue pour offrir leur pollen-crotte à ces messieurs connaisseurs en art et influents personnages, lesquels, au moyen d'une publicité tapageuse, grassement payée, influencent un public paresseux, déjà contaminé par un esprit nouveau, comparable à la grippe espagnole « influenza-esprit », qui gangrène et oxyde tous les incapables de réaction.

Semblables à ces vieilles concierges, se figurant avoir une autorité du fait qu'elles tirent le cordon qui ouvre la porte aux pauvres locataires, les grands pontifes de l'art moderne tirent le cordon aux portes des revues d'avant-garde ! J'ai lu un jour dans une de ces revues : « Juan Gris : *bien* ; Rodin : *mal*. » Cela m'a rappelé les copies que nous rendait le pion, à Stanislas !

Eh bien, n'en déplaise à MM. les artistes, Rodin, que je n'aime pas, vaut mieux que *L'Oeuvre du Salut Cubiste* où M. Gleizes, grand érudit et moraliste, tenant le rôle de la vieille portière dont je parlais plus haut, tire le cordon uniquement à ceux qui lui donnent le pourboire de leur admiration et acceptent les bourrages de crâne de sa prose faite de mots vides de sens pour l'émerveillement des ignorants et des pauvres d'esprit.

L'Oeuvre du Salut Cubiste construit non une cathédrale mais un mur, en espérant que personne ne pourra regarder par-dessus ; l'ombre de ce mur fera pourrir bientôt ceux qui se vantent d'en être les ouvriers constructeurs. Amateurs, snobs ou naïfs comprendront un jour que la construction était faite de mauvais papier buvard.

1. Ici un mot récemment introduit dans l'éloquence parlementaire par M. Archimbaud. *(Note de F.P.)*

JAZZ-BAND*

La musique est une science factice, la convention musicale s'appuie sur des principes d'acoustique, en dehors de cela tout l'échafaudage à grande allure scientifique de la musique est purement imaginatif ; c'est le jeu d'échecs aux combinaisons multiples, mais la logique de ces combinaisons n'a pas de bases, elle n'a que des rapports.

Il faudrait trouver un autre système de combinaisons, je veux dire par là un autre jeu, pour cela créer d'autres notes, d'autres modes d'emploi pour ces notes, et, pour les exprimer, d'autres instruments ; nos moyens d'expression, pour une musique nouvelle, seraient en effet bien bornés. L'instrument fixe comme le piano a enfermé la musique dans une convention, et il est certain que la grosse difficulté est d'en sortir, l'obstacle le plus important est le stock de pianos à écouler ! —

* *Comœdia*, 24 février 1922, p. 1.

56

quiconque trouverait le moyen de se passer de pneumatiques pour une automobile aurait les marchands de pneumatiques contre lui. Quand je dis « pianos », je veux dire tous les instruments existants et, naturellement, presque tous les instrumentistes ! Donc, pour sortir de ces vieilles conventions, il faudrait une reconstruction totale de tous les systèmes ; cela pourrait amener la musique au point où le cubisme et le dadaïsme ont amené la peinture, devenue un art objectif existant en dehors de la reproduction objective. Les règles de l'harmonie et du contrepoint en musique étant ce que les règles du trompe-l'œil sont en peinture !

Avant de vous parler de la musique d'aujourd'hui, celle qui nous intéresse le plus, puisqu'elle touche à notre vie, je dois me livrer à quelques considérations sur les musiciens et sur la musique d'autrefois ; laissez-moi vous rappeler que Monteverde représente le début de la musique dramatique, et qu'il est le point de départ « grand sympathique » de la tradition musicale. Ainsi, Debussy, qui a fait le drame impressionniste, s'est inspiré de Monteverde en ajoutant à son œuvre le sel populaire russe et le poivre populaire espagnol. Bach, l'inventeur de l'infini musical, est le grand champion des combinaisons musicales, c'est un cerveau-estomac. Beethoven, au contraire, porte dans son estomac son cerveau, et cela l'oblige à « dégueuler » ! Il exprime la passion romantique et nous intéresse pour le moment moins que Bach. Rameau est l'homme de l'opéra dramatique, du chant dramatique ; il est froid et uniquement cérébral. Gluck, c'est la passion pure ; il m'apparaît comme la mère de Wagner qui, lui, représente le déchaînement des passions, sans organisation ni mesure — contrepartie de Debussy qui ramène la musique à l'ordre — il y a un ordre paraît-il ? Enfin, les Italiens sortent du côté cérébral par la porte de derrière, pour tomber dans le grand romantisme, et je nommerai encore une fois Debussy, l'impressionniste autour duquel Ravel, Florent, Schmitt et toute une série de petits impressionnistes bourgeonnent et fleurissent.

Comme je l'indiquais tout à l'heure, Bach semble un terrain énorme et fertile, où les musiciens d'aujourd'hui viennent semer de petites graines qu'ils ont fabriquées eux-mêmes, avec esprit, c'est entendu. Les petites graines germent, poussent, et le public aperçoit de jolies plantes ; quel malheur qu'il n'écoute pas la musique comme il regarde les acteurs, avec les jumelles (cela ne serait pas inutile, des jumelles pour les oreilles ?), il verrait alors que ces petites fleurs spirituelles ne sont que des poteaux indicateurs où il y a écrit : « Erik Satie 10 kilomètres », « Auric 2 kilomètres », « Poulenc, 30 kilomètres », « Darius Milhaud 800 mètres ». Sur un autre poteau, il y avait le nom de Debussy, mais Diaghilev, après avoir vu danser une ronde autour de ce poteau par des enfants du peuple russe, prit une échelle et inscrivit en surcharge, à la craie : « Stravinsky. » Le vent renversera les poteaux, la pluie effacera le nom de Stravinsky, qui a pourtant énormément de talent, un magnifique esprit musical ; il sait découper les images populaires de son pays et en faire des chefs-d'œuvre ; il transforme le lait russe en crème d'Isigny, laquelle, avec un peu de sucre, devient un dessert délicieux. Mon cher Stravinsky, ne voyez pas dans ces lignes une critique. J'adore la crème, c'est le dessus du lait ! Il est malheureux que certains décorateurs indépendants aient copié et peint à la colle rance des formes et des couleurs à la Matisse, qui encombrent lourdement le plein air du *Sacre du Printemps*. Satie est spirituel et sérieux. Sérieux lorsqu'il écrit la *Sonate en forme de poire*, spirituel dans *Socrate*. Auric est très intelligent, il aime la vie et en souffre ; quelquefois je vois passer sur sa figure de terribles vagues de fond qui font choir l'embarcation de ses idées, lesquelles, heureusement, n'ont plus besoin d'apprendre la natation ! Darius Milhaud est timide, je crois que ses œuvres sont un peu ficelées, mais dans le paquet qui les enveloppe se trouve le moyen de se servir des ficelles ! Poulenc est bourgeois et simple, il danse le shimmy, il voyage ; pour un Français, c'est une évolution... On me dit d'Honegger que « c'est le plus fort » ; il me paraît ressembler beaucoup à Darius Milhaud, il est vrai qu'un technicien me dirait peut-être le contraire. Germaine Taillefer fait partie du groupe des Six ; je n'ai pas le plaisir de la connaître beaucoup, mais je la trouve charmante ; Durey, lui, ne fait plus partie de ce groupe ; je l'ai vu de loin à Saint-Tropez, en pantalon blanc, le torse nu sous une chemise légère, un monocle dans l'œil et, collée sur ce monocle, la lettre D.

Mon cher Cocteau, vous avez déguisé chacun des *Six* en mouton mérinos. Ce déguisement donne le change quand on n'y regarde pas de trop près ; mais, sous cette peau de bazar, il y a *une colombe, un hippopotame, un sanglier, un grand-duc, un éventail* et *un caniche* ; il serait regrettable d'empailler ces animaux afin de les exposer chez vous dans une vitrine ; je suis certain que, mis en liberté, ils reviendraient vite à l'état sauvage et seraient, ma foi, aussi intéressants que les musiques nègres, hindoues ou chinoises, musiques paraît-il « très américaines », bien que les Américains n'aiment ni les nègres, ni les Hindous, ni les Chinois ! Ils se sont servi de ces musiques uniquement pour faire du bruit, à la façon dont les enfants se servent du tambour et de la trompette qu'on leur donne au jour de l'an ! Instruments qui terrifient les parents et les décident à mettre les joueurs à l'école le plus tôt possible ; de l'école, ils sortent sous le nom d'Isidore de Lars, Jean Nouguès ou Charles Silver... dont la musique ne sera pas toujours sauvée par la beauté et les dons de Marthe Chenal, vis-à-vis d'un public facile.

LA POMME DE PINS*

Mes bien chers amis Tzara, Ribemont et Consorts, votre modestie est si grande que vos œuvres et inventions n'attirent que les mouches.

à Jeanne Lecomte du Nouy

J'ai connu une jeune fille qui accordait toutes les faveurs à son amoureux, sauf celle d'enlever son chapeau, sous prétexte qu'il lui allait bien.

IL N'Y A QU'UNE CHOSE PRESQUE ABSOLUE
C'EST
LE LIBRE ARBITRE

Bonjour Pansaers

NOTRE TETE EST RONDE POUR PERMETTRE A LA PENSEE DE CHANGER DE DIRECTION

LES CURÉS ÉPONGENT LES PÉCHES COMME LES MOUCHOIRS ÉPONGENT LES LARMES, LIQUIDE DU REPENTIR.

L'IDEAL**

Lorsque vous avez en face de vous un Tableau de Vélasquez et que lui tournant le dos, vous voyez un Picasso, pouvez-vous constater la distinction entre ces deux Tableaux ?

Vous cessez de voir le Vélasquez quand vous tournez le dos. Mais vous conservez subjectivement l'image Vélasquez et vous apercevez le Picasso objectivement, d'où s'ensuit une critique qui est la racine de l'idéal.

Le pôle négatif est aussi nécessaire que le pôle actif et les deux extrémités de la ligne droite se touchent dans la circonférence.

Les Cubistes qui veulent à toute force prolonger le cubisme ressemblent à Sarah Bernhardt.

---

* *La Pomme de Pins*, « Le Bel Exemplaire », Saint-Raphaël, 25 février 1922[41].
** *Ibidem*, p. 2.

Tristan Tzara le perfide a quitté Paris pour La Connerie-des-Lilas, il est décidé à mettre son chapeau haut-de-forme sur une locomotive : C'est plus facile évidemment que de le mettre sur la Victoire de Samothrace.

Ribemont-Dessaignes un jour qu'il était à poil mit un chapeau haut-de-forme pour ressembler à une locomotive, le résultat fut piteux. Vouxcelles le prit pour un tuyau de poil — même pas mes Chers Amis, il avait tout simplement l'air d'un Con !!!

ITINERAIRE

Pour aller à Fréjus : L'AUTOBUS
    «   « á Cannes : LA CORNICHE
    «   « en Vous : L'ASCENCEUR
    «   « au delà : LA VIE.

(Suite*)

Ce qui augmente notre personnalité représente le bien, ce qui peut lui nuire représente le mal, c'est pour cela que Dieu n'a pas de personnalité.

ERIK SATIE DEVIENT DADA AVEC SON AMI TZARA IL COMPTE FAIRE UN OPERA, GEORGES DESSAIGNES METTRA AU POINT LA MUSIQUE DE CETTE MANIERE NOUS AURONS UNE OEUVRE BIEN MODERNE.

Picabia a trouvé un gyroscope pour cerveaux contre les vertiges de la célébrité.

Mon Cher Cocteau, tout ce que j'avais à dire sur vous je l'ai écrit, ce que l'on vous raconte en ce moment est pur mensonge, avis à Tristan et à ce cher Ribemont.

* *Ibidem,* p. 3-4.

LA MORT
n'existe pas
il n'y a que dissolution.
Le beau est relatif à l'état
d'intérêt qu'il crée.
L'AMOUR est l'adhésion à
toutes les modalités en relations
          parfaites.
La passion est uniquement un
désir de puissance sans influence étrangère et objective.
Nous ne sommes pas responsables de
ce que nous faisons, car nous ne
voyons notre acte que lorsqu'il est
accompli.
Il n'y a pas d'idéal sans passion et la
passion n'est pas un idéal objectif.
Les hommes ont plus d'imagination
pour se tuer que pour sauver.
L'hérédité est uniquement objective.

OZENFANT est très malin ?

LE CONGRES DE PARIS

est foutu, Francis PICABIA en fait partie

Je voudrais qu'on inventât
pour mon usage personnel
un fer à friser électrique de poche
et un crayon phosphorescent.

Si je n'étais pas grand, je
serais petit et les personnes
qui m'aiment à présent
ne m'aimeraient pas.

PICASSO est le seul
peintre que j'aime.
F. P.

LE
CUBISME
EST
UNE CATHEDRALE
DE
MERDE

PREFACE*

Toutes choses en place, spontanément hiérarchisées et non d'un ordre arbitraire comme notre sensibilité les doue d'éminence ou d'importance conventionnelle. Parmi toutes les conventions qui agitent ce monde du modernisme, intoxiqués par l'une d'elles selon l'intensité de nos réactions, nous étions nous-mêmes mauvais juges d'un état de choses dans lequel nous nous trouvions trop particulièrement impliqués. Je sais bien qu'il eût pu se trouver parmi nous une conscience assez libérée et de l'ambiance et des ménagements pour se placer avec un recul suffisant au point d'évidence qui permet une juste vue des valeurs. Mais il est probable que cette conscience n'eût pas apparu dans l'exercice du libre arbitre à ceux qu'elle aurait cherché à renseigner. Le domaine des idées est à ce point un spectacle que le spectateur le plus dégagé risque de n'échapper point à la contagion des opinions manifestées autour de lui, à moins que l'entourage ne lui attribue celles dont il est le moins possédé. L'amphithéâtre, pour peu que l'on y soit baigné, baignoire et théâtre, telle est l'éprouvette dans laquelle l'acidité des idées produit les réactions les plus débordantes d'inconscience pernicieuse. Pas un de ceux qui, acteurs ou spectateurs trop directement empêtrés dans la grande affaire du cubisme par exemple, n'eût senti le vague à l'âme l'inonder ou la folie furieuse l'arracher à lui-même, s'il eût fallu voir clair et mettre les choses en leur lieu. Ce milieu artistique si essentiellement cérébraliste et fâcheusement enraciné à des ménagements, à des devoirs ne fut pas jusqu'ici accessible à la critique s'il le fut trop au parti pris. Il fallait peut-être comme vérificateur des poids et des mesures contemporains une conscience qui leur fût étrangère par la distance d'où elle les examinait. Voir à la jumelle, tout en n'ôtant rien à l'exactitude du spectacle, situe mieux, je crois, les mouvements et les personnages ; c'est en tout cas la meilleure façon de déterminer les rapports avec précision dans la masse des décors et de la figuration. Il est des ombres d'une grande éminence : il faut, pour les voir, ne pas se trouver couvert par elles.

Pierre de Massot semble avoir été ce spectateur d'un autre astre, qui ne s'était pas encore senti sollicité à déterminer le centre de l'univers en le plaçant en lui-même. Son ouvrage présente la valeur d'une épreuve par réfraction : il ne manifeste par conséquent d'aucune manière. Jamais l'impression ne s'en dégage qu'il eut la velléité de *mettre* ou de *remettre* les choses en place. Il lui a suffi de constater des présences influentes et de nous les montrer en astronomie.

Je ne désire pas abonder dans le sens du mérite : il est si relatif.

---

* De Massot (Pierre) : *De Mallarmé à « 391 », essai de critique théâtrale* (Saint-Raphaël, « Le Bel Exemplaire », 1922), préface signée Christian, pseudonyme pris par F.P.[42].

Mais je tiens à faire ressortir le détachement du milieu qui permit à l'auteur de mettre Jean Cocteau à son rang et de le situer dans son époque. Avec l'à-côté malicieux du dadaïsme et l'affranchissement unanime du pouvoir temporel de l'ART. L'*Art* ce grand Art et ce menu jouet pour enfants nés vieux, rabougris par le sérieux.

Je sens dans cette suite narrative de personnages un inextricable enchaînement, une mainmise sur la franchise du jugement, quelques libertés maladroitement obtenues, somme toute, de rares individualités encerclées dans la gangue des amitiés et des préjugés nouveaux. Si plus ou moins nous n'avions pas tous cru un moment au cubisme, nous ne pourrions plus y croire, aujourd'hui que la représentation est terminée, tous les lampions éteints. M. Cocteau n'est plus le pontife qu'il parut être à certains, Max Jacob n'est point pape : Picabia eut la prudence de n'être jamais ce que les déshérités de *Littérature* eussent le plus souhaité qu'il fût.

Il m'apparaît à présent que nous pouvons avec inquiétude nous sentir plus libres, et même délivrés. Si vous le voulez, vous pouvez sourire et rire sans fausse honte. Les pions du collège étouffèrent à ce point mon adolescence que je me crus à tout jamais désespéré en les retrouvant au seuil de ma vie d'adulte. Un jeune homme nous montre qu'ils n'étaient pions que par accoutumance et que nul pacte ne nous les imposait. Les pions avancent d'une case et prennent de côté. Quelques-uns d'entre nous ont su biaiser et leur fausser compagnie. Prenez garde toutefois de ne pas méconnaître ces pièces sur l'échiquier contemporain : chacune eut ses attributions et fut douée d'une puissance agissante. Ne les supprimez point, car il ne resterait plus du jeu qu'un damier blanc et noir : il ne subsisterait rien de notre époque sinon l'immobilité poussiéreuse et la cave historique des cathédrales d'autrefois. Nécessairement un livre tel que celui-ci doit faire pierre de touche. Mal interprété, il nous incarcérera ou dans le doute ou dans une foi prête à établir une Eglise nouvelle, une académie de plus et périmée d'avance. Pour d'autres, il ne sera peut-être qu'un jeu du bon plaisir. C'est sous cet angle que je préfère le considérer. Et par là même il s'impose.

Février 1922 CHRISTIAN

REPONSES A UNE ENQUETE*

Pensez-vous que le cubisme est vraiment mort ?

Le cubisme est mort.

Si oui, de quelle maladie mourut-il ?

Du cubisme.

ORGUE DE BARBARIE**

Le rire de la luzerne boit mon rire
avec innocence, comme un autre
et les ombres fontaines
en bleu, rouge, vert,
reflètent les verres de couleur
qui ornent mon cœur.

Etre gais ensemble, comme de l'eau,
forme un rêve ambitieux et stupide
je viens de voir une beauté différente,
un feuilleton substantiel
où l'on grimpe les après-midi
lentement, comme un homme
écorché au doigt.

Figure-toi un homme embêté
de l'amélioration des routes,
de la victoire de la Marne,
et qui n'aimerait que les plafonds
du palais des Doges !
un artiste trépignant,
un artiste usé par son poids
grand et maigre.

Chaque jour ressemble à l'autre,
chaque jour est un petit balcon,
chaque jour est un petit plumeau
— ou un ours blanc,
plus ou moins commode à lire ;

---

* *Revue de l'époque,* Paris, mars 1922, p. 644[43].
** *The Little Review,* Londres, printemps 1922, p. 3-4[44]

crème fouettée
dans les nuages du monde civilisé,
je suis gaiement poète, Don Quichotte
des applaudissements.

Je regarde le ciel,
le ciel ressemble aux cimetières
j'aimerais un cimetière
sur un bateau,
les croix seraient des voiles
et le gouvernail placé devant
ressemblerait à une momie égyptienne.

Je voudrais avoir un nouvel ami
pour dire des choses incompréhensibles
mon cerveau est si grand
et le monde si petit !

Les clairs de lune gaiement mélancoliques
voltigent autour de l'enthousiasme
des peuples ;
c'est le mirage agréable,
le soleil culotte la peau,
la lune le cœur.

Je suis arrivé à la croyance
qu'une belle gueule
brille
comme une m....
nourrie à une bonne table.

Les bandits ont le goût des omnibus,
Narcisse aimait le cidre,
moi, j'aime le bois de Boulogne.
Les livres que nous aimons le plus
sont ceux qu'on ne lit pas
Sangsues, ventouses,
je vous souhaite tout ce que vous voudrez,
un épouvantable chagrin
et, tout cela, au son des orgues de Barbarie.

ANTICOQ*

La *Little Review* est certainement le seul magazine qui, actuellement, souhaite offrir au public l'œuvre d'hommes qui s'orientent en art vers les recherches nouvelles — qu'il s'agisse de peinture, de musique, de sculpture ou de littérature. La *Little Review* n'est pas influencée par les actuelles conventions établies qui sont presque uniquement commerciales. La plupart des revues ne peuvent malheureusement pas vivre sans l'aide d'éditeurs et de galeries qui cherchent à persuader un public crédule que leur marchandise est seule intéressante, qu'elle seule possède une valeur marchande. Cette effrayante spéculation permet aux spéculateurs de faire passer n'importe quel bonhomme pour un personnage de génie ; nous en avons eu récemment un exemple à la vente Kahnweiler[45] où l'on est monté jusqu'à 18 000 F pour des peintures dont je n'aurais pas donné 50 centimes. Quant au purisme cubiste, n'en parlons pas ! Comme je l'ai déjà écrit, cette cathédrale n'a qu'une seule flèche, et c'est Picasso ; le reste de l'édifice est une boutique où l'on devrait vendre des parapluies et où l'on propose du « ruolz[46] » que l'on essaie de faire passer pour de l'argent authentique !

Le plus navrant dans tout cela, voyez-vous, c'est de penser que ces imbéciles de marchands de peinture dégoûtent les peintres de peindre et les vrais amateurs d'acheter. Je préfère les marchands d'antiquités qui, au moins, vendent des œuvres représentatives d'une époque même si elles sont fausses. Quelle différence y a-t-il réellement entre un vrai et un faux Rembrandt ? Seuls les experts, en fonction de l'intérêt qu'ils leur portent, les déclarent « bons » ou « mauvais ». Au surplus, les œuvres que nous offrent ces antiquaires sont parfois beaucoup plus modernes que celles qu'exposent les marchands d'art soi-disant moderne ; par exemple, les imitations de sculptures nègres ou les imitations d'artistes égyptiens ou byzantins — tout un bric-à-brac digne du musée Grévin qui, selon moi, a moins de fraîcheur que la découverte d'une momie de pharaon.

Pour nous intéresser, il ne suffit pas d'interpréter avec une plus ou moins grande fantaisie l'œuvre d'une race ou d'un homme — œuvre qui est l'expression pure des besoins ou de la civilisation d'une époque.

Modigliani était un homme charmant, mais il aurait mieux fait de se tourner vers le cinéma !

Ne sommes-nous pas d'accord, mon cher Christian[47], que tout ce que je viens de vous dire est une partie de la philosophie de Dada ? Il y a parfois plus d'art à savoir boire un cocktail qu'à savoir mélanger le bleu ou le vermillon avec le blanc, plus d'art à concevoir l'aspect pratique d'une automobile qu'à reproduire le fessier d'un modèle

---

* *The Little Review,* Londres, printemps 1922, p. 42-44. Texte publié en anglais.

italien de la place Pigalle, plus d'art à construire un moteur qu'à copier un poilu avec ses vingt kilos d'imbécillité sur le dos, plus d'art à fabriquer un arrosoir qu'à dépeindre une pomme ! Finalement, il y a plus d'art à vivre sans nationalité qu'à se baptiser soi-même parisien[48], comme le fait tel jeune poète qui trouve parfois le moyen de se décrier lui-même avant que les autres aient le plaisir de le faire.

Les fruits qui poussent dans une orangerie sentent toujours un peu le fumier et jamais l'orange ; il en est de même pour les cerveaux dont l'intelligence se développe à La Closerie des Lilas[49] ou au contact de penseurs œuvrant sous l'influence du vermouth ou du Dubonnet !

Vive Les Cent Mille Chemises, Félix Potin et Dufayel[50] — ce sont eux les véritables génies de notre époque. Je préfère une boîte de pois Roedel à une nature morte constipée pleine des maniérismes assommants des charlatans de la rue J'Astorg !

La *Little Review* vous présentera les hommes que seul intéresse le plaisir de l'évolution continuelle — évolution non susceptible d'intéresser ces marchands et ces directeurs de revues qui ne voient dans ces œuvres qu'une marchandise à proposer aux snobs et à la haute.

JUSQU'A UN CERTAIN POINT*

Lorsque j'étais enfant, mon père me fit cadeau d'une balance. Après m'en être servi pour peser de l'eau de Cologne, du charbon, des cheveux et des mouches, j'eus l'idée de placer ma balance sur une fenêtre, au soleil, et de poser devant l'un des plateaux une sorte d'écran, de façon à ce que ce plateau demeurât dans l'obscurité. Mon désir était de savoir si la lumière serait plus pesante que l'ombre. Il faut croire que la balance était d'une grande précision, car l'aiguille inclina du côté de l'écran. J'en conclus que la nuit était plus lourde que le jour. C'est l'arrivée d'Einstein à Paris qui m'a remis en mémoire ce souvenir d'enfance.

Croyez bien que je ne vais pas faire comme M. Nordmann qui nous parle d'Einstein[51] à la façon dont les poètes parlent de la lune ! C'est-à-dire en faisant de la littérature, en nous racontant qu'il a un grand front et les yeux bleus... ou noirs, et cela par pitié pour ses lecteurs qu'il craindrait de fatiguer en les entraînant dans un domaine plus abstrait. Il nous donne ainsi l'impression que lui seul est capable de comprendre Einstein, et « comprendre c'est égaler », n'est-ce-pas ?

Quelqu'un me disait l'autre jour : « Si un Suisse était arrivé à Paris, ayant trouvé le moyen de faire repousser les cheveux, il n'aurait sans doute aucun succès auprès des savants qui ont reçu Einstein, pourtant sa découverte empêcherait des milliers d'individus d'attraper

---

* *Comœdia,* 16 avril 1922, p. 1.

des rhumes de cerveaux et même ne serait pas négligeable au point de vue esthétique. »

Je suis bien de cet avis, mais sans doute M. Nordmann est-il pourvu d'une chevelure abondante ?

J'ai un ami qui aime Einstein comme il aime le cinéma, le Dada ou Lénine, comme il aimerait une nouvelle maladie et serait flatté d'en être la première victime, parce que cette maladie pourrait être qualifiée de maladie moderne ! Mon ami n'aime pas la vie parisienne, il aime les Allemands, bien qu'il n'en ait pas vu pendant la guerre et qu'il n'ait jamais été en Allemagne.

Il aime les Allemands comme certains amateurs aiment le gibier faisandé ou le poisson non vidé. Cela épate les autres amateurs au cœur plus sensible !

Mon ami aime aussi les' amants de sa femme, mais moi, il ne m'aime pas, il ne me trouve pas assez moderne ! Il est vrai que mes origines françaises et espagnoles proviennent de vieilles races latines qui ne tarderont pas à disparaître pour faire place aux enfants d'Einstein, israélites à la jolie figure...

« Les Allemands sont de grands penseurs, et de grands artistes, disent certains, ils l'ont prouvé en achetant les premiers tableaux cubistes. » Mais ce ne sont pas les Allemands qui ont acheté ces tableaux cubistes, ce sont les fils d'Israël et ils les ont achetés à Paris, à New York, dans le monde entier aussi bien qu'à Berlin, pensant que cette peinture, qui est incontrôlable, pouvait devenir l'expression sensible d'une époque où l'acide nitrique remplace l'amour. Ces tableaux, d'ailleurs, étaient bien faits pour eux, puisqu'il était facile de les acheter à bas prix et de les vendre sans regrets.

Cet esprit que je vous signale est une partie de celui qui a contribué à rendre Dada insupportable, Dada que je vous ai présenté il y a quatre ans et que nous avons été forcés de mettre à la porte parce qu'il ne savait pas s'en aller ! Comme un individu encombrant, il rôde maintenant dans certaines tavernes et mes amis les « modernistes » ne tarderont pas, j'espère, à accompagner ce personnage au ciel où nous irons les rejoindre le plus tard possible.

Voyez-vous, je considère Maurice Barrès[52] comme étant mille fois plus intelligent que les parasites de La Rotonde et infiniment plus sympathique qu'eux, bien qu'il n'ait jamais écrit, lui, qu'il était sympathique ![53]

Léon Bloy, que l'on couvre encore de silence, est dix mille fois plus sympathique et plus intelligent, par exemple, que certain « moderniste » au teint pâle et aux cheveux gras... Sans doute si Bloy avait été juif, serait-il un dieu... J'ai en effet de plus en plus l'impression que tous les dieux sont juifs ! Pourtant, me direz-vous, on a fait un dieu du Douanier Rousseau ? « Sans doute, mais celui-là avait de l'esprit juif. » Je me souviens de ce que me disait Apollinaire : « Rousseau se donne plus de mal, quand on le paye plus cher ! » C'est aussi esprit Dada, n'est-ce pas ?

Maintenant, on va beaucoup plus loin que le dadaïsme ; les professeurs de certains lycées commenceront à donner les meilleures notes aux élèves qui ne savent pas leurs leçons ; le premier prix de dictée est octroyé à celui qui fait le plus de fautes d'orthographe ! C'est évidemment une personnalité de faire des fautes d'orthographe, et c'est paraît-il plus personnel que de ne pas en faire ; le professeur peut dire à l'élève qu'il sait quelque chose : « Vous ne faites pas de fautes, vous n'avez aucune fantaisie. » Les fous, eux, ont encore plus de fantaisie ; quand ils sont incapables d'écrire un mot, ils tracent des chiffres, et cette façon de s'exprimer, qui n'avait intéressé jusqu'ici que les psychiatres, impressionne certains individus qui se flattent d'esprit nouveau.

Surtout ne voyez pas dans mon article une attitude antisémite, mais je considère l'évolution actuelle vide d'effort réel, vide d'intérêt, encombrante et faite pour quelques snobs et quelques malades dans le genre de Tchoukine et de Marosow, et je crains que les calculs d'Einstein ne soient justes, ainsi dans six mois ils seront déclarés faux par un autre Einstein !

On parle d'Einstein comme on parlait de Dada ; je n'ai pas l'honneur de connaître le premier, mais Dada ayant été de mes amis, je me méfie un peu. On attribue pourtant au savant allemand une pensée qui me plaît beaucoup.

Quelqu'un lui demandait un jour ce qu'il pensait de l'infini : « Si vous voulez le voir, dit Einstein, prenez une lorgnette mais je crains bien que vous n'aperceviez que votre propre derrière ! »

CINEMA*

Le Cinéma est devenu le théâtre essentiel de la vie moderne, et cela parce qu'il s'adapte aux individus de toutes les classes de la société et aux caractères les plus divers ; il agit avec force et clarté et l'on n'a pas encore trouvé d'autres moyens de montrer d'une façon aussi complète les sommets qui caractérisent nettement la civilisation des peuples les plus primitifs ; le film n'étant pas seulement évocateur d'une intrigue individuelle, mais exprimant l'état d'esprit d'une race, dans toutes ses manifestations.

Je crois que c'est le film américain qui aura contribué pour la plus grande part au développement du Cinéma ; il nous a fait connaître un mode d'expression absolument neuf et une recherche théâtrale qui fut rarement aussi réussie : la simultanéité. A ce point de vue-là, il fut véritablement créateur. Avec la facilité de moyens mécaniques très étendus, mis à sa disposition en Amérique, il a pu permettre à toutes les imaginations de se donner libre cours. Il se renouvelle

* *Cinéa*, mai 1922, Liège (attribution) bibl. J. Doucet, dossier F.P., VIII-236[54].

constamment, nous révélant la vie moderne sous les aspects tragiques ou comiques, et ce qui me séduit le plus en lui c'est qu'il ne s'éternise jamais par des représentations inutiles et des pantomimes molles et inexpressives ; l'intrigue avance directement et clairement par une succession de faits très significatifs ; le paysage même n'est pas un décor passif, les opérateurs choisiront de préférence pour tourner les jours où il y a du vent, l'écran nous montre ce paysage de près et de loin, sous toutes ses faces, sous tous ses aspects, la mémoire se trouve ainsi stimulée pour comprendre l'unité de l'œuvre qui saute du grotesque au tendre, du sport à l'amour.

Représenté en Amérique, le film américain est plus impressionnant encore du fait qu'il est accompagné par un orchestre très rudimentaire, à base de tambours, dont la pression et la dépression augmentent l'impression visuelle, mais il me semble que le Cinéma américain subit depuis quelques années des influences néfastes... Influences italiennes surtout qui sont réellement déplorables. Le film italien étant une suite de complications amoureuses banales, subies par des personnages vivant dans l'opulence, au milieu de décors d'Opéra-Comique, avec des attitudes imprécises et lourdes.

La lecture de ces films est difficile et pourtant toujours la même ! Les Italiens ont la manie de faire parler longuement leurs héros, la pantomime consiste dans un jeu de lèvres et rien de plus ; or, je n'en vois pas l'utilité puisque l'on n'entend rien ! Oui, l'influence du film italien est, à mon avis, extrêmement néfaste, l'intérêt qu'il peut exercer sur la masse provient de ce qu'il flatte les aspirations médiocres et vulgaires de celle-ci, c'est-à-dire le goût du clinquant et du lieu commun. Le film espagnol, lui, est encore inférieur, il est plus obscur et n'offre même pas l'intérêt de bonnes photographies ; ce qui y domine, c'est l'ennui planant sur tous les personnages voués à des sorts lamentables et poursuivis par la fatalité !...

Le film scandinave exprime toutes les préoccupations humanitaires ; il est construit sur des cas de conscience et tout effort cinématographique à proprement parler y est inexistant ; il me plaît cependant par sa grande sobriété.

Dans le film suisse, il n'y a plus aucune virtuosité photographique ; pas de luxe, pas de toilettes ; des histoires policières sans la moindre intrigue amoureuse, c'est uniquement un problème posé, dont la solution arrive petit à petit ; le plaisir de deviner l'emporte quelquefois sur le manque d'intérêt du sujet.

J'en arrive au film français, lequel est toujours bien compris, quelquefois spirituel ; malheureusement, il s'inspire trop du film américain dont il n'arrive cependant jamais à égaler la spontanéité. Il ne cherche pas assez les innovations, il se lit clairement, sans trop de longueurs, il a parfois le secret de servir un événement juste au bon moment. Ce que je lui reproche le plus, c'est que, voulant être réaliste, il se sert d'*acteurs* que leur nom ne suffit pas toujours à rendre intéressants.

Il y a une chose inutile à cinématographier, ce sont les cadavres. Cela, tout le monde peut le faire chaque jour avec un petit appareil de poche !

LE GENIE ET LE FOX-TERRIER*

Les êtres qui possèdent une véritable faculté créative ne peuvent s'exprimer qu'à travers eux-mêmes. Le métier qu'ils ont acquis n'est qu'un moyen pour s'extérioriser d'une façon plus complète vis-à-vis des autres. Ils n'ont pas besoin de chercher une personnalité, un procédé nouveau, une représentation nouvelle : la nouveauté est en eux, car il n'y a ni art nouveau, ni hommes nouveaux, mais simplement des hommes ayant le don de sentir, puis d'exprimer, ce que les autres ne soupçonneront jamais dans la vie ambiante. Ces hommes à antennes nous inquiètent et nous attirent, c'est parmi eux qu'on peut découvrir le génie.

Les écoles d'art ressemblent aux écoles d'ingénieurs, d'ingénieurs qui n'inventent rien mais qui connaissent par cœur ce que les autres ont inventé et qui travaillent souvent à abîmer des machines très précises, sous prétexte de faire « autre chose ». Ainsi certains artistes cherchent à perfectionner, à arranger, l'œuvre des hommes de génie ; ils y diminuent ce qui pourrait choquer le public, ils mettent à cette œuvre des ceintures de chasteté ou des caleçons de bain — le génie ayant toujours le tort de se manifester avec tant de vie et de liberté qu'il effraie les habitués de serres chaudes ! Et voilà pourquoi le « génie » actuel est maquillé, ou montre mauvaise mine ; la mauvaise mine est même plus à la mode que le maquillage, on nous la présente comme ce qu'il y a de mieux ! Pourtant, le véritable génie n'est pas une mode, n'est pas un genre, il ne s'invente pas : il est. Le génie n'est pas une curiosité, mais la manifestation la plus directe de la vie.

Aujourd'hui, il y a des hommes si malins qu'ils fabriquent de la fausse monnaie de façon merveilleuse et il y a d'autres hommes si intéressés qu'ils acceptent cette fausse monnaie, dont ils ne sont pas dupes, avec l'espoir de la faire passer. Ce qui m'amuse toujours, c'est qu'ils y arrivent...

De plus en plus, les écoles d'art ont trouvé le moyen de « faire la blague » du génie et d'amorcer avec un nom qui n'est qu'un asticot de carton ; de plus en plus nombreux sont ceux qui viennent mordre à l'hameçon !

Le grand chic pour les jeunes gens est de manifester leur génie en déclarant que tous ceux qui sont venus avant eux sont des idiots : Beethoven ? Il n'existe pas ! Puvis de Chavannes ? Un raseur ! Rembrandt ? Il était bon à faire de la charcuterie !...

Or, s'il est permis de dire qu'on n'est pas *intéressé* par ces gens-là,

---

* *Comœdia,* 16 mai 1922, p. 1.

on ne peut nier qu'ils aient fait quelque chose et même, à mon avis, quelque chose de mieux que l'art de M. Derain, par exemple. Quant aux impressionnistes, on les traite de pauvres petits peintres, auxquels on permettrait tout juste de faire leur prière dans le temple cubiste ! Eh bien, moi, je trouve que les génies créés par la fantaisie des ratés, des « types épatants », ressemblent à ce mauvais cassoulet que l'on trouve le samedi dans une taverne du boulevard Montparnasse. Ce « plat du jour » est fait de roueries, d'intrigues, de spéculations, personne ne l'aime, personne n'y croit, mais tous veulent y goûter ; un peu par snobisme, beaucoup par crainte de perdre l'occasion d'être nourri à bon marché. Ils regrettent seulement de ne pas avoir encore trouvé d'acheteurs pour les sous-produits de leurs digestions... En attendant, toute cette cuisine sert l'ambition des jeunes et vieux poètes dont le seul objectif est de faire lire leurs œuvres dans un théâtre officiel, par quelque poseur qui sait épater le public en lui soufflant du fard jusque dans les yeux !

Le génie se f... de tout cela, il n'aime que sa liberté ; tout écrin, se nommerait-il *Institut,* lui est une prison où il étouffe. Le char de la gloire même lui semble importun à traîner...

Le génie ne s'aperçoit pas qu'il est seul, ou s'il s'en aperçoit il ne s'en plaint pas — on n'est jamais aussi seul qu'au milieu des soi-disant amis, des soi-disant mouvements, des soi-disant écoles et des soi-disant admirateurs !

Le génie ne pense pas « qu'il faudrait faire quelque chose » : il agit, et cela sans se préoccuper de tous ceux qui autour de lui le critiquent et le découragent gentiment d'évoluer, de peur d'être forcés de changer leurs meubles de place. Pour beaucoup, en effet, évoluer consiste uniquement à transporter la salle de bains dans la cuisine ou le salon dans les cabinets ! L'esprit nouveau, cher Monsieur Ozenfant[55], directeur d'une revue moins audacieuse que *Je sais tout,* c'est marcher à quatre pattes ! Voilà tout ce qu'ont trouvé nos bons petits artistes modernes en songeant que depuis longtemps les hommes se tiennent sur leurs deux pieds !

On cherche à nous faire croire aujourd'hui que tout le monde peut être génial ; les hommes voudraient l'égalité et Dieu a créé les contrastes, or l'hypothèse de Dieu est l'image du génie.

Je sais combien il est dangereux de dire tout haut ces choses-là, écoutez plutôt cette petite histoire, vous me comprendrez :

Me promenant l'autre jour à Barcelone, je rencontrai un Espagnol de mes amis, suivi d'un chien qui tenait à la fois du policier allemand et du basset russe ! C'était un animal plein d'arrogance, il me semblait nullement conscient de son ridicule, il avait des gestes peu en rapport avec son apparence extérieure et faisait le beau à tout instant !

« Quel est cet animal ? C'est un affreux bâtard », dis-je ; mon ami parut inquiet, me fit signe de me taire et attendit que le chien se fût éloigné vers un arbre, alors il murmura : « Il ne faut jamais discuter sa race en sa présence, sans quoi il mord, il se croit fox-terrier ! »

UNE ENQUETE LITTERAIRE*
LES TENDANCES DE LA JEUNE POESIE :
M. FRANCIS PICABIA

Votre première question porte sur les *tendances de la poésie contemporaine*. Je pense que ces tendances se traduisent par le désir de publier à outrance ! Etat d'esprit qui est certainement très différent de celui des premiers poètes. Ceux-ci devaient être des gens qui ne faisaient rien et surtout n'écrivaient jamais ! Votre deuxième question est : *Quels sont les groupements en présence ?*

Il y en a trois : les poètes d'hier, les poètes d'aujourd'hui et ceux de demain. Les poètes d'hier croient en Dieu, ceux d'ajourd'hui en fabriquent un, ceux de demain se croient déjà Dieu lui-même.

Quant à votre troisième question : *D'où viendra la poésie de demain ?* Je n'y vois qu'une seule réponse :

La poésie de demain arrivera d'hier.

ONDULATIONS CEREBRALES**

Jacques Doucet[58] me disait l'autre jour : « Vous marchez à cent cinquante kilomètres à l'heure ; comment voulez-vous que l'on vous suive ? » Je n'ai pas la prétention de marcher plus vite que les autres, mais j'aime fabriquer sans cesse de nouvelles voitures pour mes promenades !

Il y a des artistes dont les collectionneurs sont heureux de posséder les toiles, parce que ces artistes font invariablement la même chose, depuis nombre d'années ; s'ils changeaient de genre, l'amateur hésiterait à acquérir leurs œuvres, car au fond de lui-même il a toujours, ou presque toujours, l'arrière-pensée de la spéculation possible, quand ce ne serait qu'au point de vue de l'amour-propre : « Voyez, dit-il, j'avais raison, ces toiles que j'ai payées, il y a une vingtaine d'années, entre trente et quarante francs valent à présent vingt à trente mille francs ; y a-t-il une meilleure preuve que cet artiste a du génie ? »

Il ne faut pas oublier cependant que Meissonnier a vendu des œuvres, de son vivant, 60 % plus cher qu'elles ne sont cotées aujourd'hui ; ils se sont donc trompés tous deux, lui et son acheteur. Je crois qu'il faut bien plus que quelques années pour éprouver la solidité d'une œuvre, et cela m'amuse de voir un dessin de Derain se vendre plus cher qu'un Delacroix ou qu'un Corot. Les fantaisies du maître Derain sont, il est vrai, aussi amusantes que les robes qui sortent de chez son ami Poiret et participent du même esprit — esprit

---

* *Le Figaro,* 20 mai 1922, p. 3[56].

  L'Ere nouvelle, 12 juillet 1922, p. 1-2[57].

international — si on veut bien considérer que l'un et l'autre s'inspirent alternativement du style espagnol, japonais, italien ou nègre ! J'aime encore mieux Jean Cocteau qui se contente d'être un Parisien de « petit air ».

Quand, donc, les hommes faits d'une matière qui leur permet de se mouvoir, d'agir sauront-ils employer l'activité complètement indépendante qu'ils recèlent ? Chaque être humain possède une volonté assez forte pour refuser de subir la moindre influence extérieure, mais la plupart refusent de se servir de cette volonté ou ne la soupçonnent même pas en eux !

Beaucoup se conduisent comme les animaux incapables d'évoluer, tels les lapins qui ne modifient jamais leur terrier et tels ces oiseaux qui ne s'inspirent pas pour faire leur nid de la méthode meilleure des hirondelles. Toujours à la façon des animaux, combien d'hommes ne sont qu'habiles ! Ils oublient de se servir de leur cerveau qui n'aspire qu'au repos ; ils acceptent ce qu'on leur dit ; l'action leur est à charge et le peu d'activité intellectuelle qu'ils conservent leur sert à combiner une spéculation mercantile plus abjecte que le vol et l'assassinat. Le manque de connaissance est souvent à l'origine de l'état de ces gens-là, ils vivent dans les ténèbres et se contentent de ce que quelques individus salariés leur chuchotent derrière une porte. Les uns vont un peu au théâtre, sur les conseils de leur journal ou d'un ami ; les autres achètent des tableaux, non par goût bien souvent, mais pour être à la mode, et j'ai vu des hommes intelligents écouter par paresse l'avis des imbéciles...

Cette paresse qui arrive à faire perdre conscience de toute existence propre, j'ai la crainte de la voir empirer de jour en jour et, avec elle, cette absence de lumière, cette descente au néant, cet état comateux d'indifférence qui fait ressembler les êtres à des bouteilles closes jetées dans un fleuve, entraînées par son courant ou restant accrochées à la rive à cause d'un remous créé par quelque petit bateau qui passe. Soyez donc persuadés que le cerveau de chacun de nous peut devenir un globe, un centre d'activité personnelle, qu'il doit réagir et nous empêcher d'accepter toutes les imbécillités et inepties que tels d'entre vous avalent avec autant de recueillement que les croyants recevant l'hostie, symbole d'un dieu créé par des hommes. Les artistes, les hommes politiques, les snobs nous font communier ; nous acceptons et ce n'est qu'un mauvais « chewing-gum » que certains ingurgitent consciencieusement, que les autres mastiquent pendant des années, jusqu'au jour où écœurés, ils finissent par comprendre et se débarrassent de ce produit en le collant sous la chaise du voisin !

A cause de cette inertie de tous les jours, les médiocres prennent de plus en plus d'importance ; les autres laissent faire, disant qu'il y a suffisamment d'espace pour tous ; ils ne s'aperçoivent pas que dans ces conditions l'atmosphère devient irrespirable !

Chers amis, l'espace n'est pas un réceptacle, l'espace est en nous et je veux vous mettre en garde contre les agissements de personnages qui ont intérêt à entretenir l'air empesté qui nous intoxique doucement.

J'en ai assez de cet esprit qui envahit le monde : « Il paraît que l'homme intelligent n'est pas Lénine, mais Trotski ! — Trotski a pesé Lénine comme Einstein la lumière ! » Vous devinez pourquoi ? C'est comme si l'on disait que Bernheim[59] a plus de talent que Claude Monet.

J'aimerais, voyez-vous, un homme qui ne serait influencé par personne, qui ne se préoccuperait ni du modernisme, ni du cubisme, ni du dadaïsme ; qui ne serait ni socialiste, ni communiste, ni le contraire ; un homme qui serait lui-même tout simplement ; un homme qui se ficherait des Chinois et des Russes, un homme qui nous extérioriserait un peu de sa vie propre. Un homme qui arriverait à nous communiquer le désir de la vie en plein air et en pleine activité, sans ambition d'arrivisme, sans non plus ce faux idéal de sacrifice qui n'aboutit jamais qu'au matérialisme le plus absolu. Un homme qui nous apprendrait à ne pas nous hypnotiser jusqu'au sommeil devant une glace. Un homme, enfin, qui nous entraînerait vers le nouveau monde à découvrir ; le monde de l'amour où les médiocres n'ont pas le désir d'entrer et qui effraie les « intellectuels » par crainte du ridicule.

Jésus-Christ avait inventé cette manière de vivre il y a longtemps ; je la préférerais à la liquéfaction actuelle.

JARDINS D'ACCLIMATATION*

L'épreuve cubiste, en tant qu'esprit créatif, est absolument terminée ; l'esprit Dada se transforme de plus en plus ; de ces deux évolutions, il ne reste que les « constructeurs », lesquels se servent des matériaux apportés par les précurseurs. Si « le précurseur est là quand il ne faut pas », comme dit M. Epstein[60], rien n'empêchera qu'il demeure, n'en déplaise au critique de *L'Esprit Nouveau,* et ses suiveurs ne feront jamais que glaner derrière lui quelques épis qui servent à nourrir et à prolonger leur phtisie galopante — pourriture qui les défigure à tel point qu'elle les rend méconnaissables et qu'on est obligé de les ranger sous le nom du précurseur afin de ne point les confondre avec les autres chacals. A toutes les époques, il y a eu des chacals, ce sont eux qui mangent les restes dédaignés par le lion et le tigre, et toujours aussi il y a eu un charognard, petit oiseau de proie dont la gaîté et le manège amusant captivent le chasseur d'autruches. Le chasseur d'autruches ? Vous avez bien reconnu l'éditeur ! Apprenez qu'il y a également le chasseur-auteur, celui qui poursuit les dépêches et arrive ainsi à voler adroitement une nouvelle de temps à autre. Beaucoup de gens se demandent ce qui va se passer maintenant ; nous

---

* *L'Ere nouvelle,* 5 août 1922, p. 1-2.

ne l'apprendrons que dans quelques années. Le dadaïsme a mis sept ans avant d'apparaître au public, il se peut que l'évolution actuelle mette encore plus de temps à fleurir, il se peut que ces fleurs soient des feuilles, tout peut arriver ; pourtant, si j'ai été très inquiet il y a quelque temps sur les possibilités futures, je n'ai plus maintenant aucun doute sur l'avenir de l'art en France. Je suis absolument certain que c'est encore une fois à Paris *qu'il se passera quelque chose*. En Allemagne, ils se débattent dans la recherche de l'objectivisme immédiat, la Belgique voudrait... L'Espagne est remplie de souvenirs tragiques et les cerveaux restent à l'ombre. L'Amérique se méfie et en Suisse l'armée des artistes égale la marine ! Les Italiens pourraient être sauvés par Marinetti, mais j'ignore s'il est encore vivant... Les Japonais découvrent de plus en plus le Salon des Artistes français !

Je regrette bien d'être obligé de parler de nationalité, m'en fichant complètement, mais il faut expliquer ici la situation et je dois avoir la franchise de dire que c'est sur Paris que je mets ma confiance. S'il en est ainsi, si je suis arrivé à cette conclusion, c'est que c'est à Paris que j'ai rencontré certains hommes qui joignent à une intelligence évidente un mépris de toute spéculation, une horreur profonde de la prostitution et du mercantilisme, des hommes exigeants pour eux-mêmes, possédant la connaissance de ce qui se passe autour d'eux en peinture, comme en littérature et en musique, d'ailleurs ce sont les branches d'un même arbre.

A Paris plus que partout, sous une apparente indifférence, il y a un grand besoin de nouveau et j'aime à voir Paul Souday[61] s'ennuyer et comprendre que ce n'est pas avec de petites fantaisies comme *Les Mariés de la tour Eiffel*[62], par exemple, ni au milieu de la cristallisation d'une beauté, que l'on peut aimer la vie.

Je ne sais si je me trompe, mais je compte beaucoup sur Souday pour donner de l'air et je ne suis pas éloigné de croire qu'il nous aidera ; je veux dire par là que, grâce à lui en partie, un précurseur pourra, de son vivant, avoir l'impression d'être là quand il faut qu'il y soit ! Comme évolution dans le monde, ce ne serait déjà pas mal.

De plus en plus, l'esprit imbécile, qui n'admet que ce qui est admis, va disparaître, j'en vois les signes certains, et laisser la place à tout ce qui est frais, vivant, jeune ; quand je dis jeune, ce n'est point du nombre des années que je veux parler. Le spécialiste de la pomme a fait son temps je crois, il est possible qu'il en soit de même d'ici peu pour le Marchand de Tableaux et l'Editeur.

Le Marchand de Tableaux et l'Editeur sont d'immondes parasites qui font croire aux artistes d'une part, aux clients de l'autre, que rien sans eux ne marcherait ! Quelle bonne blague ! Quel a été leur rôle jusqu'à présent ? Supprimer à l'artiste le goût de l'Amour et donner à l'amateur l'impression d'être son égal : un personnage libidineux, malsain à fréquenter.

Certaines boutiques exposent des fromages, des objets de caoutchouc, mou ou durci, des gilets de flanelle, d'autres montrent des tableaux qui ont la même gueule qu'une tranche de roquefort ou une serviette hygiénique...

Les boutiques de la rue de la Paix sont pleines d'une verroterie qui ne remplacera jamais la beauté naturelle ; regardez les animaux sauvages, ils ne deviennent laids que lorsqu'ils sont enfermés dans des cages du Jardin d'Acclimatation, cages dont les gardiens sont les austères et charmants geôliers. S'il existe quelqu'un ayant de l'argent disponible, au lieu de le léguer à l'Ecole des beaux-arts, il ferait mieux de le donner à ces geôliers, afin qu'ils ouvrent bien grandes les portes de ces prisons et fassent disparaître de nos yeux ces malheureuses victimes de la civilisation. Les boutiques d'art ressemblent aux cages — des jardins zoologiques.

LA BONNE PEINTURE*

Actuellement, sous prétexte de peinture moderne, beaucoup de jeunes peintres se mettent à imiter les primitifs ! Ne pouvant rien trouver par eux-mêmes, pensant que ce que nous faisons est une blague, ils font, eux, la blague des primitifs ! Ils espèrent, étant donné le temps écoulé, que cette peinture est suffisamment oubliée pour redevenir à la mode ; mais ce seront alors les vrais primitifs que l'on regardera et non ceux qui savent les imiter consciencieusement « avec une grande naïveté » : naïveté qui n'a malheureusement rien à faire avec celle du bon Douanier Rousseau ! D'autre part, d'après Signac, les prix de Rome font maintenant du Van Dongen (pauvres prix de Rome !) et les révolutionnaires, du Paolo Uccello ! Vraiment les cubistes peuvent se réjouir, il y aura de beaux jours pour eux. Tout compte fait, je préfère les recherches de Picasso aux confetti cartes postales de Signac, et Braque a vraiment plus de fraîcheur que Luc-Albert Moreau, lequel se sert de la couleur comme un vitrier se sert du mastic pour ajuster les carreaux.

La « bonne peinture » n'est pas celle qui imite une autre peinture déjà faite, la « bonne peinture » ne se fait pas en écrasant des kilos de matière sur une toile ! Segonzac, qui avait exposé des vaches debout dans un pré, fut fort surpris de les retrouver à la fin de l'exposition, couchées sur le bord du cadre ! La couleur avait doucement coulé et formé un assez joli bas-relief.

La « bonne peinture » n'est pas celle qui se vend, n'en déplaise à MM. les Marchands de Tableaux, la bonne peinture n'existe pas : ce qui existe, c'est l'homme qui a quelque chose à dire et qui se sert du moyen pictural — artistique, paraît-il — pour extérioriser sa personnalité. Henri Matisse, par exemple, fait le contraire. Henri Matisse est un peintre, il aime la peinture, il se sert de tous les vieux

* L'Ere nouvelle, 20 août 1922, p. 1-2.

trucs représentant pour lui cette peinture, il se garde de penser que, tel le soleil qui n'est ni électricité, ni chandelle, ni bec de gaz, ni lampe à huile, mais seulement lumière, l'art n'est qu'une glace où se reflète la vie et qu'il est impossible à enfermer dans des bouteilles à étiquettes. Henri Matisse, après nous avoir étonnés et charmés par une petite audace sympathique, se contente maintenant d'être un bon artiste peintre, comme Vuillard, Bonnard ou Roybet[63], il peint du matin au soir des petits tableaux et épate les boutiquiers par l'envergure de son grand magasin : « Au bonheur des amateurs » « très joli, très cher », avec la promesse qu'on pourra revendre la marchandise plus encore qu'elle n'aura été payée. Bref, c'est de la peinture pour M. Sacha Guitry, ou jeune Américaine trop malade pour jouer au tennis !

Henri Matisse ne comprend aucun « esprit », son idéal se borne à être un bon ouvrier, il croit que faire un tableau équivaut à fabriquer une table ou une pendule ! Certes, l'image reflétée par le miroir Art, dont nous parlions tout à l'heure, doit être d'une merveilleuse sensibilité et évoluer sans cesse, puisque c'est la vie qu'elle représente ; elle est, pour certains, impossible à saisir, l'esprit d'une époque est comparable au pollen d'une fleur : si vous ne savez le créer et que vous y touchiez, il vous restera aux doigts un peu de jaune ou de rose, mais la fleur aura perdu sa beauté, il n'y a que les fleurs en celluloïd capables de résister à l'attouchement de certaines mains...

Les tableaux de Matisse sont des fleurs sans pollen : il n'a pas encore assez pissé l'Océan des vieilles conventions et c'est bien dommage qu'il se croie trop arrivé pour perdre toute audace et ne pas oser dégonfler sa vessie hypertrophiée par sa boîte de couleurs !

Paul Signac, lui, est ravi que le noir cubiste déteigne, uniquement parce qu'il a l'espoir de voir revenir la saison des petits points — il est vrai que l'on prédit pour cet hiver le retour à la mode des caniches tondus en lion ! Il cherche la lumière, paraît-il, elle existe c'est certain, mais elle n'a rien à faire avec le blanc d'argent : un tableau peut être lumineux, peint avec du noir d'ivoire, comme un tableau tout blanc peut demeurer aussi obscur que le cerveau de certains maçons gâcheurs de plâtre. La personnalité qui provient d'un système ne peut pas plus nous intéresser que celle d'un maniaque qui ne saurait écrire qu'avec de l'encre orange ; chacun reconnaîtrait de qui proviendraient ses lettres, mais je doute fort que celles-ci puissent intéresser qui que ce soit par leur monotonie même.

Les tableaux de Signac font penser aux marchands de couleurs, à la galerie Bernheim. Sa qualité de président d'un salon soi-disant indépendant n'offrirait une garantie pour sa marchandise que s'il était fabricant de bandes molletières !

Ah ! certes, je préfère le cubisme de Picasso et de Braque en 1913, qui représentait l'esprit de cette époque-là, à l'imbécillité des « points » qui n'ont eu leur intérêt qu'avec Seurat ; le malheur est que beaucoup de gens ne discernent pas encore ce qu'il a pu y avoir d'esprit inventif dans le cubisme de ces deux hommes-là, il les confond souvent avec la bande d'idiots lancés à leur suite dans l'esprit de profiter de la spéculation qui ne manquerait pas de se faire autour de leurs noms, il en a été de même au moment de l'impressionnisme : Sisley, Pissaro, Renoir parfait, mais voici derrière eux Loiseau, Maufra, Moret ou Despagnat[64], sans valeurs, pour amateurs faciles à contenter.

Delacroix, Ingres, Corot, Cézanne, Sisley, Pissaro, Seurat, Gustave Moreau, Picasso, Marcel Duchamp, voilà des personnages qui ont exposé la vie, leur vie : leurs tableaux ont du pollen véritable et leurs noms ne pourront que s'affirmer à la barbe de tous ceux qui se figurent qu'une époque est grande parce qu'elle dure longtemps ou que ceux qui y participent sont nombreux. Ainsi pensent les adeptes de la petite école des beaux-arts-cubistes fondée par *L'Esprit Nouveau,* ils savent le pourquoi de tout, ils ont leurs lois, connaissent le bien et le mal, ils imitent Dieu chassant Adam et Eve du paradis, Dieu ne pouvant supporter le péché ! Le péché, le serpent, c'est le dadaïsme ! Quelle horreur et quelle fumisterie ! Quel danger pour l'Art !

L'Esprit Nouveau ne sera véritablement nouveau que lorsqu'il sera mort, au moins aura-t-il évolué !

Dans quelques semaines va s'ouvrir « Le Salon de la bonne peinture », le Salon d'Automne, que MM. les membres du jury me permettent en terminant un conseil : refuser impitoyablement tout ce qu'ils aiment et n'admettre que ce qui leur fait horreur ; de cette manière, nous aurions peut-être une exposition moins stupide et moins monotone, et quelques novateurs risqueraient ainsi d'avoir le gros bonheur d'exposer dans un palais consacré à la gloire de l'art français et décrété d'utilité publique !

REPONSE A UNE ENQUETE*

Monsieur,

Je suis très flatté que vous me compreniez parmi « les artistes les plus en vue de ce temps ». Il est vrai qu'ils sont si nombreux !

Votre enquête arrive à propos. L'évolution Dada étant complètement terminée, je puis vous avouer que j'ai quelques regrets d'avoir contribué à créer ce mouvement.

Je n'y voyais qu'un moyen de « déblaiement » qui permettrait, par la suite, une floraison plus puissante, plus intéressante, plus épurée.

Mon espoir a été déçu. Non seulement ceux dont nous avions assez sont demeurés, mais Dada, par son attitude relâchée, a permis à toute une corporation de jeunes impuissants de se produire, en

---

* *Le Figaro,* 20 août 1922, p. 2, sous le titre « Vacances d'artistes ». La lettre est adressée à Jack Pencil, qui organisait l'enquête.

essayant de se faire prendre au sérieux. Je tiens pourtant à dire que grâce à Dada j'ai pu connaître les deux seuls hommes véritablement intelligents qui en aient fait partie : André Breton et Louis Aragon. Comme moi, ils ont le dégoût de ceux que le succès grisa et qui se prennent maintenant pour de grands hommes, ou cherchent à tirer parti de ce succès de façon mercantile.

Mes idées actuelles s'orientent de plus en plus vers le but d'un art s'inspirant de la vie de tous ; elles s'accordent avec un désir de lutte contre la prostitution, contre l'opportunisme, contre tous les individus qui créent· les lois pour les autres, afin de mieux les esquiver eux-mêmes.

Mes projets sont de continuer à vivre, par conséquent à évoluer vers un idéal qui s'éloigne de plus en plus du genre que les gens appellent « amusant » ou « pittoresque » et qui représente pour moi l'esprit dont j'ai le plus horreur... personnalités de « m'as-tu-vu » capables de me rendre assassin, ou à défaut de me donner l'envie de fuir vers une autre planète où il n'y aurait plus que des animaux, et encore des plus primitifs ! C'est contre cet esprit que mes amis et moi nous voulons réagir, et c'est à cet effet que nous comptons publier un grand journal dont le titre sera *La Vie*[65], journal chargé de démasquer toutes les hypocrisies, les lâchetés, les malpropretés de notre époque.

REPONSE A CLEMENT VAUTEL*

« J'ai été extrêmement flatté de me voir « tourner » dans le film de M. Clément Vautel, cet honneur ayant été réservé jusqu'ici à des personnalités telles que Dieu, le pape ou Raspoutine (Landru aurait été plus drôle).

« Malheureusement, M. Vautel ne me semble pas avoir très bien compris...

« Le dadaïsme a existé tout autant que le romantisme, le symbolisme, etc. Le dadaïsme n'a jamais été une blague ; il aurait pu devenir une mauvaise plaisanterie en voulant se prolonger dans le but d'entrer à l'Institut et de s'y placer à côté de personnages immortels comme la bêtise : c'est ce que j'ai voulu empêcher.

« Quant à ceux que j'ai « plaqués », on peut être sans inquiétude à leur sujet. Ils sont ravis de posséder Dada sans partage et le considèrent comme plus vivant que jamais.

« M. Clément Vautel me propose pour certain cabanon cubiste. Qu'il soit assuré que je préférerais regarder toute ma vie les œuvres de Braque ou de Picasso plutôt que les dessins guerriers de M. Georges Scott[67] ou les nus de M. Caro-Delvaille[68]. Il parle de ma culpabilité ?

---

* *Journal*, 23 août 1922[66].

Ne s'est-il donc pas aperçu que depuis quelque temps, j'ai supprimé ma conscience ?

« Je suis peut-être un « gros malin », mais il est certain que ma malice n'a rien à faire avec celle de l'éminent collaborateur du *Journal*.

« Lequel doit-on féliciter ? »

SOUVENIRS SUR LENINE*

Lénine est devenu un homme remarqué, depuis qu'il a réussi à exploiter son ambition aux dépens de ses compatriotes ! Avant sa gloire, il était un homme remarquable par ses idées démocratiques et sa vie simple, en accord avec elles. L'idéal de cet incroyant allait probablement vers une possibilité ésotérique de domination démocratique : prise de possession, par la force, de tout l'or appartenant, par gain ou par héritage, aux individus d'une nation corrompue par lui ; de l'or, métal précieux représentant de nos jours religion, patrie, art, amour, dissolvant tous les sentiments à la façon de l'acide nitrique et, par là, comparable à certaines mentalités juives...

Il m'est impossible de dire que je n'ai pas eu, autrefois, une grande sympathie pour Lénine, le Lénine suisse, vivant de peu, l'œil profond et le teint pâle, exerçant sur les êtres un magnétisme prenant.

Lénine passe, et veut certainement passer, pour un homme intelligent ; qu'il nous dise donc si l'acte qui consiste à faire d'un soldat un général et d'un général un simple soldat supprime le militarisme ? Si le fait d'être à la tête d'une démocratie communiste le rend dissemblable du tsar, qui était, lui aussi, à la tête d'un pays démocratique, au moins quant au nombre de ses démocrates ?

L'entourage du tsar était autocrate, certes, — comme le vôtre, Lénine, est une autocratie vis-à-vis du malheureux paysan que vous avez « f... dedans » en lui représentant que l'égalité pour tous allait enfin régner ! Puisque vous êtes intelligent, vous savez bien que votre régime ou celui des tsars, c'est pareil ; le costume seul a changé, la crasse que vous portez ne vaut pas mieux que l'eau de Cologne des grands-ducs et même, en y réfléchissant bien, j'avoue que je préférais le voisinage de l'eau de Cologne...

Votre idéal était grand, c'est entendu, mais, à se matérialiser, il a perdu toute possibilité de croissance nouvelle et n'est plus que de l'ambition. Vous avez oublié qu'il y a quelque chose de plus fort que vous : la vie, la nature qui, elle, n'est pas communiste (c'est, d'ailleurs, pour cela qu'elle ne me déplaît pas trop). La nature est injuste ? Tant mieux, l'inégalité est la seule chose supportable, la monotonie de l'égalité ne peut nous mener qu'à l'ennui. Voyez-vous tous les hommes du même type, de la même taille, tous toréadors, ou curés, ou artistes

---

* *L'Eclair*, 23 août 1922, p. 1[69].

peintres ? Et la loi des échanges, la concevez-vous ? Supposez un artiste qui veut échanger une pochade contre un tire-poil ! Cependant, le tire-poil a plus de valeur que la pochade ! Alors, il lui faut donner dix pochades et il y a là de quoi dégoûter le marchand de tire-poil de la peinture ! Donc, impossible pour l'artiste de s'arracher des poils, partant, plus de liberté possible, et voilà le peuple trompé ! Mais la Russie se meurt ; je ne veux plaisanter que quelques secondes ; vous, vous plaisantez depuis plusieurs années et vos plaisanteries deviennent macabres pour vos compatriotes, les malheureux qui n'ont vu de vous que le côté extérieur et ne se sont pas rendu compte que votre mentalité est un peu semblable à celles de certains individus qui *prêtent* à des jeunes gens dont les familles sont riches, mais qui sont, eux, pauvres d'expérience...

Si vous aviez été *plus intelligent,* vous auriez fait la révolution et vous auriez disparu ; c'eût été mieux que de vouloir continuer à pratiquer stupidement le raccourcissement des uns, en leur supprimant la tête ou les pieds sous prétexte d'allonger les autres, et cela au nom de la justice et de la civilisation ! Votre rôle est piteux, mon cher monsieur, et vous n'avez pas même le prestige de l'empereur de Chine, car tout le monde vous a vu et peut vous revoir chaque jour dans tous les êtres se servant de la lâcheté des hommes pour arriver. Laissez là votre garde de Chinois — et sans doute de Chinoises ; mêlez-vous à ceux qui meurent de faim ; puisque votre idéal était si grand, ne vous laissez pas dépasser par le souvenir du maire de Cork ; l'exemple que vous donnerez sera plus fort et plus en harmonie avec votre vie d'artiste ! Votre voyage à Londres peut être accompli par un autre ; la pensée du supplice enduré par les Russes suffit auprès de nous tous ; point n'est besoin d'un habile avocat ; le plus minable des moujiks serait le plus éloquent...

Depuis quand le capitaine abandonne-t-il son bord au moment du naufrage ? Ce n'est pas par moralité que je parle ainsi, mais parce que je pense que, pour le capitaine lui-même, ce qu'il a de mieux à faire c'est de disparaître avec son bateau. Non, je ne suis pas moraliste, mais j'ai horreur des imbéciles nuisibles, tout simplement, et je range dans cette catégorie ceux qui veulent dominer les autres... en condamnant la domination, et que celui qui égorge son voisin de droite pour sauver son voisin de gauche n'est tout bonnement qu'un assassin.

LITTERATURE*

Littérature a été forcée de marcher avec de l'essence « poids lourds » pendant quelque temps et cela grâce à l'esprit Sans Pareil de quelques-uns, fabricants à la mode d'un gouvernement commanditaire.

---

* *Littérature,* 2e série, n° 4, septembre 1922, p. 6[70].

Aujourd'hui *Littérature* peut vivre par ses propres moyens, les abonnés s'étant réunis et ayant ouvert les plus larges crédits à André Breton et Louis Aragon pour continuer leur effort unique dans l'histoire de l'Art ; ne pas s'admirer, ne pas s'enfermer dans l'école révolutionnaire devenue pompier, ne pas admettre de spéculation mercantile, ne pas chercher la gloire officielle, ne s'inspirer que de la vie, n'avoir comme idéal que le mouvement continu de l'intelligence.

PENSEES ET SOUVENIRS*

La personnalité est l'usage de la raison. Dans presque toutes les œuvres modernes que l'on nous montre, il n'y a qu'individualité. L'individualité est ce qui caractérise l'animal.

La première fois que je séjournai en Amérique, j'eus l'honneur d'être présenté au président Roosevelt. Comme je lui demandais au cours de la conversation ce qui l'avait le plus frappé à Paris, il me répondit que c'était l'Eldorado !

Il n'y a pas de loi, toute loi étant une convention et la convention une loi de tendance.

Je montrais un jour la mer à une jeune fille qui la voyait pour la première fois, elle m'affirma trouver bien plus impressionnant un champ de pommes de terre !

Il n'y a que les hommes possédant en eux un mouvement rotatoire qui puissent attirer les autres hommes.

Le maître Carrière voulant un jour expliquer à un élève comment il fallait peindre lui dit : « Fermez les yeux et faites ce que vous voyez ! »

Beaucoup de personnes cherchent à se représenter l'infini. Imaginez deux glaces ayant les mêmes formes et dimensions, posées en face l'une de l'autre : l'infini est le reflet qu'elles se renvoient.

---

* *Ibidem*, p. 13.

PICABIA DIT DANS « LITTERATURE »* :

Je sais tout est pour les esprits simples, *L'Esprit Nouveau*[71] pour les esprits compliqués. *Je sais tout* est fait pour l'appétit du peuple, *L'Esprit Nouveau* est destiné à nourrir les artistes — c'est-à-dire l'élite.

L'Esprit Nouveau apprécie l'intelligence mais trouve que le génie est trop précurseur — d'après lui le précurseur est un raté (très joli !).

L'esprit est conscient de tout, il est bien certain d'ailleurs qu'il ne fait suer que les inconscients comme moi.

L'Esprit Nouveau marche sur ses deux pieds et, comme dit le poète, porte la tête si haut qu'il est impossible de la voir, je me demande si elle existe ?

Je sais tout choisit des monstres comme des chevaux de course remarquables.

L'Esprit Nouveau préfère les chevaux d'omnibus qui tirent péniblement la tapissière du cubisme et n'ont de monstrueux que les œillères.

L'Esprit Nouveau trouve que Rémy de Gourmont exagère en affirmant que l'intelligence détruit tout. Heureusement pour les imbéciles à qui cela donne la possibilité de construire.

Jean Epstein[72] cherche « à nous le mettre » ; sa philosophie de primaire me fait penser à l'Abbaye[73] dont Mercereau et Gleizes sont les très dignes représentants ; Jean Cocteau, dont il dit officieusement beaucoup de mal, l'épate : être né à Paris, c'est quelque chose même pour un philosophe !

Jean Epstein est appelé à tenir une grande place de premier vendeur au rayon de la littérature.

Maurice Raynal[74], mon cher Raynal, n'oubliez pas les Pernod que nous prenions autrefois en compagnie de Guillaume Apollinaire, place Ravignan ; si je vous dis cela, c'est que moi j'aime toujours mieux les Pernod que les devoirs de vacances imposés par l'église Jeanneret et la cathédrale Ozenfant.

Maurice Raynal, vous avez assez de biceps pour foutre un coup de poing sur la gueule à toutes ces conneries. Si vous aimez mieux me le donner, venez déjeuner chez moi quand vous voudrez.

Marcel Duchamp a mis des moustaches à la Joconde ; Jeanneret et Ozenfant, parfaits coiffeurs du cubisme, se sont empressés de les couper, mais elles repousseront...

Prochainement mariage de Jean Crotti[75], dit Tabu, avec Paul Guillaume et cela pour avoir des enfants légitimes.

---

* *Ibidem*, p. 17-18.

Paul Eluard, Tristan Tzara, Philippe Soupault, les almées du dadaïsme, ont un esprit Sans Pareil ; ils viennent de créer l'école buissonnière — ayons de l'indulgence pour les enfants prodigues.

Pierre de Massot[76] est un joli papillon qui voltige avec aisance d'une fleur à une merde.

Conseils pour admirer un tableau de Robert Delaunay[77] : agitez avant de regarder.

Rosenberg porte le cubisme comme Jésus portait la croix.

Prochainement à la salle des ventes, autodafé des tableaux cubistes.

Nous avons aperçu Erik Satie[78], il portait un petit costume marin, dans les coins du col il y avait, brodé en place d'ancres, le portrait de Jean Cocteau.

Les dadaïstes ont insulté gloires et chefs-d'œuvre, je me demande pourquoi ils ne dirent jamais de mal de Jacques-Emile Blanche[79] ?

LE SALON DES INDEPENDANTS*

Le Salon des Indépendants est le seul encore possible, il devrait avoir lieu deux fois par an, en novembre et en mai ; je dis deux fois, en raison du grand nombre de peintres qui peuvent y participer.

Les autres salons ne sont qu'une affreuse blague, les « reçus » sont les amis ou les amis d'amis, des hommes parvenus à la haute fonction de membres du jury, ou bien encore ceux qui restent bien gentiment dans la même convention que les maîtres officiels. Le malheureux qui a vraiment quelque chose à exprimer se voit régulièrement expulsé. *Les Artistes Français,* la *Nationale,* le *Salon d'Automne* ne sont plus qu'un seul et même Salon dans le même esprit, dont les exposants nous ennuient un peu plus chaque année par la répétition de leurs petits paysages, natures mortes ou nus sur un divan de la place Clichy ! Vraiment ces imbécillités ont assez duré et il y aurait « intérêt public » à supprimer ces trois expositions, ou, tout au moins, à les fondre en une seule et réunir ainsi sous la même étiquette, tous ces produits de la même maladie !

Quant au Salon des Indépendants, destiné à recevoir ce que les autres refusent, il est actuellement aussi idiot que ses aînés. Ces messieurs se figurent que « c'est arrivé » ; les murs du Grand Palais

* *L'Ere nouvelle,* 20 septembre 1922, p. 1 et 2.

leur ont troublé la cervelle ; tout au fond d'eux-mêmes, ils ont la plus profonde admiration pour Bonnat ou Cormon, ils sont très fiers de figurer dans des milieux de panneaux, comme ces grands maîtres... Le Salon des Indépendants est sur le point de sombrer parce qu'il est devenu aussi officiel que les trois autres. L'exposition des Indépendants est maintenant plus ennuyeuse qu'un thé chez Anatole France ; les Indépendants ressemblent à une caserne où l'on voit le général en chef, Paul Signac, passer la revue en compagnie de son aide de camp Luc-Albert Moreau, futur président, qui obtiendra de cette façon la rosette de la Légion d'honneur dont il gagna la croix sur un autre front... C'est à Paris qu'il se passe toujours quelque chose, dit-on ; eh bien ! sapristi, il ne suffit pas de le dire, il faut le prouver, et ce n'est pas en discutant pour savoir si les Allemands exposeront ou n'exposeront pas, en proposant de parquer les étrangers dans une salle à la façon des compagnies de chemin de fer qui ont institué les « dames seules » et les « fumeurs », que nous aurons la possibilité d'exprimer la vie de notre époque et que nous continuerons à mériter le titre de « Ville lumière ».

Assez de ces gueules de pseudo grands maîtres, assez de combinaisons pour marchands de tableaux, assez de critiques intéressées. Inspirez-vous de la vie, ne cherchez pas à peindre bien, à peindre mal ; inventez en ne desséchant pas par une saturation intellectuelle le mystère qui existe, qui doit exister dans toute œuvre sincère. Le Salon des Indépendants peut être à tous points de vue le seul moyen de contact entre les artistes et le public, à condition qu'il soit dirigé par des hommes vraiment indépendants. Les personnages qui depuis vingt ans nous montrent toujours le même petit truc, leur soi-disant tempérament, ne nous intéressent plus ; qu'ils cèdent la place aux véritables novateurs, car la peinture des imbéciles, si elle a pu faire la blague un moment, ne peut même pas redevenir à la mode. Pas de crédit, toujours un effort vers le nouveau ; ne nous préoccupons pas de vendre ; si nous avons cette chance, tant mieux, mais la concession faite pour plaire à tel ou tel amateur ou à tel ou tel marchand est une absurdité ; ainsi, retournez-vous, voyez le résultat piteux de l'ambition cubiste : faire une cathédrale, fermer une école, et mettre dans cette cathédrale Rosenberg[80], lui faire comprendre leur génie, lui faire emmagasiner entre cinq et dix mille tableaux cubistes qu'il n'a pas payés cher, c'est entendu, mais qu'il revendra encore à perte. Messieurs les cubistes, je vous félicite de la façon dont vous avez conseillé votre ami qui, dès à présent, n'est plus bon à jeter aux chiens !

Louis Vauxcelles vient de demander la croix de la Légion d'honneur pour Picasso ; comme je faisais part à Jacques Doucet de cette nouvelle, il me répondit : « Je croyais qu'il l'avait déjà depuis longtemps ! » Ceci se passe de commentaires et montre le discrédit que le mercantilisme peut jeter sur un homme.

Plus de marchands de tableaux, mais, deux fois par an, un grand Salon Indépendant où tous les artistes du monde viendront nous montrer leurs recherches, leur effort et leur idéal ; mais il faudrait que ce salon disposât d'un crédit assez grand pour que tous les exposants sachent que plus une œuvre est audacieuse et nouvelle, plus elle sera mise en place d'honneur. Le président devrait être uniquement un administrateur comme le disait très justement Blaise Cendrars, et non un personnage qui encombre les murs d'une autorité démodée. Après les expositions de Paris, les Indépendants pourraient exposer à New York, Barcelone, Berlin, Londres, etc. ; les amateurs pourraient choisir des tableaux dans ces expositions et ne seraient plus à la merci des maquignons de la rue Laffitte et de la rue de La Boétie. Peut-être de cette manière nous sauverions-nous d'une médiocrité qui devient de jour en jour plus évidente. Le marchand de tableaux pourrait encore exister, mais à condition de ne plus chercher de spéculation rapide sur des individus tout juste assez bons pour être copistes au Musée du Louvre.

UN EFFET FACILE*

Ce qui est plat sur la Terre devient rond lorsqu'on le regarde du ciel ; j'ai mille images mathématiques dans l'imagination, pour mesurer l'infini et me donner une solution. — Solution, petite pluie fine sur le sable où j'aime ramasser des coquilles à marée basse, ces coquilles sont les caresses du soleil, mon œil les absorbe comme de l'aspirine.

QU'EST-CE QUE ÇA FOUT !

Littérature de gymnase ! J'ai horreur des œuvres qui sentent le déménageur, j'ai horreur de la littérature cirée, de la littérature imperméable.

Il faut marcher pieds nus et ne mettre ses bottines que pour entrer dans la mosquée littéraire, il faut vomir et non vernir, il faut porter des souliers de Chinoises en gardant les doigts des pieds écartés, il faut arborer sous ses semelles un nom brodé en pétales de roses, et avoir comme éperon un chat ciselé sur un phallus !

---

* *Littérature,* 2ᵉ série, nº 5, 1ᵉʳ octobre 1922, p. 1-2.

DANS LE DERNIER NUMERO

Il faut oublier son sexe comme sa patrie et aimer le néant, car les âmes et les vaches ont la même odeur.

NOUS EN SOMMES TOUS

Il faut regarder les hommes et les femmes de bas ; l'immense sympathie que j'ai pour la vie est semblable à du riz au gras sur un chapeau de paille neuf !

NOUS SOMMES FAITS L'UN POUR L'AUTRE

Le mastodonte clair de lune, l'énorme poésie, merde ou rose, rose ou merde, m'est hostile.

La tête me tourne et je tourne avec ma tête. Crème fouettée, lames de canif des opinions nombreuses, vertiges et découragements, mourir comme un colosse, à tâtons et le dos tourné au soleil, éclater comme une montgolfière.

MOI, JE SUIS LE PROTEGE DU CIEL

A quoi bon discuter ! L'honnête homme, les actrices, la cuisine, les musées, la construction d'un mur me charment comme l'eau claire, comme l'Orient antique, dans la bêtise des misères commandées.

SOUS SON PETIT PANTALON

L'intérieur, l'extérieur ressemblent à une tortue. La solitude est comparable à une lampe qui baisse. Goethe résume son œuvre : réflexion et lenteur, au milieu une DAME et un MONSIEUR qui ne couchent pas ensemble quand ils sont seuls !

La politesse est le contraire du pittoresque, le pittoresque le contraire de l'art, l'art le contraire de la vie, la vie le contraire de Dieu. Les souvenirs sont mélancoliques et la lune me sourit.

(Sans titre*)

Pour qu'un homme ne soit plus intéressant, il suffit de ne pas le regarder.

BILLETS DE FAVEUR**

« A Moi Soi ; à Soi Moi », oui, vraiment, on est assis, Fernand Divoire[81] a raison de le dire, lorsqu'on lit ses poèmes de haute imbécillité, et dire que ça s'appelle « Ivoire au Soleil » !

Isadora Duncan à qui je déclarais un jour que ce personnage était un con me dit : « Je suis de votre avis, mais s'il vous entendait ça lui ferait tant de peine, vous savez, il est un peu amoureux de moi. »

M. Fernand Divoire n'est pas même en os, il est en stéarine !

La culotte en jersey de soie de Renée Dunan[82] irait vraiment très bien à Mme de Noailles, peut-être mieux encore à Mme Gérard d'Houville.

Il me semble que A. P. Gallien[83], jeune homme plein de promesses, sombre dans la banalité la plus absolue. Il doit avoir de bien mauvaises fréquentations !

André Lhote[84] nous montre dans *Feuilles libres* de mauvaises imitations de Picasso.

Jacques-Emile Blanche est en train de confectionner un triptyque à la gloire d'Erik Satie ; à gauche les Six, à droite Socrate, Lamartine, Jean Cocteau et Radiguet, et, dans le milieu, Satie devait figurer, mais ce vieux compagnon de l'intelligence ayant refusé de poser, Jacques-Emile Blanche compte peindre à sa place le fox-terrier écoutant au gramophone la voix de son maître !

Le Salon d'Automne compte cette année ouvrir ses portes aux artistes allemands, chose bien naturelle ; M. Desvallières[85], personnage bien pensant, comme vous le savez, trouve que ce n'est possible que si les Allemands payent leurs dettes. Cher Monsieur Desvallières, vous m'avez demandé un jour, pendant les opérations du jury, ce que j'avais fait pendant la guerre ; je vous ai répondu que je m'étais formidablement emmerdé. Elle est finie depuis quatre ans : ne cherchez pas à la continuer avec quelques autres illuminés.

---

* *Ibidem*, p. 10.
** *Ibidem*, p. 11-12.

Blaise Cendrars[86], le responsable des Six, ne s'en flatte pas mais le divin Jean d'Anjou, barnum parisien du Lavandou leur chef d'orchestre, voudrait se faire prendre pour l'auteur véritable de cette association.

Une chose que personne n'a encore vue est incompréhensible, jusqu'au moment où notre suggestion lui donne un sens idéal.

Brancusi vit entre la Haute-Egypte et Wagner.

Einstein est en train de mesurer la distance qui sépare Epstein[87] de la lune.

Le phénomène est une apparition qui s'impose à toutes les volontés, comme une route s'impose à un automobiliste pour aller d'un point à un autre.

Georges Braque est le bedeau de la cathédrale, Picasso en est le bénitier, Rosenberg l'hostie, Kahnweiler le tronc pour les pauvres.

Quand vous entendez un bruit quelconque vous êtes obligé de formuler cérébralement l'image de ce qui a produit ce bruit pour le comprendre, vous faites de même devant une œuvre d'art.

Max Jacob découvre de plus en plus Cocteau pour lui faire attraper froid.

Il y aurait peut-être un moyen de calmer les fous, ce serait de les enfermer dans une pièce dont les six côtés seraient recouverts de glaces, en faisant subir le même sort aux soi-disant lucides, ils deviendraient certainement fous, ce qui tendrait à prouver que le fou n'a pas besoin de public mais que le lucide ne peut s'en passer.

Marie Laurencin doit illustrer Edgard Poe, vraiment Helleu aurait été encore plus indiqué.

CLASSIQUE ET MERVEILLEUX*

Un déjeuner improvisé réunissait l'autre jour chez moi des ingénieurs, des artistes et un jeune coureur automobiliste qui représente brillamment une marque à la mode fort en honneur auprès des amateurs de vitesse.

---

* L'Ere nouvelle, 23 octobre 1922, p. 1-2.

90

Malgré la différence des milieux auxquels ils appartenaient, une sorte de courant sympathique semblait s'établir entre les convives ; la conversation allait du Salon d'Automne au Salon de l'Automobile, ils parlèrent de records de vitesse et aussi de records de peinture, pour aboutir, naturellement, à la philosophie.

Un jeune peintre moderne, souhaitant un appui à ce qu'il avançait, nous demanda la permission de lire quelques extraits d'un livre qu'il m'avait apporté, livre à prétentions philosophiques, tout naturellement publié par un de mes amis très intimes. Les ingénieurs semblaient curieux d'en connaître le développement, le jeune homme lut donc, au hasard des pages, ce que je transcris ici :

« La vie est un mouvement vers l'avenir.

« Le souvenir est un élan vers la mort.

« Nous gardons en nous les empreintes de l'hérédité et aussi de nos actes passés, mais notre intelligence est là pour stimuler notre activité vers la vie. Le passé ne peut être rappelé à la vie que d'une façon spirituelle ; matériellement, il n'existe plus.

« Nous sommes encordés les uns avec les autres, quoi que nous fassions, et le devenir de l'évolution art entraînera, malgré eux, tous les hommes qui pratiquent ce sport.

« Nous vivons dans le temps, il se peut que le temps soit antérieur à l'espace, mais le temps qui tendrait vers un principe de nouveauté ne serait pas lui-même une nouveauté, mais seulement un contenant ; il est à mon avis aussi immobile que l'espace et pourtant, objectivement, il n'y a que ce qui est dans le temps qui change, mais ce sont toujours nos suggestions qui nous font croire à une nouveauté.

« L'intelligence est espace, le temps est objectif ou subjectif et n'est qu'apparence : c'est là ce qui frappe le plus les esprits ouverts ; l'intelligence est une sensibilité permettant de dépasser les limites de la mémoire, la mémoire ne peut nous servir qu'à ceci : ne pas renouveler une vérité évanouie.

« La vie n'est que mouvement et infini : ce que les hommes appellent l'art est le fantôme d'une civilisation passée. La vie est le pivot de tous les phénomènes ; le phénomène contient le temps et l'espace, le phénomène est le principal facteur d'une objectivité absolument concrète ; mais je ne peux pas penser pour cela qu'il est ce qu'il y a de plus vivant, l'hypertrophie pouvant très bien, au point de vue subjectif, ne pas participer d'un lieu commun.

Tous les critiques, jusqu'à présent, se sont bornés à définir le bien et le mal ; or, le bien et le mal n'existent pas il n'y a que souvenir ou vie ; la vie étant objectivité, elle est pour eux impossible à voir, puisqu'ils jugent subjectivement avec leur mémoire « intériorité ». J'en arrivai à dire que l'homme vivant intérieurement fait partie du temps, c'est-à-dire de la mémoire, et l'homme vivant extérieurement fait partie de la vie, c'est-à-dire de l'infini.

« Il y a des êtres qui savent assez adroitement retourner l'espace pour faire croire qu'ils font partie de la vie ; dans ce cas, ce serait l'espace qui mesurerait le temps et deviendrait par cela même défini — moyen beaucoup plus simple, pour les philosophes, de charlataniser sur l'infini.

« Une œuvre est toujours située entre des frontières fixes, formées par la mémoire. Tout être reçoit l'interdiction d'en sortir, sous peine d'être incompris ; pourtant la vie n'est qu'indépendance et nous ne pouvons affirmer cette indépendance qu'en lui imprimant un mouvement n'ayant rien à faire avec toute objectivité interne, c'est-à-dire faisant partie de la mémoire.

« Il n'est pas toujours utile que l'œuvre créée par l'homme qui fait partie de la vie soit un mouvement, il suffit que ce mouvement soit possible. »

Il continua plusieurs pages encore, jusqu'à ce qu'il fût tombé sur le passage qui semblait lui donner raison. Quand il eut terminé, je regardais mes hôtes...

Les artistes semblaient enchantés, sinon du texte même qu'on venait de leur révéler, mais au moins à l'idée de toutes les discussions que cette œuvre pourrait soulever ; les ingénieurs pris par le côté théorique qui les séduit toujours approuvaient ou niaient, sans avoir nettement compris ; enfin, on en revint à parler de vitesse, de mécanique, à discuter sur la résistance des moteurs plus ou moins poussés et on s'étonnait justement que la marque que faisait triompher le jeune coureur eût une endurance extraordinaire par rapport au nombre vertigineux des tours de son vilebrequin ! Le sportsman eut un haussement d'épaules : « Le patron sait ce qu'il fait, dit-il, croyez-vous que je me risquerais à faire de semblables vitesses si je n'avais en lui la plus absolue confiance ; cet homme est doué d'un merveilleux instinct, il ne se perd jamais dans des calculs. Quand un de ses contremaîtres vient lui demander de quelle épaisseur il désire telle ou telle pièce, il réfléchit un instant et mettant son pouce et son index à la hauteur de son regard, il se rend compte de la distance représentée par l'écart de ses doigts, il les éloigne ou les rapproche un peu, puis : " Voilà, dit-il, la bonne dimension. " Et c'est toujours juste, *ça y est,* comme nous disons. » Un des ingénieurs demanda : « De quelle école sort M. X..., Centrale ou Polytechnique ? » A la stupéfaction générale, le jeune coureur répondit : « Oh ! il ne sort d'aucune école, c'est un ancien sculpteur ! » Ceci tendrait une fois de plus à nous montrer que les êtres qui créent quelque chose, qui exercent dans la vie une véritable action n'ont que faire d'aller s'abrutir dans les écoles, à seule fin d'y mériter des prix, des diplômes et dans le but d'obtenir plus tard des décorations qui ne servent jamais qu'à masquer une jolie bêtise... L'exemple que je viens de citer et qui s'applique à un ingénieur est plus exact encore lorsqu'il s'agit d'artistes, n'en déplaise à mon ami le philosophe et à son lecteur de l'autre jour ! Ils auront beau poser leur œuvre sur toutes les bases théoriques et philosophiques possibles, ainsi que cela a été si fort à la mode ces dernières années, ils auront beau discuter sur la quatrième dimension, cela ne leur apportera pas cet instinct, ce don, dont parlait l'automobiliste en racontant de quelle manière le distingué constructeur remplaçait ses calculs techniques !

Les écoles, qu'elles soient anciennes ou modernes, ne seront jamais que la représentation statique du dynamisme d'un homme de génie.

MA MAIN TREMBLE*

Les clochers chantent à tue-tête
Nous poursuivons notre route perdus dans la foule ;
comme les oiseaux sur la plaine,
les arbres, les fleurs, les animaux sont des personnes
plus sensibles que les hommes.
Mais moi, j'ai un bandeau sur les yeux
pour ne pas voir les couchers de soleil ;
les couchers de soleil ne sont pas assez beaux
et me feraient pleurer ;
la lune n'est pas assez belle,
les femmes ne sont pas assez belles ;
il n'y a que les boutiques d'armurier qui me plaisent,
elles me plaisent parce que je n'aime pas la chasse,
je n'aime pas la guerre,
et j'ai peur de mourir.

Un jour mon grand-père dit à mon père :
c'est aussi dur de se séparer de la mort que de la vie ;
je trouvai cette pensée si belle
qu'elle me fit hausser les épaules,
et je détournai la conversation par discrétion.
la vie est insensée ;
le printemps est en automne
l'automne au printemps,
l'été en hiver et l'hiver en été ;

j'aime mieux mes larmes
et mon chapeau neuf.
Je foule aux pieds
les papillons aux couleurs si jolies et guillochés
car toute beauté est un vice de la nature
Mais les clochers chantent à tue-tête
comme les oiseaux sur la plaine.

---

* *The Little Review*, Londres, automne 1922, p. 40[88].

HISTOIRE DE VOIR*

Les années passent, les boutiques ont des rideaux de mousseline. L'hystérie est accroupie sur ses talons, serrant dans ses mains une vipère en bois ; une bague est accrochée à la queue et dans le nez de ce petit serpent est incrusté un diamant ; dans ce diamant on peut voir, en le mettant tout près de son œil, une femme agenouillée, elle parle et nous dit : « Demain sera moins beau qu'un secret, moins beau qu'un mauvais conseil, demain est un promontoire de pierres, de feuilles mortes, de flaques d'eau où la mélancolie à pas lents et sans lumière, sans chaleur et sans couleur veut bleuir les fenêtres des sentiments chrétiens. »

Mon cœur aboie et bat, mon sang est un chemin de fer sans gare qui mène à Barcelone. Mon corps est un bocal d'excellent opium qui sert à charmer mes loisirs.

Paris est plus grand que Picabia mais Picabia est la capitale de Paris ; Breton est un grand fleuve de tabac turc et la mer se jette dans ce fleuve pour monter vers l'Infini.

Duchamp fait des grimaces dans les glaces du pôle Sud comme si nous étions là ! Marcel, il faut teindre les icebergs en bleu, rose, vert, rouge, puis les couvrir de salive ; Gabrielle Buffet fera du ski sur leurs pentes multicolores en rêvant à sa correspondance du boulevard et dans le monde entier les grooms seront déguisés en magistrats.

Il est plus facile de nager dans l'eau sale que dans l'eau propre ; l'eau sale est plus lourde, dans l'eau de cuisine inutile de savoir nager ; les vieillards y clapotent avec bonheur et tous les crétins y font la planche. Canudo[89] est chef baigneur des Eaux-Grasses ! Gonzague Frick y enfonce sa tête pour savoir si vraiment c'est écrit en bon français ; nous, nous nageons dans le merveilleux cristal des sources de l'horizon.

Entre ma tête et ma main, il y a toujours la figure de la mort.

CONDOLEANCES**

Je suis véritablement en admiration devant Georges Ribemont-Dessaignes ; il soigne son style au point de le faire aimer de tous les idiots servant d'ornement à la littérature française, il écrit en ménageant ses effets philosophiques, il met dans sa sauce du laurier, du poivre rouge, du piment, enfin tout ce qu'il peut trouver dans le vieux tiroir de son arrière-cuisine. Il sert le tout chaudement et attend que ses admirateurs lui disent : « Epatant vraiment, extraordinaire,

---

* *Littérature*, 2ᵉ série, nᵒ 6, 1ᵉʳ novembre 1922, p. 77.
** *Ibidem,* p. 19.

exquis, quel maître ! Ce plat a toute la finesse de la cuisine chinoise ; peut-être est-ce un peu fort, nous avons mal à la langue, mais qu'importe, les vins sont bons, buvons là-dessus, grisons-nous ! »

Ainsi le tour est joué, les consommateurs n'ont plus qu'à aller aux cabinets... tout comme Mme Durand ou M. Poincaré !

Voyez-vous, cher ami, toutes vos belles phrases, qui ressemblent plus ou moins aux boniments de Longuet, sont pour nous dire que tout est une mauvaise convention et que vous êtes un grand philosophe, une « fausse gloire » comme dit votre ami Tristan Tzara.

M. Tristan Tzara est un homme prévoyant ; il préfère « les fausses gloires aux vraies » !

Mon cher Tzara, je crains bien que vous ne bénéficiiez jamais de l'une ni de l'autre ; parce que quelques hommes se sont amusés avec vous, ce n'est pas une raison pour vous croire un personnage qui attire les yeux du monde entier. Vous êtes un bon petit truqueur, pas maladroit. Vous avez été une distraction semblable à celles que l'on trouve dans tous les théâtres et music-halls durant les entr'actes, et c'est tout.

Il est certain que vous avez encore moins vendu d'exemplaires de vos œuvres que Rimbaud ou Lautréamont, de là il n'y a qu'un pas à faire pour arriver à suggestionner nos semblables en leur disant que le petit Tzara est le plus grand de tous parce qu'il ne ressemble ni à Napoléon ni à Wagner !

Ce n'est pas mal imaginé pour plaire aux imbéciles !

Philippe Soupault flirte avec la bêtise et vulgarise supérieurement Henri Rousseau ! Qui aurait cru cela lorsqu'il disait d'une voix frisée et baudelairienne au public des Indépendants : « Nous ne voulons plus d'art pendant trente ans. » Maintenant, il est directeur des *Ecrits Nouveaux,* il aurait préféré être directeur de la *Nouvelle Revue Française* ou du *Mercure de France,* mais on fait ce qu'on peut... Il y a certaines plantes qui donnent une fleur et meurent après, je crois que Soupault est de cette espèce végétale.

PITHECOMORPHES*

Le mahométan est excité par la nudité du visage féminin, l'Européen par les mollets ; l'artiste malin excite le public de la même façon. — Il ne veut pas que l'on reproduise ses œuvres mais il ne se cache pas. — Dans l'autre cas, il se cache mais exhibe ses œuvres. Le meilleur moyen des deux est celui qui a le moins servi.

---

* *Ibidem,* p. 20.

Je dédie cette pensée à mes bons amis Brancusi et Marcel Duchamp.

L'ESPRIT DE FAMILLE A RENDU L'HOMME CARNIVORE.

SAMEDI SOIR, 16 SEPTEMBRE 1922*

L'odeur des femmes comme une consolation dans mes souvenirs d'enfance, même modérés, me permet d'embrasser les bâillements des petites distractions du suffrage universel ; les moqueries me caressent sérieusement, cela me fait rire.

A QUOI POUVEZ-VOUS PASSER VOTRE TEMPS ?

Est-ce la fin de la blague, car je dors énormément !

LISEZ-VOUS QUELQUE CHOSE ?

La seule chose raisonnable ressemble à Versailles ; l'horizon est au Dahomey, c'est l'ordre ! c'est la règle ! l'exception est le contraire des journaux philosophiques — Paris est un vieux remède gigantesque d'ineptie, Paris est filleul de la France et la France est uniquement Paris. Je ne crois pas à un cataclysme prochain ; quelqu'un *qui sait* m'accuse d'être prévenu comme un bourgeois dans un pays ennemi, force écœurante de l'humanité. — Les muscles comme la vertu donnent des exemples spirituels que j'aime beaucoup, il y a encore heureusement des crapules dans le *bon monde*. J'aime les êtres qui ressemblent aux inondations ; les bateaux glissent sans bruit comme la lune ; un évêque passe, c'est la grimace officielle, il me baise les mains, je ne m'en plains nullement ; je lui baise les mains, voilà la vraie gloire.

PERROQUET, je m'ennuie de vous, pendant quelque temps la ménagerie rappelle la famille ; centre des facultés de tendresses ; pourquoi paraissez-vous étonné, Victor Hugo est président de la Littérature, quant à tout le reste je le réclame pour moi.

Photographies des réceptions royales, obscénités originales, l'hygiène du dernier gâteux ne me donne aucune expérience. Je creuse un fortifiant, voilà l'événement où rebondissent mes articulations, mais il faut se résigner.

---

* *Ibidem*, p. 24.

DADA AUX CHAMPS*

Ce que fera Dada ? Je n'en sais rien... Dada se dressait railleusement contre toutes les écoles. Il devenait une école... Il s'est supprimé.

Dada a fait son œuvre en tuant un mouvement adverse, en dénonçant la manœuvre de quelques-uns des aventuriers qui commercialisaient l'idée moderne, au profit de leur bourse et de celles des marchands. Mais Dada, ennemi de toutes les écoles, allait faire école lui-même, se cristalliser en chapelle. Il attirait des adhérents, formait des adeptes. Cela était contraire à son esprit, à ses buts de guerre, parfaitement individualistes. C'est pourquoi, honnêtement, Dada s'assassine soi-même.

Nous ne voulons pas que Dada subisse le sort de Cézanne. Celui-là fut un beau peintre, un œil, une main, de la matière incomparable. Mais ils sont deux mille qui refont les pommes de Cézanne, et cela est haïssable. Cézanne, naïf, convaincu, original, est adorable, malgré que n'étant point parfait. Mais ceux qui l'ont imité, jusque dans ses pires défauts, sont inexcusables... Nous défendons toute personnalité vraie, sincère, qui est soi, et non d'autres. Nous détestons tous les suiveurs d'avant-garde, qui remplissent leurs corbeilles des noix gaulées par les pionniers. Nous aimons Watteau. Nous pouvons même aimer Bonnat, car il fut le plus compréhensif des hommes et, par réflexe, il a peint amèrement, comme un miroir fidèle, l'amère brutalité, le grossier matérialisme des hommes et des temps sans idéal qui sont les nôtres. Nous acceptons tout ce qui est représentatif d'une époque, d'un caractère, d'une personnalité quand ils sont originaux, même s'ils sont malhabiles. C'est pourquoi nous pouvons aimer l'esprit d'un Cézanne, d'un Watteau, d'un Bonnat, et haïr vigoureusement ce qu'ils ont enfanté. C'est pourquoi nous avons déclaré la guerre à l'art qui n'est rien que professionnel, qui n'est rien qu'habileté manuelle. Car c'est l'esprit seul qui vaut. La seule maîtrise manuelle n'est que détestable, si elle ne sert pas un esprit original. C'est pourquoi il faut détruire l'art, quand il n'est qu'une manifestation de savoir professionnel, un produit d'école dans tous les plans de l'activité intellectuelle : peinture, sculpture, musique, littérature. Nous sommes pour les isolés, les incompris, les anonymes qui, hors de la mode de leur époque, caractérisent avec puissance cette époque. Car les seuls caractères, quels qu'ils soient, comptent pour quelque chose. C'est là l'esprit dadaïste, et son idéal aussi ; nous l'avons brisé net, ce mouvement qui a fait quelque bruit dans le monde, par sa vie intense, violente, agressive, parce qu'il tendait à devenir une école.

Maintenant, venez voir mes bêtes. Venez voir les beaux châssis que j'ai peints en vert pour abriter du froid mes oiseaux des îles. Venez

---

* *Le Petit Parisien,* 26 novembre 1922[90].

les saluer, mes oiseaux. Ce sont des œuvres adorables, des fleurs ailées, du soleil en plumes... Je passe mes meilleures heures à les regarder... Les bêtes, c'est souverain pour calmer mes nerfs. J'ai un geai familier qui est aussi spirituel que Blaise Cendrars que, d'ailleurs, il déteste. J'ai des « veuves », des cardinaux écarlates, des tourterelles du Pérou, des pintades, une poule espagnole qui semble dessinée par Goya, des oiseaux blancs, aux yeux de saphir étoilé et que l'on croirait taillés dans de la nacre et de l'onyx. Et, malgré que je déteste ses congénères, un chat gris rayé de blanc et de noir, qui semble une rampante fourrure de chinchilla...

Nous sommes allés voir les oiseaux.

Dans un mois, *dit Picabia,* nous irons chercher du soleil en Espagne ; cette grosse auto jaune, endormie aujourd'hui dans son garage, nous emportera vers Séville, Algésiras, les oranges, la mer frémissante et les sierras rousses.

DACTYLOCOQUE*

Une idée m'est venue, comme ça, la bouche en cœur, le chloroforme sur table :

Le Petit Jésus, sur une vache, est descendu un soir de réveillon dans ma cheminée afin de me prendre ce que j'avais dans mes bottines ! Il fut très déçu de n'y trouver que son portrait. Il ne pouvait décemment le rapporter, à cause de la Sainte Vierge.

J'habite à côté du Casino ; pour ne pas s'embêter dans « ce bas monde », il faut une mise en scène appétissante, je ne suis pas comme les autres, le Tango ne me plaît pas ; les croupes nerveuses sont pourtant autant de caresses, mais mon cerveau se crispe sur mon sexe ; l'idée de jouissance fait briller le cuivre du talent minuscule que j'accorde à mes amis.

Je n'aime pas les faux passagers de la vie, les femmes qui croisent leurs jambes comme les hommes croisent leurs bras, je n'aime pas le renversement du programme, les mois pénibles, une étoffe de soie que l'ongle écorche, le maquillage, prendre un taxi, une porte d'entrée ; mais les fous, l'avenue Henri-Martin, minuit, l'eau froide, sont mes amis.

La femme qui se trouve en ce moment près de moi caresse ses seins, les pointes sont rouges ; sur chaque sein il y a un portrait, à gauche Foch, à droite le Soldat inconnu. Son ventre est peint en blanc, ses jambes en jaune, hélas ! elle danse le tango ! Ses fesses sont prises dans une boîte à bougies, le dessus de la boîte est fendu ainsi qu'une tirelire, de cette fente s'échappent des perles bleues, je les enfile. Les bras de cette femme sont en plâtre, sans articulations, elle les tient

---

* *Littérature,* 2ᵉ série, nᵒ 7, 1ᵉʳ décembre 1922, p. 10-11.

écartés, en croix. Tout à coup, elle s'arrête de danser et je me sens pris de vertige dans le silence impressionnant.

Les lumières s'éteignent, le gramophone joue *Rose,* je me mets à genoux, soudain voici la fraîcheur du matin... Il n'y a pas de risques à jouir, l'infériorité vient de la résignation ; il faut aimer les assassins et mépriser les victimes ; le ridicule n'existe pas.

J'aime la franchise, les hypocrites me dégoûtent, il faut préférer la jouissance physique à tout et ne s'abandonner qu'avec soi-même ; l'effusion partagée ressemble à deux autos face à face, qui cherchent mutuellement à se faire reculer.

Je viens d'éternuer, petites vacances dans l'infini, maintenant j'écoute une chanson lointaine, la chanson des spermatozoaires que l'appât de mon âme attire.

La fille du ventre blanc frôle ma jambe et me donne une émotion sincère, écoutez-moi :

Broyer du noir ou du blanc c'est pareil ; n'avez-vous pas l'obscur sentiment de la lumière ? personne ne vous trompe, vous n'êtes plus jaloux ; ne pensez pas aux cimetières, à la misère, vivez comme le Petit Jésus, tout nus mais ayez un parasol pour mettre votre sexe à l'ombre.

Le *spiritisme* et la *théosophie* font voir les êtres un peu comme dans une *fumerie d'opium,* mais le temps passe plus vite.

Maintenant, belle danseuse de tango, mettez-moi du rouge sur les lèvres ; comme vous êtes belle ! Elle rougit sur le rouge de son maquillage et me dit : « Vous n'avez pas honte ? »

12 octobre 1922

P.S. — Par discrétion, enterrez votre famille et vos amis autour des cimetières.

Natacha vivait sur le pont du surhumain ; Jean Cocteau vit sur le pont de la concorde.

Il n'y a d'indispensable que les choses inutiles.

1923

SOUVENIRS DE VOYAGES
L'EXPOSITION COLONIALE DE MARSEILLE*

« Ah ! si les nègres étaient encore là. »

Nous avons erré de pays en pays, examinant avec ennui ces cartonnages de bookmakers ; on ne voit pas une seule femme, des hommes vendent au rabais des animaux empaillés : un petit tatou pour vingt francs, des martins-pêcheurs pour quinze francs. André Breton achète un tatou. Comme il ferait d'un chien, il le met sous son bras, le caresse, le réchauffe sous sa somptueuse pelisse ; et voici le seul miracle depuis le commencement du monde : le tatou revient à la vie, saute à terre, va flairer les pieds d'un gardien indigène en grand costume rouge, vert, bleu, jaune, violet et noir. Un Monsieur qui assistait à cette scène, prodigieusement intéressé, offre à Breton de lui acheter son tatou pour cinq cents francs, celui-ci hésite mais sa femme le presse d'accepter, n'aimant, dit-elle, les animaux que lorsqu'ils sont « naturalisés » ! Le Monsieur s'empare du tatou docile et nous sommes alors consternés de voir que celui-ci est toujours empaillé ! Le Monsieur est furieux, il s'arme d'un couteau et brutalement ouvre le ventre de l'animal, il s'en échappe des centaines de dollars et petits papillons blancs sur les ailes desquels on peut lire imprimé en guise de réclame : *Banque Mills et Cie.* Jugez de notre effarement !

Mme Mills, qui nous accompagne, nous explique le phénomène par le fait que son mari se nomme Gascon !

Remis assez rapidement de cette première émotion, nous continuons à parcourir ce cimetière écœurant dont nous sommes les cadavres.

Des lanternes indochinoises nous éclairent sous un parapluie. Bientôt, à la suite d'une averse formidable, nous voyons disparaître sous le sable les palais de Conakry et de Ziguinchore, les souks marocains, les boutiques annamites et le marchand de rahat-loukoum, il ne reste plus devant nous qu'un immense vélodrome au centre duquel, un peu à droite, se dresse un petit restaurant d'où s'échappe la musique sonore d'un jazz-band.

* *Littérature*, 2ᵉ série. n°8, 1ᵉʳ janvier 1923, p.3-4.

103

Quatre maîtres d'hôtel nous font des offres de service et nous décident à dîner en nous affirmant que là seulement nous pourrons goûter aux spécialités du pays.

Nous sommes intrigués par un va-et-vient de cyclistes en habit noir ; ce sont, paraît-il, les garçons qui font le service à bicyclette en tournant à toute vitesse.

Nous sommes les hôtes de notre ami le banquier américain ; pendant le dîner, il nous raconte sa vie, son œuvre et son avenir. Il dit aussi à sa voisine : « Comme vous êtes jeune ! » A moi : « Je suis français », à Breton : « Je connais le monde entier. » Et chacun de nous pense à part soi : le monde est comme l'exposition de Marseille, il n'est beau que vu dans *L'Illustration*.

Un ami m'avait dit : « Puisque tu vas partir pour La Havane, j'aimerais que tu me rapportes un de ces oiseaux qu'on nomme perroquets : je vis seul, ce serait pour moi une compagnie. »

A Cuba, j'oubliai l'oiseau et voulus réparer cette étourderie en arrivant à Barcelone, mais je fus stupéfait du prix qu'on demandait des « loritos » et je renonçai à l'acquisition.

Mon ami n'ayant jamais vu de perroquet j'eus alors l'idée d'acheter une chouette pour un prix modique et je lui en fis cadeau. Il fut enchanté et me demanda tout de suite si l'oiseau parlait : « Pas encore, lui dis-je, mais il écoute, il écoute admirablement... »

Paul Morand[91] écrit le dimanche pour les revues d'avant-garde, cette inspiration hebdomadaire me plait vraiment ; toute la semaine il fait partie de l'arrrière-garde mais le dimanche... Cher Monsieur, vous feriez mieux d'avoir un peu plus d'imagination toute la semaine et le dimanche de prier Dieu en compagnie de Léon Daudet pour que votre gloire dure toujours, ce qui m'étonnerait beaucoup.

(Sans titre*)

Je félicite vivement la nouvelle direction de *Comœdia* ! Quel beau journal, plein de belles conneries ! Il est vrai que M. Léon Bérard[92] a écrit une belle lettre et que nous avons pu admirer sa belle figure, mais on cherche vainement dans les six belles pages un petit coin de lumière : rien, c'est le noir le plus absolu, mon pauvre Casella[93] *Comœdia* porte ton deuil.

S'ils ont copié l'en-tête et les caractères du *Figaro*, ils ont moins de pudeur que dans ce journal ! Ils n'ont même pas songé à y laisser ton nom, au moins pendant quelque temps. Il est vrai que c'est une consolation de ne pas te voir figurer là...

---

* *Ibidem*, p.9.

104

(Sans titre*)

Ce sont les aveugles qui ont trouvé que la fortune est aveugle.

Monsieur Philippe Soupault[94] est un aristocrate qui n'aime pas les odeurs d'une cuisine qu'il ne craint pas de manger.

On vient de créer un ordre pour les morts. Tous les dix ans une commission ouvrira les cercueils, et les cadavres qui se seront le mieux comportés contre les asticots seront décorés de la croix blanche. On la leur épinglera à la place du nez.

(Sans titre**)

Georges Braque n'a plus rien à envier à Léon Bakst[95].

« Bonjour, Monsieur de Segonzac », tu peins comme Courbet.

FRANCIS MERCI !***

Il faut faire connaissance avec tout le monde, sauf avec soi-même ; il faut ignorer à quel sexe on appartient ; je ne m'occupe pas plus de savoir si je suis du genre mâle ou femelle, je n'estime pas plus les hommes que les femmes. N'ayant aucunes vertus, je suis certain de n'en pas souffrir. Beaucoup de gens cherchent la route qui peut les conduire à leur idéal : je n'ai pas d'idéal, le personnage qui fait parade de son idéal est tout simplement un arriviste. Je suis un arriviste aussi, sans doute, mais mon arrivisme est une invention pour moi-même, une subjectivité. L'objectivité consisterait à me faire décorer de la Légion d'honneur, à vouloir devenir ministre ou à briguer l'Institut ! Or, pour moi, tout cela c'est de la merde !

Ce que j'aime, c'est inventer, imaginer, fabriquer à chaque instant avec moi-même un homme nouveau, puis l'oublier, tout oublier. Nous devrions sécréter une gomme spéciale effaçant au fur et à mesure nos

---

* *Ibidem*, p.13.
** *Ibidem*, p. 16.
*** *Ibidem*, p. 16-17.

œuvres et leur souvenir. Notre cerveau devrait n'être qu'un tableau blanc et noir, ou mieux une glace dans laquelle nous nous regarderions un instant pour lui tourner le dos deux minutes après. Mon ambition est d'être un homme stérile pour les autres ; l'homme qui fait école me dégoûte, il donne sa blennorragie pour rien aux artistes et la vend le plus cher possible aux amateurs. Actuellement, littérateurs, peintres et autres idiots se sont donné le mot pour lutter contre les « monstres », monstres qui n'existent pas, naturellement, et ne sont que pures inventions de l'homme.

Les artistes ont peur, ils se parlent dans le creux de l'oreille d'un croquemitaine qui pourrait bien les empêcher de faire leurs petites saloperies ! Aucune époque, je crois, n'a été plus imbécile que la nôtre. Ces messieurs veulent nous faire croire qu'il ne se passe plus rien ; le train fait machine en arrière, paraît-il, c'est très joli à regarder, les vaches n'y suffisent plus ! et les voyageurs de ce Decauville à reculons se nomment : Matisse, Morand, Braque, Picasso, Léger, de Segonzac, etc., etc. Ce qui est le plus drôle, c'est qu'ils acceptent comme chef de gare Louis Vauxcelles[96], l'homme dont la grosse serviette noire ne contient qu'un fœtus !

Depuis la guerre, dans le monde entier règne un sentiment de morale lourde et imbécile. Les moralistes ne discernent jamais les faits moraux des apparences, l'Eglise pour eux est une morale comme la morale de boire de l'eau, ou de pas oser se laver le cul devant un perroquet ! Tout cela est arbitraire, les gens moraux sont mal renseignés et les renseignés savent que les autres ne se renseigneront pas.

Il n'y a pas de problème de la morale, la morale comme la pudeur est une des plus grandes sottises. Le fondement de la morale devrait avoir la forme d'un pot de chambre, voilà toute l'objectivité que je lui demande.

Cette maladie contagieuse qu'est la morale est arrivée à contaminer tous les milieux dits artistiques ; littérateurs et peintres deviennent des gens sérieux et bientôt nous aurons un ministre de la Peinture et de la Littérature ; je ne doute pas des plus effroyables conneries ! Les poètes, ne sachant plus que dire, se font les uns catholiques, les autres croyants ; ces hommes fabriquent leurs petits navets comme Félix Potin des conserves de poulet froid ; on dit que Dada est la fin du romantisme, que je suis un clown, et on crie vive le classicisme qui doit sauver les âmes pures et leurs ambitions, les âmes modestes si chères à ceux qui sont atteints par la folie des grandeurs !

Pourtant, je ne perds pas l'espoir que rien n'est encore fini, il y a moi et quelques amis qui avons l'amour de la vie, vie que nous ne connaissons pas et qui nous intéresse à cause de cela même.

(Sans titre*)

Je n'ai pas connu Marcel Proust. J'ai vu seulement de lui quelques reproductions de portraits, parues dans les journaux, mais nous savons maintenant qu'il portait des gants dans son lit et qu'il avait les yeux bistrés ! Il a terminé son œuvre « jusqu'au point final » ; elle vit, paraît-il, à son côté comme un bracelet-montre. S'il n'a que cela à nous laisser, ûne heure plus ou moins juste !

Je n'aime pas l'œuvre de M. Proust, mais, si j'étais de ses admirateurs ou de ses amis, il me semble que je ne lui ferais pas l'injure de déclarer, comme M. Paul Morand, pour assurer sa mémoire : « Nous sommes là ! »

Ah ! vous êtes là, cher monsieur, vous et vos amis, pour défendre l'œuvre de Marcel Proust ; il me semble qu'une œuvre géniale se défend bien mieux toute seule et que certaines mains en y touchant font seulement un peu d'ombre sur les bords d'un soleil qui n'est pas encore levé !

ACADEMISME**

A André Breton

Quand Ingres écrivit : « Le dessin est la probité de l'art », il pensait que le dessin et la peinture étaient purement arts d'imitation.

Messieurs les charpentiers constructeurs élèvent un échafaudage autour d'une cathédrale construite par Ingres.

Ils regardent cette cathédrale, les enseignes lumineuses et les machines ainsi que la grenouille regardait le bœuf... Ce qu'ils appellent bâtir, c'est fabriquer, leur art est un cancer s'alimentant de la jobarderie d'amateurs crédules ; un homme est très rarement intéressant, une bande d'ouvriers sent toujours mauvais.

Quant aux petites revues, soi-disant modernes genre *Feuilles libres,* elles vivent subventionnées par deux ou trois marchands ou gigolos ; les premiers espèrent la fortune, les autres l'intelligence.

Tous cela, mes chers amis, est artificiel ; ce qui restera de notre époque est au-dessus des marchands et des éditeurs ; au-dessus de la boue imbécile des critiques et des habitués des salles de vente.

---

* *Ibidem*, p.9.
** *Litterature*, 2e série, n°9, 1er février-1er mars 1923, p.5.

ETAT D'AME*

Canudo, René Blum, Fernand Divoire, Waldemar George, André Levinson, Rob Mallet-Stevens, Roland-Manuel, Léon Moussinac, Raymond Cogniat[97] se sont réunis pour « CONSTRUIRE ».

Mon pauvre René Blum, vraiment jusqu'à aujourd'hui je pensais que vous étiez autre chose qu'un entrepreneur ! Pourtant, si vous avez vraiment le désir de construire, commencez par supprimer Canudo ; quand on a envie de faire pousser de belles plantes, il faut arracher les orties. Vous pourrez les brûler ou les donner à manger à M. Paul Painlevé, ancien président du Conseil des ministres.

ELECTRARGOL**

Soixante-quatre paires de bottines ! Deux paires à chaque porte, l'une féminine, l'autre masculine ! J'étais dans un long couloir, tapis rouge, murs blancs, où m'avait conduit mon rêve...

Devant l'ordre de ces bottines, qui semblait immuable, je n'ai pu résister à mon envie, je les ai entassées toutes, pêle-mêle, et les ai transportées dans une grande maison où j'ai pu chaque soir, devant chaque porte, intervertir les paires de chaussures entre elles ; tantôt devant une chambre on voyait quatre brodequins d'hommes, plus loin deux petits souliers vernis, voisinant avec des souliers de satin, plus loin de minces cothurnes d'or acoquinés à de lourdes bottes de chasse, en cuir fauve, malodorant ; le soir suivant se prêtait à une autre combinaison, et ainsi de suite. Le matin, je me promenais sur le balcon où donnent toutes les chambres de la maison et j'avais la surprise de respirer, au travers des persiennes closes, de merveilleux parfums. J'eus ainsi l'illusion d'avoir créé un peu de bonheur autour de moi.

Enfin, l'idée me vint un soir de remettre souliers et bottines dans l'ordre même où je les avais vus pour la première fois dans le couloir de l'hôtel ; je ne fus pas étonné le lendemain, en faisant ma promenade matinale sur le balcon, de percevoir, au milieu des parfums subtils se dégageant habituellement des chambres, une odeur fade de chocolat. Le doux silence des jours précédents était troublé par un bruit de voix hargneuses discutant sans fin sur des chiffres... Agacé, je rassemblai encore une fois les chaussures et je m'empressai de les jeter à l'eau en passant près d'un fleuve ; les unes plongèrent courageusement, tandis que d'autres se laissaient flotter comme des chiens crevés et que d'autres s'accrochaient au rivage : les premières arrivées à la mer,

---

* *Ibidem*, p. 13.
** *Ibidem*, p. 14-15·

108

plantées au bout d'une perche, servent maintenant de points de repère à quelques pêcheurs, elles ressemblent aux grands hommes des monuments publics.

Il y a maintenant par le monde soixante-quatre personnes qui marchent pieds nus, qui ne pourront plus jamais remettre ni souliers ni bottines ; j'en rencontre de temps en temps, elles me regardent ayant au fond des yeux beaucoup d'amour et pourtant un peu de reproche, elles semblent me dire : pourquoi avoir jeté le bonheur à l'eau après nous l'avoir fait connaître, sans plus vous soucier de nous ?

Le point curieux dans cette petite histoire c'est que je l'ai rêvée dans une maison de passe où j'habite avec ma femme et où je n'ai jamais vu, durant une semaine, la moindre paire de bottines devant les portes !

REPONSE A UNE ENQUETE*

Mon cher Confrère,

Je ne veux pas laisser sans réponse votre enquête sur le symbolisme, bien qu'il me semble fort puéril de faire des classifications ! Les classifications sont tout juste nécessaires aux traités de littérature pédagogiques et aux esprits obtus ! J'ai horreur des états civils, des uniformes, et de cette manie de cataloguer les poètes et les artistes à la façon dont les biologistes cataloguent les insectes ou les méduses ; d'ailleurs, la classification des méduses est peut-être aussi stupide que la classification des poètes !...

Certains traits caractéristiques, communs aux œuvres d'une même époque, sont indéniables, mais, de même que toutes les formes de l'univers peuvent être ramenées au schéma des formes géométriques, l'esprit humain est à la fois beaucoup plus vaste que les limites, établies et définies après coup, des formules esthétiques — et beaucoup plus simple.

Arrivé à une certaine hauteur, classicisme, romantisme, symbolisme, dadaïsme se rencontrent en une cristallisation unique.

En art, il n'y a point de Tour de Babel !

Créer une expression personnelle, se servir de celle d'un autre demande du génie ou un talent considérable ; or, cela n'a pas existé dans ce que vous nommez l'école symboliste ; saisir sa propre époque ou se saisir soi-même dépend d'une très grande intelligence et je n'ai pas l'impression qu'il y ait dans cette école un homme véritablement « à la hauteur ». Mais, dans toute école, le symbolisme a existé et existera ; dans la poésie Dada par exemple, nous percevons l'influence symboliste de la même façon que l'on peut trouver dans les traits ou les

* *Le Disque vert,* Paris n° 4 à 6, février-avril 1923, p. 91[98]

gestes d'un enfant une ressemblance quelconque avec le portrait d'un aïeul accroché au salon. Pour moi, la question ne se pose donc pas de savoir si la mission du symbolisme se trouve remplie. Il y a Rimbaud, Laforgue, Lautréamont, etc., qui ont rempli leur mission. La vie n'a pas de sens — ou n'en a qu'un, comme vous voudrez ; aussi, revenir à la formule de Rimbaud, aux symbolistes et compagnie, est tout aussi impossible que de remonter le cours des âges.

Mais, encore une fois, l'art n'échappe pas au symbolisme, il en est l'essence même.

Je vous prie d'agréer, mon cher Confrère, l'expression de mes sentiments les plus distingués.

LE SALON DES INDEPENDANTS*

Il y a trente-quatre ans le Salon des Indépendants faisait scandale, il est aujourd'hui d'utilité publique et permet à beaucoup de personnages de devenir chevaliers, officiers, grand-croix de la Légion d'honneur.

L'intérêt de la peinture passe au second plan, l'évolution, les recherches, l'invention, la vraie naïveté se trouvent reléguées dans les coins les plus obscurs ; il semble qu'on en ait honte et il faudrait un guide bien renseigné pour trouver les quelques toiles qui risquent de provoquer l'étonnement parmi les visiteurs. Ce Salon n'a plus rien à envier à celui de la Nationale ou des Artistes français.

Les peintres n'évoluent plus, ils cherchent à vendre « au mieux » ; les critiques ne parlent que des hommes qui ont un beau contrat chez les marchands de tableaux en vogue, et le naïf amateur (si toutefois il y a encore quelqu'un de naïf en cette affaire !) s'y laisse prendre, malgré l'exemple des ventes Kahnweiler où les tableaux cubistes sont passés de dix mille francs à cent francs... et même moins ! Voilà le résultat de la spéculation des mercantis qui regardent l'art comme une marchandise équivalente à du sucre ou du café et qui trafiquent, comme certains à la Bourse sur des mines de cuivre ou d'étain qui n'existent souvent que sur du papier !

Le Salon des Indépendants, comme le Salon d'Automne, est entre les mains de marchands qui jouent à la hausse et à la baisse sur ce qu'on dit être de plus beau après l'Amour : l'Art.

J'ai vu dernièrement chez mon ami Brancusi la circulaire destinée à la propagande d'un nouveau Salon limité, j'ai eu véritablement l'impression d'un prospectus de maison close... Eh bien, mes chers amis, le *Salon des Indépendants* n'est plus autre chose. J'aime mieux les *Artistes français,* on peut les traiter d'idiots, mais au moins sont-ils

---

* *La Vie moderne*, dimanche 11 février 1923, p. 1·

sincères. Voyons, quelle différence y-a-t-il entre Roll[99] et Segonzac, entre Braque et Bakst, entre Matisse et Besnard, Henri Martin et Lebasque, entre Gleizes et les décorations munichoises de 1912, Léger et les vieilles fresques italiennes ? Picasso n'expose pas, parce qu'il est plus malin sans doute, mais sa peinture est maintenant plus vieille que celle de Cormon ; c'est de la peinture pour antiquaires.

Presque tous ne savent plus quoi faire, alors ils crient vive le classicisme ! C'est entendu, toutes les écoles se cristallisent arrivées au ciel ; mais j'aime mieux ceux qui vivent que ceux qui font le mort. Le public qui va aux Indépendants, lui, n'est pas mort, il y va pour s'amuser, pour rire même, pour trouver de nouvelles sensations, et voilà, mes chers confrères, que vous lui montrez qui une petite barque au bord de la mer, qui trois pommes et Cézanne dans un compotier ! Vous discutez pendant des heures devant vos navets pour savoir si le bleu ou le rouge sont en valeur, si c'est bien dessiné, si les couleurs bougeront, seulement il ne vous vient pas à l'idée que tous les ans vous faites la même chose — pas mieux, pas plus mal ; mettez-vous donc dans la tête *qu'on ne fait pas de progrès* ! Il faut être Renoir pour s'imaginer que dix minutes avant de mourir, les mains paralysées, peignant avec le coude, il « faisait encore des progrès » ! Pour un homme dans le coma, c'était excusable de dire une telle bêtise, mais je suis certain que presque tous vous avez bien déjeuné, que vos biceps ne demandent qu'à s'employer à autre chose qu'en discussions pour savoir quelle est la meilleure toile du Grand Palais. Mais c'est la mienne[100], ne cherchez plus ! Je n'ai pas vu les autres, mais j'en suis sûr, pour cette raison que je me considère parmi vous tous comme le seul qui cherche encore.

Cher public, méfiez-vous de messieurs les critiques, qui vous ont parlé de luminosité « radieuse », d'« harmonie en rose ou bleu », de la « puissance de la pâte » ou de « la patte », de l'« équilibre dans la composition », du « classicisme » de certains, de l'« audace dans l'élégance », de la « légèreté dans la force » et aussi des pastels qui ont la « qualité de l'huile » et de la peinture à l'huile qui a la « transparence du pastel ».

Le génie et l'audace n'ont pas besoin d'un petit monsieur pour les présenter, tout le monde les voit — avec horreur ou avec amour, tout est là...

Je rencontrai un jour un ami qui promenait un chien ignoble, bâtard et ridicule ; il m'affirma que c'était un chien policier, et devant mon scepticisme il me dit : « Il est de la police secrète. »

Tous les travaux des Indépendants sont des œuvres de génie à la façon du chien de mon ami...

JESUS DIT A CES JUIFS...*

Une nouvelle race d'artistes apparaît. Ces poètes, ces peintres, ces philosophes posent à être des énigmes ; moi, j'ose les baptiser d'imbéciles. Imbéciles, pourquoi ? Parce que ces personnages, vivant tous en d'étroites chapelles, croient à leur intelligence, à leur poésie, à leur génie. Or, tous sont aussi embêtants, stériles et incolores que possible ; ils cherchent à la surface d'eux-mêmes — ou au fond, comme vous voudrez — ce qui pourrait bien « épater », ce qui pourrait sembler nouveau aux gens qui ne se souviennent pas...

Imaginez les huîtres copiant par admiration les fausses perles imitant les leurs !

L'autre jour, devant retrouver Blaise Cendrars pour déjeuner, nous choisîmes la galerie Bernheim comme point de rendez-vous. Il y avait là, à l'entrée de la rue Richepanse, un Modigliani, pas mal du tout, d'ailleurs. Mais comme je manifestais mon ennui de voir une figure véritablement délicieuse montée sur un cou absurde, Cendrars me dit : « C'est l'influence de Paris, Modigliani a voulu faire de la peinture *moderne*. » Je n'ai jamais entendu plus juste critique. Modigliani était certes rempli de sensibilité, mais il arrivait à la détruire en voulant être à la mode.

Faire l'amour n'est pas moderne, pourtant c'est encore ce que j'aime le mieux.

Ce qui caractérise certaines revues d'avant-garde, et particulièrement celles qui se flattent d'être les premières, c'est un même souci de la mode, ou plutôt du modernisme ; à l'encontre de leur désir, elles n'arrivent qu'à exhaler une odeur de sacristie et d'eau stagnante, elles font un effet « défraîchi », ainsi que ces « nouveautés », soldées dans les grands magasins, après y avoir passé de main en main... Oui, cette spéculation de l'intelligence me fait toujours penser à la fabrication des rubis reconstitués. Fabrication qui exige beaucoup de peine, beaucoup de soins pour arriver à faire moins bien que la nature ! La malice de certains artistes consiste à démoraliser l'adversaire en essayant de lui faire croire que le « toc » est beaucoup mieux que le vrai !

De tout cela, je l'ai déjà dit plus haut, se dégage un ennui mortel ; après la lecture de ces revues, on sent le cafard nous étreindre. N'importe quel quotidien est moins embêtant que la prose de ces gens qui n'ont jamais rien à dire ; les grands journaux nous intéressent en nous racontant les accidents de chemins de fer, la guerre, les viols, les crimes ; dans les publications d'avant-garde, les crimes, les accidents, la guerre, tout est faux, en les lisant on finirait par croire à la métaphysique. On y voit Lautréamont transformé en pastille Valda, Baudelaire en purgatif, Verlaine en bœuf à la mode et Nietzsche en Philippe Soupault !

---

* *La Vie moderne*, 25 février 1923, p.1.

112

Il faut vraiment en être arrivé au dernier point du snobisme pour spéculer sur les petits livres d'un Radiguet ou d'un Reverdy, j'aime tout de même mieux André Gide, que je n'ai jamais lu ! Tous ces êtres craignent la lumière, le plein air, ce sont de véritables mites ; ils n'arrivent pourtant pas à ronger certains hommes vivant perpétuellement au soleil et qui leur seront toujours inaccessibles à cause du rayonnement qu'ils dégagent.

J'ai accepté bien volontiers de collaborer à *Littérature*. Nous avions le désir d'y faire disparaître certain chapeau haut de forme berlinois... Pourvu que nous ne le remplacions pas par celui d'un croque-mort ! J'aurais voulu une revue aussi bête qu'un quotidien, une revue semblable à la vie, semblable à nous et finissant dans une corbeille à papiers comme nous devrions finir dans le four crématoire... Mais nous n'en sommes pas encore là, heureusement, et je puis continuer cette chronique en parlant de ce vieux Dada. Il a failli ressortir afin de paraître aux arènes de Lutèce avec un picador sur le dos. Au dernier moment, il a flairé le danger et il est rentré se coucher, sous le lit de Tristan Tzara !

Aimables idéalistes, peintres, littérateurs, musiciens, et même, en passant, architectes, vous vivez dans un marécage bariolé de noms à la mode de la dernière heure. Impressionnisme, cubisme, dadaïsme, ces écrins nous donnent l'impression de l'immortalité, et pour moi il ne faut pas craindre de périr, je dirais même de périr par la connaissance « complète ».

Les uns veulent vivre avec l'instinct et l'ont perdu, les autres voudraient vivre avec la connaissance et ils ne l'ont jamais possédée ; il en résulte une névrose qui se manifeste, pour beaucoup, par l'impossibilité de croire à quoi que ce soit. Personne n'aime plus personne, il n'y a que des gens de qui l'on dit du mal. Quant à moi, je ne crois plus aux hommes intelligents, mais seulement à ceux qui prouvent leur intelligence.

Dufayel me semble plus intéressant que Ribemont-Dessaignes, Capablanca ou Ford plus intéressants que Marcel Duchamp, Victor Hugo plus intéressant que Max Stirner, Pasteur plus intéressant que Néron, Mme Boucicaut plus intéressante que Paul Poiret et Mme de Noailles plus jolie à regarder que Tristan Tzara.

J'accepte que tout soit une convention, du moins est-ce *moderne* de le dire, mais que voulez-vous, ce sont mes sens qui me font croire à une apparence de vérité ; il ne faut pas oublier que le plus grand homme n'est jamais qu'un animal déguisé en dieu.

LE PETIT JEU DANGEREUX*

C'est pour celui qui ne triche pas que le jeu est véritablement dangereux !

Ce sont mes partenaires qui s'aperçoivent que je triche, nos adversaires sont confiants. Au fait, avons-nous des adversaires ?

Tricher est tout de même plus périlleux que de s'abstenir de jouer, il faudrait même tricher assez ouvertement pour se faire fiche à la porte de la tôle poétique et picturale ; je crois que dehors l'air doit être plus respirable, il y a moins de fumée, ensuite rien ne nous force à rentrer chez nous : mieux vaut coucher avec une amie de rencontre qui ne parle pas de littérature, une amie qui rit de tout et pour tout, regarde les tableaux comme des cartes de géographie et interroge : « Est-ce que c'est beau l'Espagne ? » comme elle affirmerait : « J'ai été chez Roybet, eh bien, c'était rien toc ! » Moi, d'ailleurs, je trouve que tous les ateliers d'artistes, « c'est toc » ; ce sont de belles pièces, maquillées comme de vieilles putains ; dans ces ateliers, il y a toujours un divan où on maquille l'amour, un éclairage qui maquille les tableaux ; un ramassis de cuivres et de saloperies qui rappellent les antiquaires de l'avenue de Clichy et du boulevard des Batignolles !

J'entends tout le monde murmurer : « Mais alors, vous n'aimez rien, vous dites du mal de tout et de tous, rien ne vous plaît ? » Chers amis, vous vous trompez, je suis assez bête pour aimer encore quelques idiots qui croient à la vie, à l'invention, qui se fichent de l'officialisme, des honneurs, de l'argent, mais qui ont en eux un instinct les poussant vers tout ce qui est inconnu sans qu'ils cherchent à se servir de cet inconnu pour se faire appeler demain peintres, poètes, philosophes, car ils se fichent pas mal de l'absurdité de ces épithètes, mais trouvent leur joie dans l'échange de deux mots ou d'un regard pourvu qu'ils soient empreints de compréhension. Ils parlent d'un livre sans compter le nombre d'exemplaires vendus ; ils parlent d'un article, sans l'estimer au prix de la ligne et ils se fichent pas mal de voir leurs tableaux faire quarante francs à la salle des ventes, tels les tableaux d'autres idiots... inconscients ceux-là !

Marcel Duchamp vient d'arriver à Paris, je lui ai parlé de Radiguet, de Picasso, de Pierrefeu[101] ; il m'a répondu : « Connais pas, mais avez-vous lu le dernier roman paru : *La Révocation de l'édit de Nantes,* par Drieu la Rochelle ? »

Je n'ai pas insisté... Nous sommes allés ensemble à la *Petite Chaumière,* afin de surprendre quelque chose de plus amusant que ce qui touche à la littérature. Nous y avons rencontré un certain Zig-gui-gui, mais là encore nous nous sommes trouvés en face d'un artiste ! — tout de même moins ennuyeux que M. Pierre Benoit ; il travaille à un

---

* *Ibidem*, 18 mars 1923,

grand roman de mœurs qu'il intitule : « Le sommeil des vivants »,
veut-il parler des vivants endormis sur le divan du classicisme ? Il n'a
pas consenti à nous le dire, mais il nous a parlé de M. Tristan Bernard
qui n'a jamais été qu'un réveille-matin et qui n'arrive même plus,
paraît-il, à faire rire les employés de la Régie !

Je ne suis pas comme M. Clément Vautel qui craint de citer le
nom de Radiguet de peur de lui faire de la réclame, et qui pourtant ne
peut s'empêcher d'écrire un « Film » entier sur « ce petit jeune homme
de dix-sept ans ». Je ne suis d'ailleurs pas de son avis, un petit jeune
homme de dix-sept ans connaît parfois bien mieux la vie qu'un vieux
birbe de soixante-dix-sept ans ! Il suffit pour cela qu'il soit
remarquablement intelligent. Or, ce qui est curieux dans le cas de
Radiguet, c'est qu'il n'est pas intelligent et qu'il connaît la vie, il la
connaît tellement qu'il ne l'a jamais regardée, il est comme ces
villageois qui n'ont jamais regardé le clocher de leur église ! Je
considère Radiguet comme une fille entretenue ; je n'ai pas lu son
livre, mais, d'avance, je sais que j'y reconnaîtrais les élucubrations de
Liane de Pougy ou de Mme Bessarabo[102] !

Je ne reconnais à ce petit jeune homme aucune personnalité, mais
il est bien certain que Jean Cocteau, avec sa vision à la Kodak, a pu lui
rendre quelques services. Radiguet est un type moche, son œuvre est
moche et le tam-tam fait en son honneur dans les journaux de droite
est moche. Par moments, il se figure ressembler physiquement à
Rimbaud ! Rimbaud avait des poux, mon vieux ; vous, vous portez un
monocle et vous n'êtes pas myope, ni presbyte, surtout ! Pourtant, je
vous accorde encore plus d'esprit qu'au « grand Vatel » qui ne perd
jamais une occasion de se taire.

Il paraît que *La Vie moderne,* qui m'ouvre si largement ses
colonnes, intrigue, surprend beaucoup de directeurs de journaux :
« Quel étonnant mélange ! » disent-ils ; en effet, *La Vie moderne*
marche en accord avec son titre, et c'est là ce qui surprend ces bons
directeurs ! Elle est vivante et multiple, on y rencontre un ministre à
côté d'une cocotte, Picabia à côté des joueurs de football et la
Confession dédaigneuse d'André Breton précédant un article sur la
situation économique en Amérique ! Il me semble que le principe
vital d'un journal, c'est justement d'exprimer la vie sous toutes ses
faces, de la créer autour de lui. C'est ce que mon pauvre ami Georges
Casella désirait pour *Comœdia,* devenu ces derniers mois une
succursale de la maison Borniol...

L'autre jour, j'ai dit du mal des petites revues d'avant-garde. La
raison n'est pas que je pense du bien des autres — elles sont pires ! De
Massot, vous vous êtes réjoui et vous m'écrivez pour me dire que vous
préférez André Gide à Louis Aragon.

Si je n'avais pas lu Gide, je serais peut-être de votre avis, mais je
juge les hommes ainsi que les automobilistes et préfère ceux qui ont le
moins roulé ou servi, comme vous voudrez.

GEORGES DE ZAYAS*

C'est certainement en Amérique que j'ai pu voir les meilleures caricatures. L'humour américain est vivant, riche en fantaisie et, se renouvelant constamment, il n'encombre jamais les journaux d'inepties dues au médiocre talent de personnages que le bluff a amenés à une absurde notoriété.

Georges de Zayas est mexicain, né à Mexico, mais, parti très jeune de là-bas, il a vécu assez longtemps à New York et à San Francisco. Il collabora au *New York Herald* en 1913 comme caricaturiste de théâtre, au *Puck* en 1912 et 1913. Plus doué que la plupart de ses collègues américains, plus sensible qu'eux, cet homme parfaitement bon pourrait faire croire à de la méchanceté à qui le jugerait superficiellement, tant l'acuité de ses caricatures est puissante. Mais alors que Sem[103], qui est incontestablement très intelligent, se montre toujours amer et trouve un vrai plaisir à être malveillant, de Zayas puise dans l'ironie ses meilleurs effets. Mon cher Sem, vous savez que j'ai pour vous la plus grande admiration, mais je suis particulièrement attiré par les êtres qui « vivent dangereusement » ; c'est ainsi certes que vous faites vivre vos personnages, mais, pour vous-même, vous préférez une vie calme et confortable ! Ce qui me plaît chez de Zayas, c'est la complète insouciance qu'il a du lendemain... A la fin de 1913, il décide de s'embarquer pour l'Europe. A Londres, il collabore en 1914 à plusieurs journaux d'humour, puis il vient en France au printemps de la même année ; nous nous retrouvons à la terrasse du Café de la Paix le jour de la déclaration de guerre ! Devant la petite affiche blanche apposée au Cercle militaire, de Zayas parle de s'engager, et j'eus toutes les peines possibles à lui démontrer que c'était une folie... Peu de jours après, je fis ce que je l'avais empêché de faire ! Quand je le retrouvai, n'ayant pu résister à la curiosité de la guerre, il avait pris du service comme interprète. Pendant ses loisirs, il eut là-bas l'occasion de faire d'innombrables caricatures que je suis peut-être seul à connaître, mais qui feraient pâlir bien des hommes qui se croient les maîtres du genre.

En 1921, de Zayas fit paraître un album important sur les *Peintres modernes* avec un texte de Curnonsky ; cet album a éveillé le plus vif intérêt dans les milieux d'avant-guerre. Il a même obtenu les honneurs du plagiat, car il y a peu de temps j'ai pu voir une caricature signée Warnod[104] qui semblait véritablement avoir été empruntée à l'album en question.

Je tiens Georges de Zayas pour un des plus fins, un des plus sensibles caricaturistes de maintenant ; il ne suffit pas, en effet, d'amplifier ce qui saute aux yeux de tout le monde et de faire à un monsieur qui a un gros nez un nez encore plus gros ou de supprimer cet

---

* *L'Echo du Mexique*, Paris, mars 1923, p. 8-9.

organe à une dame qui l'a petit ! Il y a à saisir ce que personne ne voit au premier abord, le noyau intérieur d'un individu. Un vrai caricaturiste doit avoir l'esprit assez aiguisé pour pénétrer jusqu'à la première cellule du personnage qu'il explore de ses rayons X. Je vais sans doute étonner bien des gens en avançant qu'il n'y a pour le moment nul dessinateur humoristique qui invente véritablement quelque chose. Je donne le plus large crédit à Georges de Zayas, me basant sur ce qu'il a fait déjà et connaissant l'esprit inventif qu'il peut déployer. Esprit qu'il réserve encore trop pour lui-même, malheureusement ; pourtant, je ne suis pas éloigné de croire qu'il est à la veille de nous montrer des œuvres véritablement inattendues.

Il y a dans ses dessins une absence de « graisse » que je n'ai trouvée chez personne : tout est muscles, la ligne est nerveuse ; on dirait que ses personnages sont mus par l'électricité. Cette façon de voir le monde n'est pas pour me déplaire et je ne saurais trop l'encourager.

Mon cher de Zayas, vous pouvez devenir un maître de la caricature, ne soyez pas trop modeste, n'ayez pas peur de montrer vos œuvres au public.

Pauvre public qui a tant besoin de se divertir et d'oublier toutes les inepties qu'on lui montre sous prétexte d'art moderne et d'hommes !

VUES DE DOS*

Un milliardaire américain, Mr. Barnes[105], vient de faire en faveur de l'art moderne un geste qui mériterait pour le moins les palmes académiques : il fonde aux Etats-Unis un musée destiné à contenir et à conserver précieusement l'expression picturale de la mentalité moderne.

Mr. Barnes fait à lui seul ce que les gouvernements devraient demander à la collectivité ; on ne peut que lui savoir gré de sa généreuse et intéressante tentative, mais, hélas, on peut tout craindre de la réalisation de celle-ci.

Mr. Barnes est avant tout un businessman, il est arrivé tout droit rue de La Boétie[106], halles centrales de la peinture ; là, il a écouté les boniments des mandataires et des revendeurs lancés à ses trousses, et vous pensez bien s'ils l'attendaient en ces temps où il y a disette de consommateurs !

Tout Paris connaît la « bonne blague » faite à l'Américain par un sculpteur, lequel racheta ses œuvres chez son propre marchand au prix que celui-ci en demandait couramment, c'est-à-dire dans les cinq cents francs, et quelques jours après les vendait dix mille francs à Mr. Barnes.

Véritablement, l'histoire est assez drôle, c'est la vie, n'est-ce pas ? mais quelle vie !

---

* *Paris-Journal,* 6 avril 1923, p. 1.

Les bases du « Musée moderne » seront assises sur Renoir et Cézanne, le premier représenté par cent cinquante tableaux, le second par une cinquantaine. Pourquoi avoir voulu placer ces deux peintres en tête d'une époque, alors qu'ils ne sont que la fin, la décrépitude d'une époque précédente ? Sans doute est-ce parce que durant ces dernières années Cézanne et Renoir ont été la grosse affaire des marchands de Paris, et Mr. Barnes n'a pas eu l'autorité nécessaire pour agir sans influences, il a cru aux théories spéculatives... et il a payé !

Cher Mr. Barnes, vous allez revenir, on vous attend avec impatience, on parle de vous dans les boutiques, ainsi que dans les cafés de Montparnasse, on prépare déjà le deuxième cargo que l'on compte bien embarquer avec vous pour la libre Amérique sous la surveillance de Guillaume Ier.

J'ai bien peur qu'une fois là-bas, lorsque tout seul vous ouvrirez vos caisses, vous ne trouviez dedans une marchandise moisie, en place des œuvres vraiment jeunes, exprimant notre époque, que vous auriez voulu et dû choisir.

J'ai fait l'autre nuit un rêve qui peut-être aurait pu vous éclairer : après des siècles passés au pays des ombres, je me voyais dans une maison, un merveilleux petit palais où se trouvaient réunis tous les objets usuels et décoratifs les plus parfaits, créés de nos jours pour notre usage ; j'étais étendu sur un lit recouvert de fourrures blanches ; aux murs j'apercevais certains tableaux que j'avais faits ; ils avaient grandi, me semblaient immenses ; ces aquarelles qui ne représentaient rien de vu ailleurs avaient pris un air de portraits de famille royale, et j'avais l'impression qu'elles ne voulaient pas me reconnaître... j'avais, moi, du mal à m'arracher à leur contemplation ; pourtant d'autres tableaux m'attiraient aussi : il y en avait de Van Gogh, de Marcel Duchamp, de Sisley, de Max Ernst, de Picasso, de Marie Laurencin ; j'allais de pièce en pièce, retrouvant, avec quel plaisir, les sièges en cuir verni, rouges ou bleus, rappelant d'énormes « baquets » de voitures automobiles. Sur un divan fait de somptueuses fourrures, une tête sculptée par Brancusi ; elle éblouissait et semblait avoir été pondue par un oiseau-pharaon de la Haute-Egypte : elle me fit presque peur par son attitude guillotinée. A ce moment, un domestique portait en brochette d'étranges décorations faites de petites cuillères en argent massif ; il tenait un plateau sur lequel étaient posés des verres donnant l'impression d'avoir été fabriqués par la maison Rolls-Royce. Il sortit doucement et mon hôte, qui m'apparut alors, me dit en offrant à mon admiration l'un de ces verres merveilleux : « Vous ne pouvez imaginer combien il est difficile de faire faire quelque chose de vraiment bien, il y a si peu de gens qui comprennent. » Le fait est qu'il me semblait à ce moment être le seul pouvant véritablement le comprendre, reconnaître en lui l'hérédité de toute une race, les contrastes du chercheur et de l'autocrate grâce à quoi il avait pu réunir cette collection splendide et unique, évoquant si fortement ma génération, qu'il me semblait être entouré d'Apollinaire, de Reverdy, d'André Breton, d'Aragon, de Picasso, de tant d'autres encore, amis ou adversaires ; mon hôte était vêtu d'un costume gris clair, fait d'une étoffe extrêmement souple, permettant une pleine liberté d'allures ; son grand air venait d'une figure très française et très douce, son expression était celle d'un être qui a pensé et regardé avant que de vouloir et d'arriver à constituer cet étonnant musée auprès duquel tous les autres ressemblaient plus ou moins à quelque boutique d'antiquaire dont le propriétaire aurait fait fortune à force de mauvais goût. Sa voix était plus métallique que celles auxquelles j'étais habitué : « Voyez-vous, me dit-il, tout ce qui est ici sera vendu. » Je me récriai et lui demandai pourquoi il se résoudrait à cette dispersion. « C'est que, reprit-il, personne ne vient me voir ; à part quelques savants, l'empereur d'Amérique, deux ou trois grands artistes, tous préfèrent le Louvre ou le Luxembourg ; le président des marchands de marrons a même déclaré ma maison d'inutilité publique et vous savez qu'il est aujourd'hui tout-puissant. » Je m'informai du chagrin qu'il devait éprouver de sa résolution. « Mais non », dit-il encore et j'entrevis à ces mots son grand égoïsme et aussi sa grande intelligence qui lui démontrait le peu d'importance d'une chose au milieu des choses puisque tout doit être vendu un jour au profit de la lune !

Je crus un instant que j'allais me réveiller, heureusement il n'en fut rien ; j'avais encore à l'interroger, je lui parlai de Jean Cocteau et de son ami Radiguet, mais il eut beaucoup de peine à se rappeler qu'ils avaient été... De Drieu la Rochelle homme du monde qui voulut être bon, de Dorgelès qui s'attachait à des besognes véritablement difficiles, de Massot l'ami de cœur, de Reverdy dont les vers poussaient entre les lettres d'imprimerie comme de mauvaises herbes entre les pavés des châteaux en Espagne, d'Eluard, le diamant solitaire, d'Aragon qui semblait toujours parler au Palais de Justice, de Breton qui toute sa vie contempla un point brillant qu'il portait au milieu de la cervelle, de Francis Picabia toujours inquiet et trop habile, paraît-il, de Cendrars à l'œil de loupe, de Marie Laurencin que bien des hommes connurent sur le bout du doigt, de Germaine Everling dont la douceur et la bonté masquaient l'intelligence, de Gleizes le vétérinaire, de Léger qui peignait comme d'autres portent une ceinture de sauvetage, de Picasso le frelon jaune et rouge, de Derain frégoli[107] de l'Ecole des beaux-arts qui pour être personnel avait imaginé l'impersonnalité, de Matisse dont les lunettes d'or firent vendre bien des tableaux, de Segonzac l'entrepreneur de chocolat, de Crotti l'engagé volontaire, de Ribemont-Dessaignes le conservateur de Dada, de Tzara, chaussette de Moréas, enfin de Marcel Duchamp qui à force de descendre tout nu un escalier avait fini par le remonter dans le même costume[108]... Ainsi toute l'époque où vécurent ces personnages revivait dans le musée de mon ami, après l'avoir parcouru on était imprégné de son esprit. En me réveillant j'eus la perception très nette qu'on n'emporterait, en souvenir de la visite au musée Barnes, qu'un rhume de cerveau !

Le Tremblay, 30 mars 1923

(Sans titre*)

Pour se sauver il n'y a qu'un moyen : sacrifier sa réputation.

J'ai rencontré l'autre jour un homme se disant aviateur ; j'ai appris depuis qu'il était *lift*.

LE SIGNE DU ROI**

La reconnaissance périt avec la rouille,
ainsi que les savants.
La vie est lourde et grossière mais le printemps
me tutoie
comme la morale.
Je n'ai pas de larmes.
Le ciel de France est bleu.
Le ciel d'Allemagne est bleu.
Le ciel de New York est bleu.
Ma famille c'est Port-Royal
Ma famille était métrique
en rythme maladroit de poètes ;
les poètes ont la même direction :
le soleil, la lune, la maîtresse,
l'amour, les sources, l'éditeur.
Partout est indifférent
du schisme libre-penseur.
Je voudrais être ailleurs
mais pas à la mode,
dans un décor occupé
où les femmes se donnent pour démonter quelque chose.
En haut de ce poème il y a un escalier,
escalier colimaçon,
dont les milliers d'années
saisissent la musique arbalète
sur vingt mots sans feuilles.
Tacite est en or,
le Juif en mercure,
la morale est timide,
la vie quotidienne une croyance
près du bruit.

---

* *Littérature*, 2ᵉ série, n°10, 1ᵉʳ mai 1923, p. 13.
** *Ibidem*, p. 16.

L'EXPOSITION PICABIA*

Une exposition des dessins de Francis Picabia, du genre Espagnoles, s'ouvrira le 14 mai à la galerie Haussmann, 29, rue La Boétie. Comme Roger Vitrac, au cours d'une récente interview, demandait à Picabia quel sens il attribuait à cette manifestation, ce que cela représentait pour lui, celui-ci répondit : « Cela représente des Espagnoles. Il en faut pour tous les goûts : il y a des gens qui n'aiment pas les machines, je leur fais des Espagnoles, et s'ils n'aiment pas les Espagnoles je leur ferai des Françaises. »

INTERVIEW DE FRANCIS PICABIA**

« Ce sont surtout des Espagnoles, *me dit-il.* Je trouve qu'il en faut pour tous les goûts. Il y a des gens qui n'aiment pas les machines : je leur propose des Espagnoles. S'ils n'aiment pas les Espagnoles, je leur ferai des Françaises. Mais si j'expose, c'est aussi par désir de *publicité.* J'espère d'ailleurs que mes tableaux se vendront très bien. »

Je lui demandai : « Au fond, vous faites de la peinture pour la vendre ? »

Oui, je fais de la peinture pour la vendre. Et je suis étonné que ce soit ce que j'aime le mieux qui se vende le moins.

Enfin, Francis Picabia, pour illustrer ce qu'il pense du scandale et de la publicité, voulut bien me conter cette petite histoire :

Voyez comme le scandale est merveilleux. Supposez qu'un dimanche le curé descende de la voûte, fasse un looping à bicyclette et vienne se poser sur l'autel pour dire sa messe. Les fidèles seraient ravis et ce serait pour le curé un excellent moyen de devenir évêque.

L'EXPOSITION FRANCIS PICABIA***

Ce n'est pas l'usage d'écrire un article sur soi ! Du moins, c'est ce qu'établit la convention. Cependant, je n'hésite pas à dire, ici, quelques mots à propos de la prochaine exposition de mes œuvres, organisée par M. Danthon. J'ai été interviewé, il y a quelques jours, à ce sujet, par Roger Vitrac, pour le *Journal du Peuple ;* il me posait cette question : « Que représente, pour vous, cette exposition ? » C'était dit

---

* *Paris-Journal,* 6 mai 1923, p. 2[109].

** *Les Hommes du jour,* mai 1923, p. 10. Interview signée Roger Vitrac.

*** *L'Ere nouvelle,* 10 mai 1923, p. 3.

très amicalement, et, pourtant, j'ai senti une légère ironie. N'est-ce pas, c'est un peu ridicule de peindre des Espagnoles, et plus encore de les exposer ! Mais je trouve ces femmes belles, et, n'ayant aucune « spécialité » comme peintre ni comme littérateur, je ne crains pas de me compromettre avec elles vis-à-vis de l'élite, pas plus que je n'ai eu peur de me compromettre, en d'autres circonstances, vis-à-vis des imbéciles ! Je sais qu'André Breton, qui se considère comme le moins romantique des jeunes littérateurs, n'approuve pas cette exposition ; mais, à peindre des Espagnoles, il n'y a aucun romantisme, bien que je pense qu'il faille peut-être plus d'imagination pour rendre, d'une façon nouvelle, une chose qui a été faite aussi souvent qu'une figure humaine, que pour soi-disant inventer une objectivité aussi banale, au fond, que cette figure. Tout change, et c'est toujours la même chose ; Picasso est influencé par le Bébé Cadum, et moi par Germaine Everling... Les artistes se moquent, disent-ils, des bourgeois ; je me moque, moi, des bourgeois et des artistes.

MANIFESTE DU BON GOUT*

Beaucoup de gens se demandent actuellement comment il se fait que l'on puisse voir aujourd'hui chez Danthon, à Paris, un ensemble important de dessins de femmes et d'hommes espagnols, signés de moi, après que j'ai accompli l'évolution que l'on sait, partie de l'impressionnisme jusqu'aux tableaux mécaniques et « Dada » !

La raison en est justement que je crois avoir fait tout ce qu'il y avait à faire dans l'art abstrait, dans l'art des suggestions.

Tracer une ligne sur la toile, la nommer *Pierre de Massot,* ou faire le portrait de Nicole Groult avec une roue dentée, c'était aller aussi loin que possible dans l'abstraction.

Lorsque j'ai montré une toile blanche intitulée : *Portrait de Guillaume Apollinaire,* personne ne pouvait me dire que ce portrait n'était pas ressemblant, tandis que si j'avais reproduit les traits du poète, toute discussion devenait possible.

Il était à mon avis indispensable de passer par l'évolution dont j'ai parlé plus haut ; nous ne sommes plus à l'époque des Hollandais qui mettaient plusieurs années à imiter une salle à manger ou une femme malade sur un tapis ; la vie d'un homme est assez longue, est assez rapide pour lui permettre en quarante ou cinquante années plusieurs renouvellements.

Maintenant, je considère que la peinture doit évoluer vers la reproduction de la *vie,* sans pour cela s'en tenir à l'imitation servile de la photographie.

* *Temps mêlés,* n° 59-60, octobre 1962, p. 25-26[110].

J'ai l'ambition de peindre des hommes et des femmes de la façon dont mon imagination ésotérique m'y poussera, je compte faire de la peinture qui, je l'espère, ne sera jamais classée en « iste » mais sera tout simplement une peinture Francis Picabia, *la plus jolie possible,* une peinture imbécile, susceptible de plaire à mon concierge, aussi bien qu'à l'homme évolué, une peinture qui n'ira pas chercher dans les musées ce que les conservateurs y ont enterré !

La vraie peinture Dada est celle qu'il plaît à chacun de faire et qu'il plaît au public de regarder.

FRANCIS PICABIA EVEQUE*

Pourquoi écrivez-vous et pourquoi peignez-vous ?

Parce que je m'ennuie, et que je pense ennuyer les autres. J'ai copié, étant jeune, les tableaux de mon père. J'ai vendu les tableaux originaux et les ai remplacés par les copies. Personne ne s'en étant aperçu, je me suis découvert une vocation.

Que pensez-vous de la poésie ?

La poésie n'existe pas. C'est le seul point sur lequel je ne sois pas d'accord avec André Breton, il n'y a pas d'œuvre poétique. La poésie m'ennuie comme l'image de Dieu, comme les choses absolues. D'ailleurs, tous les chefs d'orchestre sont des poètes.

Que pensez-vous du modernisme ?

Il y a toujours eu un modernisme parce qu'il y a toujours eu des gens en rapport avec la vie. Toutes les photographies, par exemple, sont modernes : bien plus que celles de Man Ray qui sont le produit d'un art photographique. Tout ce qui est moderne est actuel, documentaire. Autrefois, il y a eu moins de préoccupation de modernisme. Mais on ne peut pas dire qu'à une époque il y ait eu rupture. Cherchez : on retrouve toujours le cordon ombilical. Pour moi, les épures d'ingénieurs seront plus tard des œuvres d'art. Malgré la préoccupation technique qui les suscite, on les regardera comme on regarde aujourd'hui les tableaux. Mais le modernisme de Matisse est une « saloperie ». Le seul à qui je donne encore beaucoup de crédit est Picasso.

Que pensez-vous de la publicité ?

Elle a une très grosse importance. Qu'un monsieur ait une publicité de son vivant ou après sa mort, c'est la même chose. La publicité est une chose indispensable à laquelle je tiens beaucoup. L'une de ses formes, le scandale, me séduit particulièrement. Si j'avais pu écrire Picabia dans le ciel avant Citroën, je l'aurais fait. D'ailleurs,

---

* *Le Journal du peuple*, 9 juin 1923, p. 3. Interview signée Roger Vitrac.

je suis persuadé que si le curé descendait de la voûte de l'église pour dire sa messe, accomplissait un looping à bicyclette et se posait sur l'autel, les croyants seraient ravis. Ce serait pour lui un excellent moyen de devenir évêque.

Voulez-vous me parler du dadaïsme ?

Il n'en est rien sorti pour moi. Mais il y a des tas de gens qui s'en servent et s'en serviront toujours. Dada a été au début ce qu'il est aujourd'hui. Il n'est pas mort, comme le romantisme n'est pas mort non plus ; mais il n'y a pas plus d'esprit Dada qu'il n'y a d'esprit romantique.

Le dadaïsme vous a-t-il servi ?

Tzara vous répondrait : « Il m'a servi à faire des femmes. » Dites donc qu'il m'a servi à faire des hommes.

Croyez-vous à une faillite de l'art ?

Non, il y aura toujours une préoccupation artistique. Mais on pourra le nier sans crier au sacrilège. On ne croira plus en Dieu. L'art durera plus, par exemple, que le militarisme. D'ailleurs, il sera là pour le remplacer. On a l'habitude de considérer l'art comme une alchimie. Chaque artiste est un moule. Moi, j'aspire a en être plusieurs. Je souhaite même écrire un jour sur le mur de ma maison : « Artiste en tous genres. »

Que pensez-vous de la vie ?

Ce qu'il y a de plus beau dans la vie, c'est le mensonge. Les tableaux que je fais sont très en rapport avec ma vie. Ils changent selon les gens que je vois, les pays que je traverse. Ainsi pendant l'affaire Dreyfus j'étais dreyfusard ou antidreyfusard au hasard des rencontres.

Etes-vous sceptique ? Avez-vous une foi ?

Je suis toujours convaincu dans tout ce que je fais. Mais, au fond, j'ai rarement besoin de l'être puisque ceux qui pigent mes actes, les autres, le sont pour moi.

CAUSE ET EFFETS*

« Il n'y a vraiment de bonne foi que dans le mensonge », disait Nietzsche à l'une de ses petites amies, à quoi elle lui répondit qu'il était un menteur ! L'instinct moral de Nietzsche et de cette jeune personne me fait sourire ; on devrait s'avouer, une fois pour toutes, que tout est suggestion, et par conséquent mensonge.

Le public, qui fait le mort actuellement, tolère bien dans sa léthargie d'être suggestionné par une petite cigale qui lui chante sur le

---

* *L'Ere nouvelle*, 14 juin 1923, p. 1-2.

dos — piètre berceuse ! Mieux que personne, cette petite cigale *babylonienne* sait que sa chanson est mensongère, mais sa cordialité et sa bonne camaraderie permettent d'en accepter la duperie.

Ainsi, le pape fait croire à l'existence de Dieu, cela suffit aux imbéciles.

Actuellement, Paris est le Vatican et le pape c'est l'Argent, mauvaise matérialisation de la théorie de l'Absolu.

Les rôles sont renversés, l'Idée va faire sa petite révérence à l'argent, c'est la haute banque qui dirige, l'homme probe et cultivé est forcé de se courber devant elle.

D'un côté, le public en hypnose ; de l'autre, quelques personnages exhibés par des trafiquants assez puissants pour acheter critiques et journaux et se servir de rabatteurs adroits qui leur permettent d'imposer les élucubrations de leurs fabricants de camelote. Beaucoup d'entre eux jouent à un petit jeu qui s'apparente à celui de certains habitués du pari mutuel : il consiste à ne jouer que les « toquards » ! Si, par hasard, leur « poulain » arrive en bonne place, devient célèbre, ils sont dédommagés de leurs pertes précédentes et acquièrent une réputation de petits malins !

Voilà pourquoi la peinture la plus moche, les livres les plus absurdes bénéficient du meilleur lancement, sous prétexte que ce sont la peinture et la littérature les plus modernes — ou la musique la plus moderne, s'il s'agit de la musique de trois-six ! Moderne, moderne, on n'a plus que ce mot-là à la bouche, tout le monde est moderne et très intelligent ! A tel point que je compte beaucoup sur un imbécile pour montrer à ces hommes supérieurs à quel point ils sont bêtes !

Une des conséquences de cette bêtise-intelligence est l'épidémie actuelle de prix littéraires, petits moyens de se faire de la publicité et d'encourager un tas de « génies » qui seraient plus à leur place comme employés aux galeries Lamartine que photographiés sur les bandes rouges ou vertes enserrant des volumes d'une banalité écœurante.

Le livre ne compte plus quant au plaisir de l'écrire, ce qu'il faut c'est avoir le prix, avant tout, comme au collège, et je me souviens de cet élève de Janson qui m'avouait avoir supprimé de l'une de ses compositions en philosophie ce qu'il aurait pu y mettre d'intéressant afin de ne pas sortir de la moyenne plaisante aux examinateurs et obtenir ainsi la bonne note qui lui ferait fiche la paix par une partie de sa famille !...

J'ai eu l'idée d'écrire un livre dont le titre serait *Trois cent quatre-vingt-onzième mille !* et dans lequel je raconterais, pendant trois cent quatre-vingt onze pages, que je n'aime pas les épinards... (naturellement, j'en mange plusieurs fois par semaine).

Je ne doute pas que ce livre se vendrait admirablement, un gros tirage étant la meilleure des publicités ! Voilà le résultat des prix littéraires, qu'ils se nomment prix Balzac, prix Vollard, prix Dufayel !

J'ai vu, l'autre jour, mon ami Ezra Pound — le plus érudit des Parisiens ; il m'a avoué ne plus pouvoir lire que Confucius... Et nous tous, les imbéciles, bien peu nombreux à vrai dire, devant cette suppression de tout idéal, de toute « poésie », de tout désintéressement, nous avons l'impression d'une mort lente et sûre. « Des mots, des mots », dira-t-on. Oui, des mots pour tâcher de vous faire entendre que vous n'êtes plus que des êtres vivant dans le temps, alors que le seul air respirable est celui de l'Espace, qu'il vous faudra faire un effort de plus en plus grand pour secouer cette lâcheté qui menace de nous submerger, faite d'un panurgisme imbécile ; j'aime mieux les hommes qui passent leur temps à se regarder dans une glace avant d'agir, que ceux qui cherchent leur ligne de conduite dans les yeux des autres. La société actuelle n'est plus qu'un immense tube digestif, se nourrissant de carton-pâte et de galalithe, c'est dangereux à la longue, car ce sont là matières inassimilables pour l'organisme.

Dernièrement, j'ai lu, je ne sais plus où, que les artistes avaient assez des bouchons de carafes et qu'ils avaient l'intention de nous proposer un petit diamant... Ce n'est pas parce que la pierre sera plus petite que je serai certain de son authenticité, et peut-être regretterons-nous le bouchon de carafe qui avait au moins l'avantage d'empêcher l'odeur de s'exhaler du flacon.

BONHEUR NOUVEAU*

Nous aimer les uns les autres
est un sentiment lointain
lointain comme la patrie
vaincue ou victorieuse ;
Je me sens le devoir de devenir
un type contraire -
contraire à tout.
Les hommes sont mal renseignés,
je suis le contraire d'un examen,
le contraire d'une analyse,
le contraire d'une croyance ;
je travaille à fonder celui qui va venir,
rythme et rime,
comme les libres-anarchistes.
Les hommes ont toujours l'idée
fixée d'avance.
intercalée conformément au but,
but identique

* *Littérature*, 2e série, n° 11-12, 15 octobre 1923, p. 21[111].

chanson populaire de sons familiers.
L'essor est trop lourd,
les courbes et les détours
comme la propriété
profitent aux zones tempérées.
La morale est le contraire du bonheur
depuis que j'existe.

COLIN-MAILLARD*

Le hasard est une cigarette
qui donne faim.
Les amis gesticulent
comme les rides.
Sur un corbillard qui passait
j'ai lu :
il est mort
parce qu'il ne buvait pas assez,
il est mort
sur une jambe
faite d'une queue de billard ;
de son vivant
on mettait du blanc
sur son procédé
pour l'empêcher de glisser ;
il est mort
pendant les vacances
au bout d'une corde
signée « procès-verbal » ;
entre les Açores et Lisbonne
une goélette américaine
transporte sa fortune
sur le calme plat
des experts.
L'avenir est un instrument monotone.

Hôtel de la Bertha, 23 juin 1923

---

* *Ibidem*, p. 22.

IRRECEPTIF*

Dans la bouche une prodigalité,
à personne,
surface, aspect à tout prix.
Pourquoi parler d'une façon populaire ?
Je suis toujours à la porte,
au fond de la terre ;
l'univers de la morale, des morales,
a l'œil au bout d'une queue-de-souris ;
ce qui est plus difficile c'est de ne pas comprendre ;
l'idée en faveur
n'est pas une révélation,
l'histoire a toujours marché,
nous ne pouvons rompre le charme.
L'idée moderne,
Vaut : « J'ai entendu du nouveau » ;
les pâtes et les fruits s'y mêlent.
La moitié du monde pour les autres,
l'autre moitié pour moi.

---

* *Ibidem*, p. 23.

ERUTARETTIL *

Mille et une nuits
Arétin
BAFFO
SADE
Lacenaire
Sue
Charcot
Marat

SWIFT

Zola
Huysmans
Hamun

Sénancour
Grandville

Emmé
Perrault
Leprince de Beaumont
Laclos
Rousseau
Restif
Chateaubriand
Poictevin
JARRY
Roussel

Constant
Desbordes-Valmore
Aymard
NOUVEAU
Péladan
VACHÉ

Reus
Fichte
HEGEL
Nerval
Borel
BERTRAND
LAUTRÉAMONT
Saint-Pol-Roux
FANTÔMAS

Pascal
Apulée
Corneille Agrippa
Leibnitz
La religieuse portugaise
Keats
Byron
de Saint Martin
Radcliffe
MATHURIN
YOUNG

Mickiewicz
Lermontov
LEWIS
Gaïl
Louys

Hermès trismégiste
Flamel
Lulle
Racine
Musset
Maeterlinck
Grcq
HUGO
RABBE
BAUDELAIRE
RIMBAUD
LAUTRÉAMONT
APOLLINAIRE
Reverdy

---

* *Ibidem.* pages 24-25[112]

EZRA POUND ET GEORGES ANTHEIL*

Ezra Pound est un grand poète anglais ; je ne savais pas qu'il était aussi un grand musicien. Il va se révéler à nous sous cette forme, ce soir mardi 11 décembre, à la salle du Conservatoire, où on fait donner diverses œuvres de lui, interprétées par Olga Rudge, pianiste de grand talent.

Pound a subi, m'a-t-il dit, l'influence des troubadours du XIIᵉ siècle ; il a cherché un rythme musical comme il cherche un rythme verbal. Son *Sujet pour violon* est d'ailleurs extrait et transcrit des manuscrits des troubadours du XIIᵉ. *La Plainte pour la mort du roi Richard* est une traduction fidèle de l'un des meilleurs chants de cette époque.

Pound est, en outre, un ami dévoué, prêt à combattre avec énergie pour ceux de ses amis qu'il considère en valoir la peine.

C'est le cas de Georges Antheil, compositeur encore peu connu, qui partagera avec lui, mardi, le programme de la soirée. Pound forme le plus grand espoir sur ce jeune homme ; il nous en parle avec chaleur et le place parmi ceux dont les promesses ont le plus de chances de se réaliser ; il a écrit un article de vingt pages dans le *Criterion,* revue anglaise, sur ce sujet qui l'intéresse particulièrement. Il insiste avec conviction sur les possibilités déjà réalisées et virtuelles de ce jeune génie, car c'est ainsi qu'il en parle.

Georges Antheil est né en Amérique, de parents polonais. Retourné en Pologne à l'âge de quatre ans, il est reparti en Amérique à quatorze ans. Cette double influence polonaise et américaine, c'est-à-dire bien internationale, est très forte chez lui, car, si l'élément populaire, si puissant dans la musique russo-polonaise, tchécoslo-vaque, se fait aussi sentir dans sa musique, il s'y ajoute un sens du mouvement et des rythmes divers, et une âpreté qui sont plutôt l'influence de la vie trépidante et bousculée des Etats-Unis. Autrement dit, la sensibilité et la passion y sont remplacées par la rapidité.

Georges Antheil fut très précoce ; il a travaillé en Amérique avec Von Steinberg et Bloch, et connaît à fond le contrepoint et la fugue, en un mot tout son métier de musicien.

Il a fait, en Allemagne, une tournée de concerts qui fut un immense succès de pianiste et de compositeur, car il joue du piano avec une vigueur exceptionnelle. Il a joué son *Concerto pour piano et orchestre* à la Philharmonique et obtint un succès considérable.

Il fit, en Allemagne, la connaissance de Stravinski, qui a eu sur lui une influence indéniable, à laquelle il essaie, maintenant, d'échapper.

---

* Bibliothèque J. Doucet, dossier Picabia, 11 décembre 1923[113].

Il fera entendre, mardi, au Conservatoire, deux sonates pour violon et piano, l'une où se retrouve très nettement l'esprit du *Sacre du printemps* ; l'autre, écrite sur des airs américains, beaucoup plus libérée des influences dont je viens de parler, dénote certainement un tempérament de musicien très riche et très personnel.

CHRONIQUE DU POT-POURRI*

En peinture, durant plusieurs années, la suggestion était poussée vers la mélancolie ; le sujet triste plaisait au cerveau « intelligent » et « évolué ». Mélancolie très superficielle, organisée pour les yeux, non pour le cœur. Depuis 1920, la peinture a évolué du désir de plaire à celui d'étonner. Il n'y a eu vraiment que moi et Duchamp pour chercher une suggestion picturale villégiaturant dans le domaine intellectuel. « Ce n'est plus de la peinture, mais de la littérature », disait le public. Aujourd'hui, je peins des Espagnoles, Duchamp[115] des paysages ! « Quel pessimisme ! » déclare André Breton, lequel, à mon avis, est plus pessimiste que nous.

Louis XIV inventa les Ballets Russes sans le savoir ; Pierre Ier, lui, croyait bien que ces ballets étaient français. Tout dans la vie ressemble un peu à cela ; c'est pourquoi je ne saurais trop admirer le pessimisme sans pouvoir jamais y atteindre ; Duchamp non plus, mais, bien qu'aimant sa famille, il adore couper les fils électriques de son hôtel pour avoir le plaisir de les raccommoder, bien entendu.

Ce que je vous disais de Louis XIV et des Ballets Russes est une indication pour redire au public : « Méfiez-vous des cubistes, et aussi de certains dadas ! »

Nous parlions Ballets Russes tout à l'heure et cela me fait penser à la musique et m'incite à exprimer cette opinion : la musique est une architecture fondée sur des rapports mathématiques que l'homme de génie peut combiner, modifier à son gré ; s'il n'y a pas de génie, les nouvelles combinaisons ou modifications sont absurdes... Je pense que les seuls musiciens qui aient eu du génie en ces dernières années sont les nègres. Mais je n'y connais rien et préfère revenir à la peinture et vous dévoiler les origines du cubisme. A l'atelier Cabanel[116], un jeune élève montrait à son maître sa dernière étude, Cabanel approuvait : « Bien, disait-il, le dessin est bon, le coloris fin, distingué, en valeur, mais vous devriez rectifier le tuyau de poêle qui se trouve dans le fond de votre tableau, il est tout de travers. » Le jeune peintre arrête le maître et lui dit : « Ce n'est pas un tuyau de poêle, c'est le portrait d'une jeune Italienne... »

---

* *Intervention*, décembre 1923, p. 1[114].

1924

AVERTISSEMENT AU LECTEUR

Le 21 janvier 1924, Francis Picabia « mit un point final » à un roman intitulé Caravansérail. Comme ce livre n'a pas été publié du vivant de Francis Picabia, il ne figure pas ici. Mais il a été publié en 1975 chez Pierre Belfond à Paris, dans une édition établie, présentée et annotée par M. Luc-Henri Mercié. Nous y renvoyons le lecteur.

TAMBOURIN*

A Jacques Doucet

Les habitudes ont l'œil rusé
Comme les mailles d'un filet
l'ivrogne va de village en village
Cherchant des amis
les mouches voltigent avant de mourir
Comme des petits projectiles
La musique passe dans la rue
Notre oreille la suit
Il faut aller jusqu'au bout du monde
Mais le bout du monde est décoloré par le soleil

Le Cannet, 21 janvier 1924

L'ENFANT-JÉSUS**

A Robert Desnos

Les fêtes de l'Enfant-Jésus
ressemblent au bagout de l'amour
en espadrilles.
La vagabonde arrache son corset rose
pour étonner les messieurs sérieux ;
les mouches voltigent
quand on leur parle de boire.
On dit que la chance favorise les vauriens
et la foule silencieusement me bouscule.
Je cherche un homme intelligent
portant une moustache,
pareille à celle de l'Enfant-Jésus ;
mais l'Enfant-Jésus est une petite fille
qui sourit aux amours.

Cannes, 22 janvier 1924

---

* Bibliothèque J. Doucet, correspondance F.P.-Doucet, publiée par M. Sanouillet, *Francis Picabia et 391*, p. 152, note 1·
** *Paris-Journal*, janvier 1924 (attribution).

PRIX LITTERAIRES ET DADA*

Quel ennui se dégage de toutes ces histoires et de cette politique, engendrées par les prix littéraires ! Cela prend une forme épidémique. Les prix deviennent de plus en plus nombreux, et les candidats avides, de plus en plus vides !

Les créateurs de ces prix sont ravis de faire parler d'eux pour sept, huit, dix ou quinze mille francs. Lorsque les journaux affirment à la quatrième page les mérites du « Viandox », par exemple, c'est la Compagnie Liebig qui en profite.

Le jury qui préside aux destinées des prétendants est hâtivement nommé, il discute pendant des heures sur la qualité, la vie intime et quelquefois, ce qui est grave comme idiotie, sur la moralité du candidat : les plus petites choses entrent en ligne de compte, même les politesses qu'on peut avoir à rendre au futur lauréat, les ménagements qu'il faut garder vis-à-vis de celui qui possède une influence, la publicité qu'on pourra tirer de tel ou tel autre. C'est à tort que certains pensent qu'on n'attribue pas un prix à quelqu'un, mais « contre quelqu'un » ; ceux qui sont évincés ne comptent pas.

L'heureux gagnant, lui, a l'argent et, vis-à-vis de l'élite, le déshonneur d'avoir été nommé.

Comme il serait plus simple pour ces braves personnes au cœur généreux, s'intéressant aux efforts intellectuels, de choisir elles-mêmes un être dont la vie et l'œuvre répondraient assez à l'idéal qu'elles peuvent avoir ! Mais ces étiquettes, collées sur la vase montante de tous ces volumes qui semblent, dans les vitrines des libraires, être des poissons crevés dans un aquarium, sont vraiment trop écœurantes. Ces petites étiquettes rouges, jaunes, vertes ou bleues, avec le portrait du génie couronné et le nombre de voix qu'il a obtenues — ou presque obtenues ! —, son âge, la couleur de ses yeux ! C'est tout juste si on ne nous y affirme pas, pour faire monter le tirage, qu'il est homosexuel !

Chez les grands bouchers, au moment du concours des animaux gras, j'ai vu certaines étiquettes : « Pré-salé », « veau de lait », « agneau blanc », « provenance directe, 1re qualité ».

Les éditeurs fabriquent des génies comme les marchands de la rue Saint-Sulpice fabriquent des Vierges, des Saints et des Dieux en plâtre peint !

Cette constatation personnelle ne me donne pas envie de devenir alpiniste, de me retirer dans un cloître ou de me faire champion à bicyclette, mais je me dis qu'il faut se donner de plus en plus de mal pour découvrir un diamant dans la poubelle artistique...

M. Jacques Rivière[118] a écrit et écrit sur *Dada*, il sait ce que c'est ! D'autres regrettent sans doute que *Dada* ne soit pas devenu encombrant comme les fascistes ! Ce qui est certain, n'en déplaise à

---

* *Paris-Journal,* 21 mars 1924, p. 1[117].

136

quelques habitués du Jockey, c'est que *Dada* est devenu une école au même titre que le romantisme, le symbolisme ou le cubisme. Certains cherchent à s'en échapper en fabriquant des romans d'influence anglaise, naturalisés par le style de Mme de Noailles[119], d'autres, et ceux-là sont étrangers, n'ont qu'une ambition : prouver qu'ils sont capables d'écrire en français[120]. A travers ces désirs de gloires différentes, ils restent bien *Dada*. Ils avaient choisi pour monter cet escalier complaisant et facile, mais ils ont peur de descendre et pensent que, s'ils arrivaient à le supprimer, ils pourraient se maintenir sur leur petite plate-forme. Avant peu ils y auront le vertige.

ANDRE DERAIN*

André Derain se prend au sérieux en ne prenant pas au sérieux Jacques-Emile Blanche !

Jacques-Emile Blanche est né dans une voiture automobile, dans une Dietrich si vous voulez, André Derain est né dans un musée. Il est né avec la prestance d'un roi pharaon, avec le coup de pinceau de Paolo Uccello, le coup de crayon de Renoir, à l'époque où celui-ci faisait des progrès ! Il est né avec le coup de poing de Carpentier, le coup d'œil de Buffalo Bill et le coup de pied de Liane de Pougy !

Le jour de sa naissance, le conservateur du musée fit cadeau à l'enfant d'un petit costume chocolat exécuté par Fregoli.

Derain aurait pu devenir un type dans le genre de Mussolini si son âme de violette ne l'avait fait se contenter de la simplicité de l'artiste.

Mussolini porte dans ses bras un jeune lionceau, André Derain est lui-même un lion. Il est beau comme le Lion de Belfort, mais le Lion de Belfort, lui, ne peut parler en passant sa patte sur son front...

André Derain ne se vulgarise pas, c'est la grande statue intime, la grande statue sculptée par la pensée et l'émotion ; tout ce qu'il touche devient sublime ; il vulgarise peut-être les peintres qu'il imite, mais c'est pour en faire des géants. André Derain est un géant qui imite les nains, avec grâce il leur passe sa jambe par-dessus la tête et la petite tondeuse invisible qu'il a fixée à son mollet, les rase au passage !

C'est la première fois que je me permets d'écrire un article sur un confrère.

— Vous permettez, cher ami ? Je vais essayer de peindre ce grand peintre dont Apollinaire me disait : « Tu as tort de ne pas l'aimer, il a tout de même une certaine allure. » Une petite femme

---

* *Paris-Journal*, 11 avril 1924, p. 6.

présente à notre conversation, et qu'on appelait l'Oiseau, ajouta en levant les yeux vers une ombrelle japonaise pendue au plafond : « Ah ! oui, il est si grand ! » Je vais essayer, moi aussi, de le prendre au sérieux, de me prendre au sérieux ! André Derain est le type de l'école dite des marchands de tableaux. Cette école qui a donné à tout le monde l'écœurement, le dégoût du ciment armé, cette école qui a fait des peintres ce que la mode a fait du couturier.

Poiret[121] me disait il y a quelques années : « Vois-tu, ce qu'il y a de beau dans Derain, c'est qu'il sait mettre un verre de pinard dans ses tableaux. » Comme nous parlions de ses dernières créations il me dit encore quelques instants après : « Moi, je suis tellement à la mode, que s'il me plaisait de mettre un pot de chambre sur la tête des femmes, elles accepteraient de le porter et de le payer trois mille francs. »

Paul Poiret a eu le bon goût de ne jamais coiffer les femmes d'un pot de chambre, il le leur a mis sous le derrière, tout simplement. Derain n'a pas ce sens pratique...

Ses tableaux sont des œuvres immortelles, achetées par des éphémères, aussi je comprends l'admiration de tant d'êtres pour ce personnage tellement bon, simple et discret. Enfin Derain est un grand enfant, un grand enfant qui peut soulever trente kilos à bras tendu. A un marchand qui voulait lui acheter tout son atelier, Derain dit simplement : « Si vous soulevez ce poids pendant quarante secondes, l'affaire est conclue. » Mais ce marchand d'art moderne n'avait plus de muscles et son cerveau n'était pas encore assez puissant pour faire tenir ce poids immobile dans l'espace. Paul Rosenberg partit triste, il ne pouvait tenir à bras tendu que son chapeau haut de forme...

Ces petites anecdotes ne sont pas à dédaigner, les grands hommes en vivent. Regardez Louis XIV !

Je suis Francis Picabia ; je me présente, mon cher Derain, pour vous raconter une petite histoire très jolie. Un soir une grande dame, à qui son mari voulait prouver sa flamme, trouvant que cela durait trop à son gré, finit par s'endormir ; le lendemain matin, son premier mot fut pour demander à son compagnon « comment cela avait fini. »

Quand vous parlez de Jacques-Emile Blanche, figurez-vous que vous me donnez un peu l'impression d'être cette grande dame ! Croyez bien que je ne viens pas ici prendre la défense de Jacques-Emile Blanche, mais j'ai une certaine sympathie pour lui, car c'est encore un des seuls, actuellement, qui soit convaincu, un des seuls dont la peinture ne soit pas du chiqué et ma foi ce maréchal des logis, ainsi que vous avez l'air de le nommer, vaut autant que le conscrit qui attache sur son chapeau son numéro de tirage au sort !

Jacques Blanche n'est pas tombé d'admiration devant tous les jeunes génies actuels, comme Louis Vauxcelles passe son temps à le faire. Louis Vauxcelles étant juif croit au génie. Jacques-Emile Blanche croit à l'âme. Vous avez tort de vous moquer de lui. Un jour que je lui disais ne pas vous aimer, il me répondit avec un grand sérieux : « Il est tout de même beau Derain, vous savez, il a l'air d'une statue ! » Vous voyez, c'est encore un des derniers hommes qui aient de l'admiration pour les statues, songez-y...

Pour en revenir à un esprit plus matériel, je dirai que la vogue d'André Derain, son succès, comme on voudra, est venu au moment où nous faisions tous de l'art abstrait ; Picasso était en plein cubisme, Metzinger et Braque de même ; comme Derain peignait des femmes nues authentiques, aussi compréhensibles qu'une photographie de Man Ray et passait tout de même pour un cubiste, le public « averti » s'empressa d'acheter. Actuellement, cette vogue s'est un peu ralentie, Picasso peignant maintenant comme Derain ; seulement, comme Ribby, il habille mieux.

CHEZ FRANCIS PICABIA*

Que pensez-vous, mon cher maître, du calme actuel ?

Je ne considère pas qu'il y ait du calme mais plutôt impuissance générale. Il y a des gens qui ont un désir d'amour et qui ne trouvant pas l'échange dans une jeune maîtresse retournent à leur vieux collage. Chez un artiste, la partie ascendante seule m'intéresse, la partie scandaleuse...

N'y a-t-il pas justement chez les artistes jeunes une certaine peur de cette partie scandaleuse ?

Non, mais ils sont arrivés et n'ont plus besoin du scandale. Ils sont tout de suite accaparés par les éditeurs et les marchands de tableaux et présentés comme de nouveaux génies. Les artistes actuels sont tout de suite mariés et ont des enfants qui n'ont rien de monstrueux.

Y a-t-il un nouveau mouvement qui se prépare ?

Forcément[122] ! Il y a toujours un mouvement, mais il m'est impossible de vous le préciser. Ce que je puis vous dire, c'est qu'il sera en dehors de ceux qui cherchent à le fabriquer. Les œufs artificiels ne font pas de poussins.

Mon cher maître, nommez-moi les peintres que vous estimez ?

Mais volontiers : Kupka ; Marcel Duchamp, bien qu'il ne fasse plus de peinture ; Man Ray. Chez Braque, il y a un côté de sa nature

---

* *Paris-Journal*, 9 mai 1924, p. 5. Interview signée R.J.

que j'aime énormément. Metzinger, non plus, ne manque pas d'intérêt. Marie Laurencin a pu être intéressante autrefois mais le grand monde, la noblesse, les bas de soie et les fourrures l'ont perdue.

Puis-je encore vous demander quels sont vos musiciens préférés ?

Il n'y en a que deux : Erik Satie[123] et Stravinski. J'aime la télégraphie sans fil d'Auric. Milhaud est honnête, paraît-il. Yvain et Christiné, ça c'est chouette. Une chose qui me plairait, c'est que, dans les églises, le jazz remplace les orgues. Ce serait amusant pendant deux heures.

Au risque de vous importuner, je tiens à vous demander quels sont les écrivains qui vous retiennent ?

Je vous nommerai ceux que je trouve détestables : Paul Morand, Jean Cocteau, Radiguet, Pierre Benoit, Giraudoux, Delteil, etc. Un écrivain qui me plaît, c'est Gustave Le Rouge.

J'aime *Les Pas perdus* d'André Breton et du reste Breton m'intéressera toujours car il est mon ami. J'aime aussi Pierre de Massot et suis décidé à lui faire un grand crédit.

N'aimez-vous pas Lautréamont, Nouveau, Saint-Pol Roux, etc. ?

J'ai lu Lautréamont quand j'avais dix-neuf ans et cela m'ennuie de reparler d'un homme que mes amis ont découvert vingt-six ans après. Quant à Saint-Pol Roux, j'ai horreur de ce qu'il a pu faire et il a eu raison de foutre le camp en Bretagne...

HYPERTROPHIE POETIQUE*

Le chien a quitté la maison, mais mes parents sont malades.
Le piano est désaccordé, mais mon oncle a perdu son mouchoir.
L'argenterie est terminée, mais il ne reste plus de confitures.
Le poisson est frais, mais ma tante a mal à l'œil.
Il faut dire les cabinets sont dans la maison et non pas la maison est
    dans les cabinets.
La superbe bonne vient d'arriver, mais mon père n'a pas été nommé
    ministre.
Le bateau n'est pas réparé et la bicyclette est dans le lac.
Les lentilles sont froides, mais je n'ai pas mon caleçon.

TABAC*

L'Armoire est l'ard de dire l'art.
La piscine a pissé sur Passy.
Le tabouret est tabac comme tableau.
Le poireau est poil à poêle.
L'herbe est hermétique à Erblay.
La chaise en chêne est chère.
La pendule pantalon pend du paon.
La souris soutane sourit sous la table.
La photographie folliculaire est folâtre.
Le tapis tapisse la pisse du tapir lazuli.
La glycine a glissé dans la glycérine.

HYPERPOESIE TROPHIQUE*

Maman a vidé la fosse d'aisance, mais elle a rempli le verre à dents.
Le verre à dents est rose, mais papa n'est plus constipé.
L'enfant est constipé, mais la pendule est juste.
La pendule est constipée, mais l'enfant est en retard.
Le retard du train m'ennuie, mais l'aéroplane circule.
L'aéroplane est haut, et le sergent de ville maintient la foule.
La foule est noire, mais je vais partir en voyage.
Nathan m'attend tant de temps tentant tant de tantes... à fuir.
Té, au thé, tes tétés athées... de couleur verte.

Cattawi-Menasse

---

* *391*, n° XVI, 20 mai 1924, p. 3[124].

ILS N'EN MOURAIENT PAS TOUS*...

A mon ami Erik Satie

Moderne le cinéma ? Moderne le sous-marin ? Modernes la machine, l'aéroplane, la publicité ? Non, car le quantitatif m'est absolument indifférent.

Le soleil est-il moderne ? Non. Alors ?...

— Alors, la peinture moderne, la littérature moderne, tout l'effort moderne de nos vaillants jeunes gens modernes qui poussent le soc de la charrue vers le soleil levant à l'horizon, qu'en faites-vous ? (C'est à moi que je pose cette question.)

— Eh bien ! je m'en fous : j'ai assez de mes c... sans m'occuper de celles des autres.

— Mais en ce cas, cher ami - c'est toujours à moi que je parle -, ce que vous faites, considérez-vous que ce soit moderne ?

— Non, pas plus que le soleil.

— Vous ne croyez pas en Dieu ?

— Non.

— Vous ne croyez pas en la Sainte Vierge ?

— Je n'y ai cru que le jour où j'ai perdu ma virginité !

— Vous ne croyez pas en l'art ?

— Pour moi, l'art est mort comme la religion.

Une petite femme était près de moi, lisant par-dessus mon épaule ; elle éclata de rire : « Que c'est drôle, dit-elle ; de quoi pensez-vous que l'art soit mort ? »

— L'art est mort usé, comme quelque chose qui a trop servi.

— Ah ! je comprends, il y a des gens qui se servent d'un petit canif pour essayer d'ouvrir une boîte de sardines ou pour couper un fil de fer ; ils n'ouvrent pas la boîte, ils ne coupent pas le fil de fer, mais le petit couteau est mis hors d'usage ; c'est ainsi que l'art a dû finir. J'aurais cru plutôt qu'il s'était suicidé par dégoût des théories, par dégoût des intentions, du cubisme et de la vérité éternelle, et que cette phrase que j'ai lue quelque part : « Les sens déforment et l'esprit forme », aurait pu être pour lui la dernière goutte tombant dans le verre du dégoût, car il avait horreur des efforts de la raison, horreur des vérités de l'esprit, horreur des faits artistiques, n'est-ce pas ?

— Vous faites de la littérature, ma chère ; l'art est mort comme il est né ; il a eu besoin de naître, puis besoin de mourir, voilà tout.

La jeune femme s'était approchée d'une glace avec l'intention de mettre du rouge aux lèvres. Le bâton au bout des doigts, elle me dit avec un joli sourire : « L'art est mort, mais il peut ressusciter ? »

— Peut-être : à condition de ne plus s'en occuper, de le laisser bien tranquille ; il est entre les mains de gens qui portent si bien le

---

* *Paris-Journal,* 23 mai 1924, p. 4.

smoking, qu'ils passent leur temps à s'admirer et ne s'aperçoivent pas que c'est un cadavre qu'ils traînent avec eux ; ils jouent avec lui au chant si jeune de la *Cigale* ! Pauvre cigale, qui chante depuis tant d'étés et que certaines fourmis veulent maintenant à toutes forces faire danser pour la joie d'un pauvre petit public mondain et snob, infidèle à Jeanne Bloch et à Balthy[125]. Quand je parle des fourmis, c'est cormorans que je devrais dire. Voyez le chef des cormorans, toujours à l'affût d'une proie, il a mangé du cubisme, mangé du Dada, il faillit d'ailleurs mourir d'indigestion à la suite de ce dernier repas.

Après avoir dévoré la musique et le cirque, il s'apprête à dépecer le music-hall ! Les gens du monde sont décidément faits d'une baudruche bien encombrante et, comme le disait très justement un moine de mes amis : « On se lasse à la longue de taper sur du mou qui s'affaisse et se relève. » Ce dont je veux parler, ce n'est pas du mou, mais du vent, un petit vent fabriqué par des perroquets ! L'art, le pauvre, sert d'enseigne articulée, Picasso se chargeant de lui faire faire quelques mouvements !

Ça me rappelle la très jolie histoire de *Fantômas,* lequel, ayant tué le cocher, le maintenait sur le siège de l'intérieur de la voiture, et, lui ayant passé les bras sous les aisselles, conduisait le cheval ! Ah ! oui, croyez-moi, petite amie, affirmai-je à la jeune femme toujours devant la glace, c'est une belle horreur que tout ce qui se passe actuellement !

Elle se retourna et me dit avec esprit :

— Mais la publicité, elle est bien vivante, n'est-ce pas ?

— Oui, c'est grâce à elle qu'on peut écouler cette abominable viande faisandée ; j'aime les gens tellement purs qu'ils ne se rendent pas compte à quel point cela sent mauvais ! Balthy, dont je citais tout à l'heure le nom, se trouvait à un dîner où on lui présenta un faisan splendide, tout orné de ses plumes ; elle ne put croire à l'odeur qui s'en dégageait : « Tiens, il a pété », s'exclama-t-elle.

— Si seulement l'art pouvait péter ! s'écria ma visiteuse.

— Hélas ! non, lui dis-je, il ne peut pas ; il est comme ce faisan, il est mort et l'odeur qui s'en dégage est bien celle de la putréfaction.

— Permettez-moi de vous poser une question : Si vous avez une telle clairvoyance, pourquoi peignez-vous, pourquoi dessinez-vous, pourquoi écrivez-vous ?

— Parce que je suis le seul qui, après la mort de l'Art, n'en ait pas hérité ; tous les artistes qui suivent son cortège et se promènent à travers le monde figuraient sur son testament ; moi, il m'a déshérité, mais il m'a ainsi laissé libre de dire tout ce qui me passe par la tête et de faire ce qu'il me plaît.

A ce moment, levant les yeux sur la jeune femme, je la sentis un peu inquiète ; elle me regardait gentiment certes, ne cherchait pas à me contredire, mais tâchait de gagner la porte.

— Vous me prenez pour un dément ? lui dis-je.

— Oh ! non ; mais j'ai un rendez-vous à cinq heures, et je suis très en retard. C'est avec Pierre de Massot, qui doit me conduire à une conférence de Fernand Léger[126].

— Une conférence sur quoi ?

— Une conférence sur la machine.

— Savez-vous qui est Fernand Léger ?

— D'après le titre de sa conférence, je pense que c'est un ingénieur ou un métallurgiste ; n'est-ce pas lui qui a dit : « On ne peut pas faire un clou avec un clou » ?

— Ma pauvre enfant, lui répondis-je, c'est sur la machine *artistique* qu'il va faire sa conférence et il ne pourra non plus faire un clou avec une vis ! Vous feriez mieux de rester avec moi et, tenez, venez un peu ici, c'est moi qui vais vous mettre du rouge sur les lèvres...

COURRIER LITTERAIRE*

Dans sa préface de *Libertinage,* Louis Aragon se montre jeune homme mûr et homme vert... Louis Aragon est un petit Français bien français, ma foi, c'est une trop belle qualité pour que nous n'applaudissions pas à cette vive intelligence, à ce beau talent. C'est une Mme de Sévigné moderne qui a pris le thé chez Dada.

(Sans titre**)

Effets divers : « André Breton fait des effets de torse avec ses cheveux. »

Effets divers : « Georges Auric fait des effets de torse avec son poil dans la main. »

REPONSE***: « Quand j'ai fumé des cigarettes, je n'ai pas pour habitude de garder les mégots. »

---

* *Paris-Journal,* 13 juin 1924.
** *391,* n° XVII, 10 juin 1924, p. 2, non signé[127].
*** *Ibidem,* p. 4[127].

Il faut toujours que notre sexe fasse une ombre sur notre ventre.

Les juifs ont le nez en l'air, les chrétiens l'ont en bas.

Je suis un monstre qui partage ses secrets avec le vent.

Les hommes gagnent des diplômes et perdent leur instinct.

La seule façon d'être suivi, c'est de courir plus vite que les autres.

Le plus beau livre serait celui qu'on ne pourrait considérer comme un livre.

Ce que j'aime le moins chez les autres, c'est moi.

Les impuissants se prosternent toujours vers le passé.

J'aime les pédérastes, car ils ne font pas de soldats.

L'inconnu est une exception, le connu une déception.

Le premier phallus fut la côte d'Adam.

L'autre soir, sortant avec un ami d'un petit restaurant de Montparnasse, nous vîmes au ciel la lune qui brillait de son plus vif éclat : « Voilà mon étoile », dit mon ami.

ERIK SATIE**

Erik Satie est l'inventeur du *chapeau en acajou massif,* l'inventeur de la *musique d'ameublement,* l'inventeur de la *musique pornographique !*

Cela peut faire sourire quelques idiots, toujours les mêmes, ceux qui sont incapables d'inventer, d'oser quelque chose si ce n'est à la remorque d'un autre, dont la fantaisie et l'audace leur tracent un sillon commode ; pour moi, je vois dans ces trouvailles une réalité combien plus vivante, et tout aussi poétique, que celle que peut admirer un public suggestionné, dans la convention du *Mariage des abeilles,* par exemple.

---

* *Ibidem.*
** *Paris-Journal,* 27 juin 1924, p. 1.

Je viens de recevoir une lettre de Paris[128], laquelle me conte que l'autre soir, à la Cigale, Erik Satie remporta un triomphe auprès de tous les musiciens qui assistaient à *Mercure,* mais on m'apprend aussi, et ceci est stupéfiant, que deux pseudo-dadaïstes, présents à la représentation : Louis Aragon et André Breton, se livrèrent à une manifestation contre l'auteur de *Parade !* Pourquoi ?... Cela fait partie d'une combinaison politique probablement, cela fait partie du petit truquage, du petit camouflage habituels ! Louis Aragon et André Breton m'avouèrent souvent qu'ils n'entendaient absolument rien à la musique ; alors que signifie ce chantage, que signifie tout à coup cette admiration éperdue envers Picasso ? Car les cris : « A bas Satie ! » se doublaient de ceux de : « Vive Picasso ! » Picasso n'a certes plus besoin d'être défendu, c'était déjà un homme célèbre et classé à l'époque où Aragon et Breton faisaient leur première communion ! Ces deux poètes qui déclarent qu'il n'y a de beau dans la vie que la poésie se conduisent comme des communistes imbéciles ou comme des camelots du roi ! Ils tâchent de faire parler d'eux en découvrant le marquis de Sade, en découvrant Néron, en découvrant Napoléon, Landru, Louise Michel, Jarry, Lautréamont, la môme Fromage ou Jean Cocteau ! Tout cela pour paraître nouveaux, intelligents, poètes surréalistes, dadaïstes...

Ce qu'il y a de plus épatant, c'est que ça réussit auprès de certains messieurs graves ; ils me font songer aux élèves « chouchou » dont les familles invitent le professeur à dîner afin qu'ils puissent le lendemain jouer en classe au pittoresque, en toute liberté !

Ils ont crié : « Vive Picasso ! A bas Satie ! » comme ils disent : « Vive l'Allemagne ! A bas la France ! » Cela sert leur petite politique, faite uniquement de réclames dont le mécanisme lumineux de mauvaise qualité ne saurait s'éteindre et s'allumer au moment voulu !

Si, pour traiter Satie de vieux, ils prennent prétexte que celui-ci a soixante ans, pour des poètes ils trahissent une mentalité de marchands de vins ou de fromages qui jugent l'art d'après le nombre des années. Erik Satie, messieurs, est plus jeune que vous, ce qu'il dit est spirituel et amusant, il ne pontifie pas avec des cheveux ou avec des lèvres garance ! Il aime la vie tout simplement, il ose boire, il ose faire de la musique personnelle, c'est pour lui un plaisir que de la faire sans se demander si elle plaira ou déplaira à gauche ou à droite. Il ose vivre seul, ne se défend rien, ne défend rien à personne, à l'encontre de ceux qui s'entourent d'une petite garde rose afin de mettre à l'abri des idées aussi vides que les poignées de main des hommes politiques !

Erik Satie est à mon avis le plus intéressant des musiciens français actuels, et si je collabore avec lui à ce ballet dont le titre est : *Relâche,* c'est parce que je le considère comme tel et comme étant plus jeune et plus vivant que bien des jeunes messieurs qui se promènent dans la vie comme des montgolfières !

Vous avez crié : « A bas Satie ! » chers amis, votre geste et vos cris me font souvenir de ceux de quelques saint-cyriens et polytechniciens assistant à des manifestations dada et vociférant contre le mouvement, tels des caniches à l'approche de la cravache !

Je crois me rappeler que Satie avait refusé de s'associer à votre idée monotone du Congrès de Paris[129] ?...

Je crie : « Vive Erik Satie ! »

Superbagnères, 17 juin 1924.

(Sans titre*)

« La peinture et ses lois
Ce qui devrait sortir du cubisme. »

Albert Gleizes

De la merde !

Les Poètes portent leur cerveau dans une gourde.

Parmi les ventes publiques : Collection Caca : œuvres de L. Rosenberg (et sa suite), Roybet, Didier Pouget, etc.

(Sans titre **)

Picasso crée l'inquiétude moderne à la manière de Paul Poiret.

Albert Gleizes, Jean Metzinger, Jean Cocteau, Louis Aragon, Georges Auric, Honneger, André Breton, Francis Poulenc : poids lourds aux Jeux Olympiques.

L'ART MODERNE***

Les pensionnaires de Léonce Rosenberg deviennent, de plus en plus, des hommes modernes ! Peut-être le patron ne le constate-t-il pas sans quelques regrets ? Il compte partir, ces jours-ci, en Italie, en compagnie de Fernand Léger ; il faut bien connaître et étudier les primitifs ; il y a des choses qu'il faut savoir ; on ne peut être un beau

---

* *391*, nº XVIII, juillet 1924, p. 1.

** *Ibidem*, p. 3, non signé.

*** *L'Ere nouvelle*, 5 août 1924, p. 2.

peintre, un véritable artiste, sans l'appui de connaissances sérieuses ; voyez Albert Gleizes, il sait tout et nous expliquera tout ; il sait même, maintenant, conduire une automobile — ce qui prouve que le mariage a du bon pour quelques-uns !

Rosenberg affirme que Fernand Léger est le plus grand peintre actuel, et, après s'être pris la tête dans les mains, il ajoute même parfois que « c'est peut-être le plus grand qui ait jamais existé » ! Cette appréciation fut exprimée à Robert Desnos. Je ne puis que me ranger à cet avis, Léger étant un ami ; et puis, entendre parler de génie, cela fait toujours du bien !

Ce n'est pas tout que posséder ces connaissances sérieuses dont nous parlions, il faut savoir s'en servir, je veux dire, par là, qu'il est nécessaire de savoir chiper, à droite et à gauche, certains éléments, de savoir s'assimiler une époque, un peintre, un littérateur, de telle façon qu'il soit possible de les transposer après digestion et si adroitement, que le public ne puisse s'en apercevoir. C'est le jeu du « ni vu, ni connu, j'embrouille » ; il se nomme aussi le « Qui perd gagne ». Voyez Picasso, le meilleur joueur, on ne sait jamais d'où viennent ses inspirations, il copie aussi bien un daguerréotype qu'un bas-relief du XIe ou du XIIIe siècle, et cela devient du Picasso. Quand nous mangeons des pommes frites, de la crème ou du homard à l'américaine, cela devient bien... Toujours la même chose !

Enfin, Léger et Rosenberg partent pour l'Italie ; on peut, n'est-ce pas, s'extasier indéfiniment sur une machine à couper le jambon, à brûler le café ou à fabriquer le chocolat ! Une machine à chocolat, cela vraiment me fait songer à Marcel Duchamp qui peignit sa « broyeuse de chocolat » au temps où Léger ne pensait qu'à des bananes, à des cornichons ou aux fumées légères s'échappant des cheminées parisiennes... Maintenant, Léger vient de terminer un film[130] avec le concours de Murphy et de machines ! Ils ont de nouveau découvert la machine ! Ce serait un peu vieillot si Murphy, l'ami de Man Ray, n'avait décidé d'y adjoindre les inventions de celui-ci et de Marcel Duchamp, et de les présenter ainsi au public ! Le petit Man Ray, on s'en fiche, n'est-ce pas ! L'autre jour, Léonce Rosenberg le rencontre et le complimente ironiquement sur le prix fait par l'un de ses tableaux en vente publique : « Oui, oui, dit Man Ray, qui s'en moque, il a fait vingt-cinq francs ! » « Pardon, trente-cinq », rectifie Rosenberg, avec muflerie, car, lorsqu'il annonça cette vente dans sa feuille, il se garda bien de mentionner les peintres ne faisant pas partie de sa boutique, afin de ne pas attirer les amateurs que ces indépendants pouvaient intéresser, car il ne voit dans l'art qu'une marchandise et, naturellement, préfère vendre la sienne le plus cher possible après l'avoir achetée au rabais. Ce n'est pas sans danger, le public commence à en avoir assez de cette « cathédrale » de carton ; il sait que le stock fera dix sous un jour, il se méfie. Il ne reste plus que quelques gogos cupides pour acheter à bas prix ce cartonnage assaisonné de belles idées philosophiques.

Mais revenons à Murphy. Bravo, Murphy ; le grand public, qui n'y connaît rien, va nous applaudir !

Marcel Duchamp et Man Ray m'ont dit « que cela ne faisait absolument rien », évidemment, tout se sait tôt ou tard ; moi, je préfère que ce soit tôt, que le public ne coupe pas dans le bluff et que ce petit article remette les choses au point, si mon ami Dubarry[131] est de mon avis et me prête l'appui de son journal : Fernand Léger, vous êtes un beau peintre, un grand coloriste, vous n'êtes pas un « cérébral », pourquoi chercher à donner le change ?

GUILLAUME APOLLINAIRE*

J'ai été très lié, très amicalement lié avec Guillaume Apollinaire ; si notre amitié s'était tant soit peu refroidie tout à fait à la fin de sa vie, ce fut uniquement pour une question d'« uniforme » !

Chacun a ses faiblesses. Guillaume Apollinaire s'était laissé entraîner un peu trop du côté officiel, du côté « galon ». La perspective d'une Légion d'honneur possible le hantait ; il m'en avait fait la confidence et m'avait demandé si dans mes relations je ne pourrais pas lui trouver quelques appuis qui l'aideraient à obtenir cette distinction. Je lui répondis que je ferais tout mon possible pour qu'on ne la lui accorde jamais !

Les deux dernières années précédant la guerre, nous vécûmes beaucoup ensemble ; presque tous les soirs nous nous retrouvions pour aller fumer de l'opium chez des amis ; c'était alors bien amusant d'entendre ce brave Guillaume entrer en discussions interminables avec des petites femmes du monde, ou plus spécialement de Montmartre et de Montparnasse, sur le charme de la littérature ou sur celui de l'amour !

Nous faisions très souvent de l'automobile, il adorait cela et un soir que nous étions au Bar de la Paix, en compagnie de Claude Debussy et de P. J. Toulet, je proposais à Apollinaire, qui avait, ainsi que moi-même, pris de nombreux cocktails, de partir pour Boulogne et là de nous embarquer pour l'Angleterre ; nous arrivâmes au port juste à temps pour avoir le bateau qui partait à la première heure. J'étais sans inquiétude pour le voyage, Guillaume m'ayant affirmé qu'il parlait admirablement l'anglais ; mais, une fois à bord, comme je lui demandais de nous faire servir le petit déjeuner, il lui fut impossible de se faire comprendre, il m'avoua alors qu'il ne parlait que le « vieil irlandais » !

Nous restâmes cinq jours à Hythe et grâce à son extraordinaire mémoire, lorsque nous rentrâmes, il parlait l'anglais aussi bien... que moi !

---

* *L'Esprit nouveau*, n° 26, octobre 1924[132].

Ce voyage demeure un des bons souvenirs de ma vie, jamais je n'ai eu un compagnon plus gai, plus spirituel, ayant autant d'entrain qu'Apollinaire.

Une autre fois, où nous dînions encore ensemble, il me dit être très pressé devant faire dans la soirée une conférence importante ; moi, j'avais envie de grand air : « Voyons, lui dis-je, pas d'imbécillité, lâche ta conférence, partons en voiture faire un tour. » Il se mit à rire comme un fou, je vois encore sa main élégante devant sa bouche et son petit doigt arrondi, légèrement séparé des autres ; son rire était une acceptation, pourtant il me dit : « Delaunay va être furieux, je lui avais promis de parler de lui, et dire que sa femme m'a brodé des petits rideaux " simultanés ", tu sais ceux qui ornent mon bureau !... » Nous allâmes à Chartres, il était ravi d'avoir joué ce tour au public, tel un collégien qui fait une bonne farce à un pion !

Quelque temps après, Guillaume Apollinaire vint passer plusieurs jours chez moi à Etival, dans le Jura, en compagnie de Marcel Duchamp. Nous fîmes tous trois en auto, de nuit, le voyage d'aller ; Guillaume n'arrêta pas de chanter une jolie chanson qu'il avait inventée :

> Tanguy du Gana
> N'as-tu pas vu mon gas
> Qui jouait de la trombona,
> Qui jouait de la flûte à mes gas
> Qui jouait de la flûte !

Nous passâmes là-bas une quinzaine de jours ; nous discutions sur le Cubisme, sur les possibilités d'une nouvelle évolution. Apollinaire aurait certainement été Dada, comme Duchamp et moi, s'il n'était pas mort aussi prématurément.

Il avait un don étonnant pour le jeu de jonchets, presque tous les soirs nous passions des heures à y jouer et régulièrement il nous battait. Nous fîmes aussi quelques promenades à pied. Un jour, au cours d'une petite ascension, Guillaume fut pris d'un tel vertige qu'il se coucha par terre en nous déclarant qu'il ne pouvait plus ni avancer ni reculer ! Ce qui lui fit faire l'effort nécessaire afin de regagner la maison fut l'affirmation absolue que nous lui donnâmes qu'il n'avait plus qu'à mourir de faim s'il restait là ! Son appétit était formidable, mais il n'acceptait pas que ses amis lui en fissent la remarque, il prétendait alors que c'était le leur qui était mauvais !

Il avait en botanique des connaissances extraordinaires et il était même capable d'inventer de nouveaux noms de plantes si besoin était.

Tel un enfant, il s'amusait de tout sans jamais voir le mauvais côté des choses ; je me souviens qu'étant allé le voir je le trouvais un jour en costume de déménageur en compagnie de Raynal ; ils s'efforçaient tous deux de faire passer de gros meubles dans une pièce dont la porte était trop petite ! Guillaume n'hésita pas à briser les meubles pour les introduire « par petits morceaux » !

150

Ce même soir de déménagement, il dînait chez Victor Margueritte ; au dernier moment, il était tard, impossible de trouver sa cravate de smoking ! Après avoir beaucoup cherché, nous aperçûmes toutes les cravates, réunies dans une bouteille ! Guillaume les avait fourrées là pour ne pas les égarer ! L'un après l'autre, nous fîmes de vains efforts pour les en retirer à l'aide d'un tire-bouton : la bouteille était précieuse Apollinaire ne voulut pas se résoudre à la sacrifier, je lui peignis alors à l'encre de Chine un joli nœud sur sa chemise, il s'en montra ravi.

Le souvenir que je conserve de lui est celui d'une grande fraîcheur de cœur, d'une grande simplicité qui ne s'épanouissait réellement que dans l'intimité de ses amis, en dehors de toute « galerie ».

Quant à son œuvre, je considère qu'elle est à la fois remplie d'inventions et du choix le plus intelligent. C'est un ami que je regrette profondément, il avait le charme incomparable de ne pas se compromettre pour être compromis.

DADAISME, INSTANTANEISME*

Journal de l'Instantanéisme
pour quelque temps
l'instantanéiste est un être exceptionnel
cynique et indécent

LE SEUL MOUVEMENT C'EST, LE MOUVEMENT PERPETUEL !

L'INSTANTANEISME : EST POUR CEUX QUI ONT QUELQUE CHOSE A DIRE.

IL N'Y A QU'UN MOUVEMENT C'EST LE MOUVEMENT PERPETUEL !

Dans son prochain numéro « 391 » donnera une liste des premiers Instantanéistes, hommes exceptionnels.

L'INSTANTANEISME : NE VEUT PAS D'HIER.
L'INSTANTANEISME : NE VEUT PAS DE DEMAIN.
L'INSTANTANEISME : FAIT DES ENTRECHATS.
L'INSTANTANEISME : FAIT DES AILES-DE-PIGEON.
L'INSTANTANEISME : NE VEUT PAS DE GRANDS HOMMES.
L'INSTANTANEISME : NE CROIT QU'A AUJOURD'HUI.
L'INSTANTANEISME : VEUT LA LIBERTE POUR TOUS.
L'INSTANTANEISME : NE CROIT QU'A LA VIE.
L'INSTANTANEISME : NE CROIT QU'AU MOUVEMENT PERPETUEL.

---

* *391*, n° XIX, octobre 1924, p. 1.

OPINIONS ET PORTRAITS*

Vraiment on pourrait mourir de rire en lisant l'article de M. Maurice Martin du Gard, paru dans *Les Nouvelles littéraires*[133] — évidemment rire, c'est quelque chose —, mais, ou M. Maurice Martin du Gard n'est au courant de rien, ou cet article a été écrit par André Breton et c'est encore ce qui me semble le plus probable : le fait même d'y avoir accompagné mon nom du qualificatif d'artiste peintre prouve que Breton cherche à faire oublier ce que j'ai écrit dans le *Camera Work* paru à New York en 1914 : *Le Portrait de Stieglitz, La Fille née sans mère* et *Rateliers platoniques* en 1917. Quant à Tzara, il écrivait en Suisse des œuvres extrêmement personnelles où Breton a puisé sans scrupules, pendant que d'autre part il se prosternait aux pieds de Gide et faisait des avances à Blaise Cendrars. L'affaire Dada il cherche à l'arranger de la façon la plus avantageuse pour lui et surtout la moins gênante ; Vaché est un grand homme, mais il est mort... Les œuvres de Messieurs Breton et, comment dites-vous ? Philippe Coupeaux[134], je crois, sont une pauvre imitation de Dada et leur surréalisme est exactement du même ordre.

André Breton me fait penser à Lucien Guitry jouant une pièce de Bernstein ; il est certainement aussi bon acteur, mais plus démodé que Guitry.

Monsieur Maurice Martin du Gard, vous tenez André Breton pour un homme d'une classe supérieure à celle de Dermée et Birot, si vous aimez le théâtre, évidemment, je n'insiste pas, mais il me faut bien vous dire que Birot, par exemple, que je connais depuis longtemps, m'a souvent exprimé des idées nouvelles, et qu'il a à son actif des inventions cinématographiques extrêmement curieuses ; quant à Dermée il faut être moins superficiel que vous ne l'êtes pour s'apercevoir que ce n'est pas un acteur, mais un homme qui reste avec simplicité dans la vie, c'est ce qui m'intéresse le plus. Le surréalisme d'Yvan Goll se rapporte au Cubisme, celui de Breton c'est tout simplement Dada travesti en ballon réclame pour la maison Breton et Cie.

Maurice Martin du Gard, André Breton plusieurs fois devant moi vous a traité d'idiot et déclarait que votre journal était imbécile. Il entre maintenant chez vous chapeau bas avec les plus belles phrases de politesse sur les lèvres, vous vous y êtes laissé prendre, c'est un grand service que vous avez rendu à tous les hommes qui pouvaient avoir quelques doutes sur Breton ; Breton est un acteur qui veut tous les premiers rôles au théâtre des illusionnistes, et ce n'est qu'un Robert-Houdin pour hôtels de province !

(A suivre si le besoin s'en fait sentir)

Francis Picabia
Metteur en scène du surréalisme d'André Breton.

---

* *Ibidem*, p. 2-3.

152

(Sans titre*)

Les vices sont dignes, les vertus indignes.

Les Chefs ont toujours de mauvaises manières.

Il faut faire quelque chose, mais ne pas penser à faire quelque chose.

Les idiots pensent que la mémoire fait partie de la connaissance et de la vie.

DERNIERE HEURE*

Je viens de rencontrer Robert Desnos : il m'a affirmé que Breton n'était pour rien dans l'article des *Nouvelles littéraires*, je ne demande qu'à le croire et je publie ici une lettre adressée par Breton à Desnos à propos de cet article :

11 octobre 1924

Mon cher Robert Desnos,

Est-il besoin de vous dire que je suis tout à fait étranger, dans l'article des Nouvelles littéraires, *au premier membre de la phrase qui vous concerne*[135] *? Qui a pu le suggérer à Martin du Gard ? Si vous estimez qu'il y a lieu, et qu'en toute occasion je ne me suis pas exprimé nettement à ce sujet, je suis prêt à adresser quelques lignes de rectification.*

Votre ami, André Breton.

Des « œufs-durs » sortent des poussins, je vous souhaite mon cher Breton de n'avoir pas trop de déception dans l'élevage de vos couvées.

---

* *Ibidem :* ces phrases sont imprimées en petits caractères le long des marges du texte précédent, « Opinions et portraits ».
* *Ibidem*, p. 3.

153

SCENARIO D'« ENTR'ACTE »*

Mon cher ami, je vous envoie inclus la portée cinématographique du ballet. Bien sympathiquement vôtre.

Francis Picabia

Lever de rideau
Charge d'un canon au ralenti par Satie et Picabia, le coup devra faire le plus de bruit possible. Durée totale : 1 minute.

Pendant l'entr'acte
1° Assaut de boxe par des gants blancs, sur écran noir : durée 15 secondes. Projection écrite pour l'explication : 10 secondes.

2° Partie d'échecs entre Duchamp et Man Ray. Jet d'eau manœuvré par Picabia balayant le jeu : durée 30 secondes.

3° Jongleur et père Lacolique : durée 30 secondes.

4° Chasseur tirant sur un œuf d'autruche sur jet d'eau manœuvré par Picabia balayant l'œuf qui se pose sur la tête du chasseur ; un second chasseur tirant sur elle, tue le premier chasseur ; il tombe, l'oiseau s'envole : durée 1 minute. Projection écrite : 20 secondes.

5° 21 personnes couchées sur le dos présentent le dessous de leurs pieds : 10 secondes. Projection manuscrite : 15 secondes.

6° Danseuse sur une glace transparente, cinématographiée par en dessous : durée une minute. Projection écrite : 5 secondes.

7° Gonflage de ballons et paravents de caoutchouc, sur lesquels seront dessinées des figures accompagnées d'inscriptions : durée 35 secondes.

8° Un enterrement : corbillard traîné par un chameau, etc. : durée : 6 minutes. Projection écrite : 1 minute.

---

* *L'Avant-Scène,* n° 86, novembre 1968, p. 11[136].

RELACHE*

Rideau blanc, à plat. Projection cinématographique à déterminer, de trente secondes environ, accompagnée de musique. Le rideau se lève ; la scène se présente comme une voûte de forme ovoïde, entièrement tapissée de gros ballons blancs. Tapis blanc. Au fond, porte tournante articulée. La musique dure encore trente secondes après le lever du rideau.

Une femme se lève aux fauteuils d'orchestre ; elle est en grande toilette de soirée, elle monte en scène à l'aide d'un praticable. Musique : 35 secondes. Au moment où elle apparaît en scène, la musique cesse.

La femme s'arrête au milieu de la scène et examine le décor puis elle s'immobilise. A ce moment, la musique reprend pendant une minute environ. Lorsqu'elle cesse, la femme se met à danser. Chorégraphie à régler. La musique reprend pendant une minute et demie ; la femme remonte au fond de la scène et tourne trois fois avec le battant de la porte tournante, puis s'arrête face à la salle.

Pendant ce temps, trente hommes en habit noir, cravate blanche, gants blancs et chapeau claque, quittant l'un après l'autre des places de spectateurs, montent tour à tour sur la scène par le praticable. Durée de la musique : une minute et demie.

La musique s'arrête au moment où, par une danse à régler, ils entourent la femme revenue au milieu du plateau ; il tournent autour d'elle pendant qu'elle se dévêt et apparaît en maillot de soie rose, entièrement collant. Musique pendant 40 secondes. Les hommes s'écartent, se rangent contre le décor ; la femme reste immobile quelques secondes, pendant que la musique reprend durant 35 secondes. Quelques ballons éclatent au fond.

Danse générale ; la femme est enlevée dans les cintres.

RIDEAU

PAS D'ENTR'ACTE, à proprement parler ; la musique dure cinq minutes avec projections cinématographiques des auteurs assis face à face, échangeant une conversation dont le texte s'inscrira à l'écran durant dix minutes. Pas de musique pendant la projection écrite.

DEUXIEME ACTE

Le rideau se lève. Musique de une minute. Sur un fond noir sont disposées des enseignes lumineuses et intermittentes où dominent alternativement les noms d'Erik Satie, de Francis Picabia, de Blaise Cendrars, en couleurs.

Deux ou trois projecteurs puissants, très puissants, sont dirigés de la scène sur la salle ; ils éclairent le public et produisent des effets de

---

* Bibliothèque J. Doucet. Dossier F.-P., 10. p. 289. Publié par M. Sanouillet. *Francis Picabia et « 391 »*, p. 256-257.[137]

noir et de blanc à l'aide de disques percés de trous. Les hommes rentrent un par un et se placent en rond autour de la toilette de la femme, posée à terre, au milieu de la scène. Musique de vingt secondes.

La femme redescend des cintres toujours en maillot ; elle porte sur la tête une couronne de fleurs d'oranger ; elle se rhabille pendant que les hommes se dévêtissent à leur tour et apparaissent en maillots de soie blanche. Musique de vingt secondes. Danses à régler.

Les hommes un à un regagnent leur place où ils retrouvent leurs pardessus. Musique de trente secondes. La femme, restée seule, prend une brouette, y entasse les vêtements laissés par les hommes et va les verser dans un coin en tas ; puis, s'approchant le plus près possible de l'avant-scène, elle enlève sa couronne de mariée et la jette à l'un de ses danseurs qui ira la déposer sur la tête d'une femme connue se trouvant dans la salle.

Musique : quinze secondes.

Puis, la femme va à son tour rejoindre son fauteuil ; on baisse le rideau blanc, devant lequel apparaît une petite femme qui danse et chante une chanson.

Musique : 45 secondes.

INTERVIEW SUR « ENTR'ACTE* »

« Le cinéma actuel ne m'intéresse pas : calendriers, cartes postales, Henry Bordeaux, psychologie surannée d'André Gide, souhaits de nouvel an, spéculations sentimentales pour adolescents maladifs ou vierges contrefaites ! Pas intéressant.

« Ce que j'aime, c'est la course à travers le désert, les savanes, les chevaux en nage. Le cowboy qui entre par les fenêtres du bar-saloon, l'éclatement des vitres, le verre de whisky vidé à angle droit dans un gosier rude et les deux brownings braqués sur le traître : tout cela rythmé comme un galop accompagné de claquements de fouet, de jurons et de coups de revolver.

« Ou alors l'image en liberté, l'image valeur intrinsèque, bondissant dans l'écran : c'est ce que nous avons essayé de faire pour les Ballets Suédois qui vont, dans *Relâche*, ballet d'Erik Satie et de moi, intercaler un film réalisé par René Clair intitulé : *Entr'acte*. »

« Vous dites qu'on sifflera ? Tant mieux ! J'aime mieux les entendre crier qu'applaudir. »

---

* *Comœdia*, 31 octobre 1924, p. 4. Interview signée André-L. Daven.

PREMIERE HEURE*

C'est toujours la même chose ; l'objet déplacé perd son premier aspect, devenant nouveau lorsque vous le transportez de gauche à droite, transformant les objets qui l'entourent et, si vous le reportez de droite à gauche, il prend encore un autre aspect. Je crois qu'il n'y a vraiment qu'une chose qui puisse nous séduire, c'est l'évolution perpétuelle de la vie ; je l'ai écrit pour la première fois il y a bien longtemps, mais je vois de plus en plus qu'il est indispensable de le hurler journellement.

Qu'est-ce que c'est que Paul Dermée[139] pour Breton ? Qu'est-ce que c'est que Breton pour Paul Dermée ? Pablo Picasso pour Robert Delaunay ? Et Delaunay pour Picasso ?

Delaunay doit être persuadé que Picasso n'est pas un beau peintre moderne, mais Picasso, plus malin, est persuadé, lui, que Delaunay est bien un peintre et Delaunay encore plus malin est bien certain que Picasso est encore plus malin que les malins, mais que ce n'est pas un peintre !...

Jean Cocteau est persuadé qu'il personnifie l'esprit moderne à la mode, et que Tristan Tzara ressemble à un Verlaine roumain ; Tzara est persuadé que Cocteau ressemble lui aussi à Verlaine, à un Verlaine de Versailles ou à un Rostand de Cambo[140].

Auric est persuadé qu'Erik Satie est coulé, il le croit coulé parce qu'il essaie, du fond où il est, de le tirer par les pieds.

Joseph Delteil[141] a, paraît-il, des couilles ; j'espère qu'elles ne sont pas trop grosses ce qui pourrait le gêner pour marcher, en donnant à son art un aspect d'orchite que je ne lui souhaite pas... Les toutes petites couilles ne sont pas à dédaigner, elles sont à l'abri des varicocèles et permettent de courir très librement ; enfin, Robert Delaunay qui me paraît expert en la matière, si je peux m'exprimer ainsi, nous renseignera peut-être un jour sur les siennes ; le génie est, paraît-il, une longue patience. Moi, j'aimerais une femme qui, pour prouver son tempérament, serait obligée de nous montrer ses couilles ; après renseignements et certitude, nous pourrions nous attendre à ce qu'elle devienne une femme de génie, que ce soit en peinture, en musique ou en littérature ; ce pourrait être, même, une belle brute galonnée ! Mais tout cela est parfaitement idiot et j'ai connu un aviateur eunuque qui, grâce à son manque de couilles, pouvait s'élever à trente ou quarante mille mètres d'altitude. Qu'un homme soit arrivé ou pas arrivé, en train de partir ou de repartir, qu'il ait une couille ou qu'il en ait trois, nous nous en foutons ; la seule influence qui puisse porter sur notre jugement, c'est l'apport de nouveauté que peut donner un individu, son apport d'invention, son apport de courage ; c'est à ce titre seul qu'un homme peut nous intéresser. Quant à cet amour

---

* *Le Mouvement accéléré*, Paris, 4 novembre 1924, p. 1[138]

pathologique que certains ont de vouloir être chef, chef d'école, chef des chefs, c'est d'un ridicule... enfin ! Certains chefs font apparaître des génies, comme les sorciers japonais évoquent des vasques remplies de poissons rouges et, si ces chefs ont l'avantage d'être ventriloques surréalistes, il y a de braves petits jeunes gens, frais éclos d'œufs durs, qui les applaudissent comme quelques imbéciles applaudissent encore le gendarme ou le commissaire. Un jour, l'un de ces chefs me dit : « Si l'on ne m'avait appris à quoi pouvait servir mon bas-ventre, jamais je ne l'aurais deviné tout seul ! » Ce chef est aujourd'hui surréaliste instinctif... Tout cela n'aurait pas beaucoup d'importance si, à l'exemple de ceux qui jugent les tableaux dans les Salons ou distribuent des prix littéraires, ces messieurs ne se permettaient d'excommunier qui bon leur semble, ou, faisant besogne de fossoyeurs de chacals, ne s'amusaient à déterrer les morts pour encombrer l'encombrement. Il n'y a que ce qui se passe aujourd'hui qui devrait retenir notre attention, la vie d'hier je m'en fous et la vie de demain, si chère à Marinetti, m'est encore bien plus égale. Tout pour aujourd'hui, rien pour hier, rien pour demain.

C'est entendu, on va crier : « A l'anarchie », et puis après ? Je ne crois pas à la Patrie, je ne crois pas en Dieu, je ne crois ni au Bien ni au Mal et encore bien moins en l'Art ; j'accepte uniquement la seconde présente, d'ailleurs, c'est plus commode. Pour avoir quelque chose à dire, il faut donc commencer par vivre et ne pas apprendre la vie dans les livres. J'ai horreur des grands hommes qui le deviennent à coups d'examens ou de concours. Tout ce qui est officiel me fait vomir.

M'étant exprimé ainsi de vive voix devant quelques amis du *Mouvement accéléré,* inventé par Dermée, ils me dirent être tout à fait de mon avis et que leur plus grand désir était de supprimer les gens encombrants, ceux qui n'ont rien à dire ou ceux qui se servent de l'art comme les officiers se servent de leurs galons pour être supérieurs. Le journal *Mouvement accéléré* est une voie par où tout le monde peut passer ; un marin peut y fumer sa pipe à côté du gigolo amateur de coco ! Un littérateur peut s'y promener à côté des marchands d'habits. Si Paul Dermée réussit à faire du *Mouvement accéléré* un journal dans cet ordre d'idées, je suis certain de l'influence qu'il pourra exercer et cela vaudra bien mieux que de se battre les flancs à l'exemple de certains pour ne pas même réussir à accoucher d'une souris, mais le plus souvent d'une simple merde à odeur de homard à l'américaine !

Avec ce homard, André Breton compte bien fabriquer une auto ; moi, je préfère, pour ce faire, le B.N.D. ou le chromo-nickel, à la merde, au bleu de Prusse ou au vermillon ! C'est tellement facile de réussir à construire une bicyclette avec des bananes, je veux dire par là une bicyclette « artistique », et d'épater quelques snobs qui diront en la voyant :

« Tiens, voilà une idée originale. »

Je demande aux membres du *Mouvement accéléré* à vivre et à évoluer, de balayer les cubistes, les orphistes, les dadaïstes, les surréalistes à la mie de pain qui veulent nous la faire et sont entrés dans la carrière artistique comme on va se placer aux Galeries Lafayette ou chez Olida. Mais combien sont plus sympathiques le vendeur et le charcutier !

Robert Desnos m'a demandé un poème pour sa revue : *La Résurrection surréaliste*[142], je le lui ai envoyé et j'ai même choisi le plus beau. Paul Dermée m'a demandé quelque chose pour le *Mouvement accéléré* et je suis heureux d'écrire ces lignes, car je tiens à être et à rester en dehors de toute chapelle, de tout cénacle. Paul Dermée que je connais depuis longtemps m'est sympathique par son désir d'activité... active, par sa jeunesse, par toute la vie qui se dégage de lui.

INSTANTANEISME*

Les banquiers sont des artistes et les artistes sont des banquiers ; les épiciers sont des littérateurs, les littérateurs des épiciers ; le cinéma, c'est du théâtre, le théâtre, c'est du cinéma ; les docteurs sont des malades, les malades sont des docteurs. Les docteurs nous passent leurs maladies contagieuses ainsi que le théâtre a malheureusement communiqué au cinéma ses maladies invétérées. Le théâtre est au cinéma ce qu'est la chandelle à la lampe électrique, l'âne à l'automobile, le cerf-volant à l'aéroplane.

A mon avis, il faut oublier ce qui s'est fait hier, notre derrière suffit, pour contempler le passé respectable ! Le public aime le cinéma, il l'aime de plus en plus, par dégoût du théâtre et de la banalité de la vie ; en effet, si nous sortons de l'imbécillité de la politique et de la cruauté inutile des guerres, notre vie actuelle apparaît horriblement triste et monotone ; l'amour, lui-même, seule croyance qui nous restait, devient de plus en plus une question d'argent pour la majorité et il n'y aura bientôt plus que les « viveurs » pour ne pas s'en préoccuper, car ces êtres-là aiment la vie et préfèrent le vertige du baccara à la platitude de la Caisse d'épargne et du Crédit Lyonnais.

Le cinéma devrait, lui aussi, nous donner le vertige, être une sorte de paradis artificiel, promoteur de sensations intenses dépassant le *looping the loop* de l'avion et le plaisir de l'opium, il devrait pour cela s'orienter vers la spontanéité de l'invention qui sera toujours plus vivante que la bêtise d'une belle photographie, grâce à laquelle de malheureux acteurs arrivent à ressembler à des personnages de musée Grévin exhumés par la convention officielle...

Le cinéma ne doit pas être une imitation mais une invitation évocatrice aussi rapide que la pensée de notre cerveau, laquelle a la faculté de nous transporter de Cuba à Bécon-les-Bruyères, de nous faire

---

* *Comœdia*, 21 novembre 1924, p. 4[143].

sauter sur un cheval emballé ou du haut de la tour Eiffel... pendant que nous mangeons des radis ! Le film qui nous fait demeurer assis pendant deux ou trois heures pour nous raconter les amours d'une jeune fille chaste et d'un maquereau littérateur et bien élevé, ou nous montrer quelque procession religieuse, militaire ou politique sous la pluie ou encore un coucher de soleil nuageux, ce film-là est une feuille morte, n'en parlons plus, c'est une évolution de la lanterne magique. Le cinéma va commencer, il va commencer avec des hommes comme René Clair, par exemple, qui a compris tout le nouveau possible, comme Daven, qui sera un précieux auxiliaire ; j'espère ainsi qu'à cinq ou six (tant mieux si nous sommes plus nombreux) nous arriverons à faire des films qui ne seront ni américains, ni norvégiens, ni français, mais internationaux, je veux dire par là des films exprimant toutes les évolutions de notre époque, ses désirs, ses besoins. On ne va pas au cinéma pour y retrouver sa table de nuit, ses pantoufles, sa cuisinière ou son carnet de chèques, mais, au contraire, pour oublier tout cela le plus possible et prendre ainsi un repos indispensable que procurent seuls la distraction et le rire.

Il y a eu beaucoup de films amusants en Amérique, très peu en France ; l'Allemagne nous a présenté comme un chef-d'œuvre *Le Docteur Caligari,* tout à fait imbécile, à mon sens. En Espagne, en Italie, on ne met à l'écran que le couteau, la tuberculose et le poison, quelle barbe que tout cela !

Mais il me semble que j'ai assez parlé ; pour être compris, le mieux est encore de montrer quelque chose ; au risque que cela passe pour de la publicité, je n'hésite pas à demander à tous ceux que le cinéma intéresse d'aller voir au Théâtre des Champs-Elysées le film *Entr'acte* qui se donne au milieu du ballet *Relâche.*

POISSONS VOLANTS*

J'ai lu avec plaisir, dans *L'Ere nouvelle,* l'article de Pioch[144], à propos de mes chers amis ex-dadas !

Comme vous avez raison, Pioch, d'écrire que ces messieurs, grands personnages, n'aiment que les cadavres, c'est ainsi qu'il aiment Vaché... Et puis, quand ils n'ont plus de cadavres à dévorer, ils en fabriquent pour leur publicité ; ils seraient ravis qu'un des leurs se suicidât, mourût ou disparût afin de pouvoir le sacrer homme de génie et attirer par là l'attention sur leur groupe !

Personne ne pouvait douter de ce qu'ils pensaient sur Anatole France, mais cette mort, quelle bonne occasion de pouvoir *signer un petit manifeste* ! Pourtant, le chef du surréalisme est le fils artificiel de

---

* *L'Ere nouvelle,* 24 novembre 1924, p. 3.

France, c'est un tout petit Anatole, un Anatole Nantes, un Anatole pour concierges de banlieue ! Il est en carton-pâte, ce futur grand homme aux allures « Petite Chaumière », il est aussi ridicule, le pauvre, qu'un Saint-Just, général-député. Fernand Divoire[145] écrit que ce monsieur était le cerveau de Dada ; Fernand Divoire est de ceux qui connaissent Dada, maintenant qu'il est fini, il est comme le grand public qui ne comprend que bien après, n'est jamais au courant *de ce qui se passe* et confond tout.

Mais cette comédie que veut essayer de jouer l'homme-Samson doit cesser et le plus vite possible ; par les moyens les plus énergiques, je suis décidé à y mettre un terme rapide. Les seuls hommes ayant créé le mouvement dada sont Marcel Duchamp, Tristan Tzara, Huelsen-beck et Francis Picabia ; les autres n'ont été que des comparses qu'il nous a fallu employer comme on emploie au théâtre des figurants indispensables.

J'ai rencontré, beaucoup plus tard, un homme ayant une personnalité : Robert Desnos. Aragon aurait pu être lui-même, s'il n'avait eu ce trop fidèle ami qui serait bien désolé de le voir s'exprimer en dehors de son influence.

André Breton n'est pas un révolutionnaire, ce personnage ne peut faire partie de l'avant-garde ; le fait même d'être défendu par Divoire, par Martin du Gard[146] le prouve ; c'est un homme arrivé, mais il n'ira jamais plus loin, il n'a rien à dire n'ayant aucune sensibilité, n'ayant jamais vécu, cet artiste est le type du petit-bourgeois qui aime les petites collections de tableaux ; les voyages lui font horreur, il n'aime que son café ; ses conversations ressemblent à celles des joueurs de manille ; matin et soir, il joue à la manille et fait croire à ses bons amis qu'ils gagneront ! Méfiez-vous, jeunes poètes : André Breton ne joue pas pour le jeu, il joue par avarice. Il pense que, s'il a un jour assez d'économies et beaucoup de mémoire, il pourra devenir un grand homme. Il le sera sûrement, mais pas auprès de ceux qui comptent, je veux dire parmi ceux dont le nom a un tel parfum, une telle couleur que c'est dans l'intimité qu'on aime le prononcer avec amour.

André Breton est fait pour remplacer le coq sur les églises, le coq qui ne sert vraiment qu'à marquer d'où vient le vent.

P.S. L'art ne se fabrique pas, il est tout simplement, mais il est rare. Vous êtes trop nombreux, Messieurs les surréalistes, pour qu'il y ait un homme rare parmi vous.

POURQUOI J'AI ECRIT « RELACHE »*

Relâche est un ballet qui fait partie du « mouvement perpétuel », *Relâche* se compose de deux actes à proprement parler, d'un acte cinématographique et de « La Queue du chien » !

Je m'étais pourtant promis de ne jamais faire de ballet, Erik Satie m'y a décidé ; le seul fait qu'il en écrivait la musique était pour moi la meilleure raison.

Erik Satie, n'en déplaise à des personnages bien pensants, à des personnages « grands musiciens », à des personnages « grands critiques », à des personnages géniaux, géniaux et modernes, bien entendu, Erik Satie est peut-être le seul qui reste jeune ; jeune avec modestie, jeune avec tout l'emballement que comporte ce mot ; la jeunesse et la fraîcheur sont si rares à notre époque, où tous les hommes sont des hommes mûrs, tellement mûrs qu'ils pourrissent ! Erik Satie fait de la musique française, cela devrait plaire à messieurs les chauvins, eh bien non, ils aiment mieux la musique américaine, russe ou espagnole, ou du moins la musique qui dérive de celles-ci ! Erik Satie a trop de finesse, il est trop simple, trop « je-m'en-fichiste » vis-à-vis de « l'officialisme », pour leur plaire ; enfin, nous verrons par la suite, mais je suis bien certain de ne pas me tromper en disant qu'Erik Satie est un des plus grands musiciens actuels ; il s'est amusé à écrire quelquefois pour les imbéciles qui avaient l'audace de dire qu'il était incapable de faire œuvre de musicien, c'était peut-être une faiblesse que de leur accorder un démenti, mais je crois qu'il s'est simplement moqué d'eux dans une jolie révérence musicale !...

Je trouve parfaite la musique de *Relâche,* la partie qui accompagne l'acte cinématographique[147] est un chef-d'œuvre, je ne pouvais rien désirer qui s'adaptât mieux à ma pensée.

Maintenant que vous dire de *Relâche* même ? C'est le mouvement perpétuel, la vie, c'est la minute où nous cherchons tous à être heureux ; c'est la lumière, la richesse, le luxe ; l'amour loin des conventions de la pudeur ; sans morale pour les sots, sans recherches artistiques pour les snobs. *Relâche,* c'est aussi bien l'alcool, l'opium, que les sports, la force, la santé ; c'est le baccara ou les mathématiques.

Relâche, c'est l'optimisme des gens heureux ; vous y verrez une femme très belle, un homme très beau, beaucoup d'hommes très beaux ; des lumières éblouissantes, le tout évoluant dans ur. mouvement aussi rapide et agréable que celui que pourrait nous procurer une 300 HP sur la meilleure route bordée d'arbres inclinés par l'illusion que donne la vitesse.

Relâche est noir et blanc, la nuit et le jour, le jour et la nuit.

Relâche, je l'espère, va partir dans la vie comme une belle femme qui ose montrer les plus jolies jambes dans les plus beaux bas de soie, en se promenant au bras de l'athlète le plus complet !

---

* *Le Siècle,* 27 novembre 1924, p. 4.

Cependant, j'entends d'ici les gens « intelligents », les gens qui savent, les pasteurs protestants dire : « Mais ce n'est pas un ballet ! » ou : « Ce n'est qu'un ballet suédois ! » Et puis : « Ce n'est pas de la musique. » Et puis : « Francis Picabia se moque du monde, se moque de nous ! » Et puis : « Ça ne vaut pas nos bons vieux ballets de l'Opéra ! » Et encore : « C'est facile de faire une musique comme celle-là, il ne s'est pas foulé pour les décors, le peintre ! » Enfin, le succès complet !

Mais il y a une chose que quelques-uns ressentiront peut-être, c'est une sensation de *nouveau,* de plaisir, la sensation d'oublier qu'il faut « réfléchir » et « savoir » pour aimer quelque chose...

Relâche n'est pas pour les hommes érudits bien sûr, pas pour ceux qui sont au courant, pour ceux qui ont compris ! Pas pour les grands penseurs, chefs d'école, qui, semblables à des chefs de gare, font comme eux partir les trains qui mènent aux grands bateaux toujours prêts à embarquer l'amateur d'art « intelligent ».

Que vous dire encore de *Relâche* ? J'aime mieux vous parler de Jean Borlin[148], qui va danser sans chercher à être ni ancien ni moderne, mais tout simplement avec joie et élégance, sans effort ; l'effort a quelque chose de si pénible, de tellement ridicule ! L'homme qui fait des efforts vous rendez-vous bien compte ?...

Mme Edith Bonsdorff[149], qui personnifiera la femme, est une délicieuse créature finlandaise, elle danse comme on aime l'amour.

Il est bien malheureux que nous n'ayons pas en France plus d'hommes semblables à Rolf de Maré[150]. Rolf de Maré vous pousse à aller de l'avant, il est exactement le contraire des gens qui vous disent : « C'est bien, mais le public ne comprendra pas, c'est bien, mais... la convention établie habille mieux ! »

Rolf de Maré a été pour moi un collaborateur précieux, ainsi que René Clair qui comprend si vite !

J'oubliais de dire que *Relâche* n'est pas relâche mais « Relâche ».

A PROPOS DE « RELACHE »*
BALLET INSTANTANEISTE

— Mon cher Francis Picabia, dis-je à l'auteur de *Relâche,* c'est jeudi que je donne la répétition générale de votre ballet, voulez-vous enfin me donner quelques explications à son sujet ?

Picabia eut l'air de s'amuser beaucoup.

— Relâche ? Musique d'Erik Satie, me répondit-il, vous expliquer quoi, mon cher Rolf de Maré ? Me prenez-vous pour Einstein ?

— Mais d'abord, ce titre de *Relâche* ?

---

* *Comœdia,* 27 novembre 1924, p. 2 Interview de F.-P. par Rolf de Maré.

— Ce titre de *Relâche* exprime pour moi une trêve à toutes les absurdités prétentieuses du théâtre actuel, je ne parle pas du music-hall qui, seul, a gardé un côté vivant, mais encore une fois pourquoi voulez-vous des explications, pourquoi cherchez-vous à comprendre ? Ce que j'ai fait, ce que je ferai s'adresse et s'adressera de plus en plus au plaisir véritablement physique, nous avons été au bout de beaucoup de possibilités cérébrales, maintenant je ne veux plus chercher qu'une joie comparable à celle d'une belle nuit d'amour, comparable à la volupté d'être couché au soleil, de faire du 120 en auto, comparable au plaisir de la boxe ou à celui d'être étendu sur la natte d'une fumerie.

« Chercher à éclairer le cerveau, quelle absurdité ! Les enfants qui naissent la nuit voient le jour comme les autres !

« Mais, mon cher de Maré, renversons un instant les rôles, laissez-moi vous questionner à mon tour, pourquoi êtes-vous directeur de ballets ?

— Je vous répondrai très volontiers, mon cher Francis Picabia, et je suis forcé d'avouer que j'ai monté mes premiers ballets un peu comme on fait un beau voyage pour se distraire ; maintenant, je considère de plus en plus qu'un ballet peut être l'expression de tous les arts, peut concentrer tous les besoins esthétiques de notre époque, le ballet permet une entière liberté d'invention, d'irréalisme, le ballet doit être irréaliste, mais réaliste avec lui-même ; le ballet, c'est pour moi le plaisir des formes humaines en mouvement, le plaisir de la lumière, des couleurs, la joie d'exister, de remuer.

— Comme vous avez raison, mon cher de Maré, je suis tout à fait de votre avis, il est certain que le cinéma, par exemple, ne pourra jamais avoir les possibilités tactiles d'un ballet, ainsi il nous est impossible de fixer longtemps une vraie lampe électrique, alors que nous pouvons regarder indéfiniment cette même lampe photographiée !...

— Voyons, dites-moi encore quelque chose sur *Relâche,* sur *Relâche* même.

— *Relâche,* c'est le mépris d'*hier, hier* a assez cherché à empêcher *aujourd'hui* de briller ! *Hier,* c'est un diplôme de capacités et je considère qu'à notre époque les diplômes sont aussi inutiles que les caravelles ! Le passé veut qu'on le respecte, c'est pour cela que les parents cherchent à développer la mémoire chez leurs enfants !

« Toute œuvre ne procédant pas d'aujourd'hui ne peut être que ridicule, le passé est ridicule du fait qu'il est passé. Le passé c'est la cellule conjonctive ; *Relâche,* c'est aujourd'hui, c'est le jeu de l'amour, c'est le soleil ; tous les pays se ressemblent, mais le plus beau c'est celui où il y a le plus de soleil. »

Il me fut impossible de tirer autre chose de Picabia, il semblait illuminé par son soleil ! Il ajouta seulement : « Etes-vous certains que nous serons prêts ? Vous savez, c'est jeudi la générale. »

Rolf de Maré

(Sans titre*)

Relâche n'a pas de masque, *Relâche* a un masque ; il ou elle, elle ou lui ? Les diamants, le soleil, l'amour...

Aujourd'hui est la vie, hier est mort, demain ne vit pas. *Relâche* est le ballet des êtres qui vivent dans la rue. J'ai un domicile, mais je couche à l'hôpital ; j'ai une salle à manger et je déjeune et dîne au restaurant ; j'ai un salon, mais je reçois chez mes amis !

Relâche est le ballet des rêves qui ne donnent pas mal à la tête et qui ne font pas pleurer ; car pleurer est une suggestion, une invention des hommes, elle ne tardera pas à disparaître. Le soleil sèche les larmes mieux que la morale ; la plus vieille et la plus jeune tradition n'est-elle pas le soleil ?

PROGRAMME DE « RELACHE »**

CONTRE TOUS LES ACADEMISMES

Les Ballets Suédois sont les seuls qui « OSENT ».

Les Ballets Suédois sont les seuls représentatifs de la vie contemporaine.

Les Ballets Suédois sont les seuls qui puissent plaire au public international parce que Rolf de Maré ne pense qu'au plaisir de l'évolution.

Les Ballets Suédois sont les seuls qui sont vraiment contre l'académisme.

Les Ballets Suédois ne cherchent pas à être anciens, ne cherchent pas à être modernes ; ils sont en dehors des absurdités que l'on nous montre sous prétexte d'ART THEATRAL ; ils vont propager la REVOLUTION par un mouvement d'où les conventions sont chaque jour détruites pour y être remplacées par l'invention.

VIVE LA VIE

Les Ballets Suédois de Rolf de Maré ont promené à travers le monde les noms des plus grands auteurs, des peintres les plus modernes, des musiciens les plus hardis.

Les Ballets Suédois ont sauté à pieds joints par-dessus les lieux communs chorégraphiques. Ils s'en portent fort bien. Ils veulent du nouveau.

Le Ballet moderne, c'est la Poésie, la Peinture, la Musique autant que la Danse : synthèse de la Vie intellectuelle d'aujourd'hui.

---

* *Paris-Journal,* 29 novembre 1924.
** *La Danse,* novembre 1924[151].

165

Les Ballets Suédois méprisent tous les préjugés, ils vivent dans l'espace et non pas dans le temps.

Pour les Ballets Suédois le but est toujours le point de départ.

Les Ballets Suédois ne se réclament de personne. Ils ont l'amour du lendemain.

Les Ballets Suédois provoquent des enthousiasmes et des colères : c'est qu'ils vivent.

Et demain les Ballets Suédois iront encore plus en avant.

ET APRES TOUT

   VIVE LA VIE

      N'EST-CE PAS ?

RELACHE

Relâche, rose de feuille — feuille de rose ; guêpe de taille — taille de guêpe, cul de lampe, etc.

Relâche est un passage à niveau, un passage à nivache ; Relâche est lamentable — ou l'amant-chaise ! Et puis Relâche est la vie, la vie comme je l'aime ; la vie sans lendemain, la vie d'aujourd'hui, tout pour aujourd'hui, rien pour hier, rien pour demain.

Les phares d'automobiles, les colliers de perles, les formes rondes et fines des femmes, la publicité, la musique, l'automobile, quelques hommes en habit noir, le mouvement, le bruit, le jeu, l'eau transparente et claire, le plaisir de rire, voilà Relâche.

Relâche a été fait comme l'on abat neuf dix-sept fois de suite sans avoir maquillé les cartes.

Relâche a les plus belles jambes du monde, ses bas sont champagne, ses jarretières noires et blanches. Relâche, c'est le mouvement sans but, ni en avant ni en arrière, ni à gauche ni à droite. Relâche ne tourne pas et pourtant ne va pas tout droit ; Relâche se promène dans la vie avec un grand éclat de rire ; ERIK SATIE, BORLIN, ROLF DE MARE, RENE CLAIR, PRIEUR et moi avons créé Relâche un peu comme Dieu créa la vie. Il n'y a pas de décors, il n'y a pas de costumes, il n'y a pas de nu, il n'y a qu'espace, l'espace que notre imagination aime à parcourir ; Relâche est le bonheur des instants sans réflexion ; pourquoi réfléchir, pourquoi avoir une convention de beauté ou de joie ?

Il faut risquer les indigestions si l'on a envie de manger !

Pourquoi ne pas se ruiner ? Pourquoi ne pas travailler quarante-huit heures de suite si c'est notre plaisir ? Pourquoi ne pas avoir quinze femmes et pourquoi une femme n'aurait-elle pas cinquante-deux hommes si cela peut lui plaire ? Relâche vous conseille d'être des viveurs, car la vie sera toujours plus longue à l'école du plaisir qu'à l'école de la morale, à l'école de l'art, à l'école religieuse, à l'école des conventions mondaines.

166

EXPLICATIONS

Mon premier est une jolie femme portant une robe et un manteau de chez Jacques Doucet.

Mon second est un beau garçon brillant comme un diamant.

Mon troisième est un pompier décoré de la Légion d'honneur, il est là en cas d'incendie !

Mon quatrième est un chameau.

Mon cinquième ce sont des hommes en habit noir.

Mon sixième est la queue du chien.

Mon tout est un succès.

Qu'est-ce que c'est ?

(SUR RENE CLAIR)

J'ai donné à René Clair un tout petit scénario de rien du tout ; il en a fait un chef-d'œuvre : *Entr'acte*. L'entr'acte de *Relâche* est un film qui traduit nos rêves et les événements non matérialisés qui se passent dans notre cerveau ; pourquoi raconter ce que tout le monde voit, ou peut voir chaque jour ?

Entr'acte est un véritable entr'acte, un entr'acte à l'ennui de la vie monotone et des conventions pleines de respect hypocrite et ridicule. *Entr'acte* est une réclame en faveur du plaisir d'aujourd'hui, une réclame aussi pour l'art de la réclame, si vous voulez. Pourquoi ne mettrait-on pas ces mots sur un corbillard : « Il est mort parce qu'il ne buvait pas de quinquina Dubonnet » ; ou encore : « Il ne portait pas de chaussures Raoul. » Les gens superstitieux permettraient ainsi de faire fortune à bien des industries nationales.

Entr'acte ne croit pas à grand-chose, au plaisir de la vie, peut-être ; il croit au plaisir d'inventer, il ne respecte rien si ce n'est le désir *d'éclater de rire,* car rire, penser, travailler ont une même valeur et sont indispensables l'un à l'autre.

Je suis heureux d'écrire ces lignes, de dire ici publiquement combien j'ai été ravi de la collaboration de René Clair que je considère comme un des meilleurs metteurs en scène de notre époque ; grâce à lui, notre film *Entr'acte* est une merveille.

ROLF DE MARE

« Picabia, me dit un jour Erik Satie, venez déjeuner avec moi. Je veux vous faire connaître Rolf de Maré. »

Si j'avais bien souvent entendu parler de de Maré, je ne l'avais jamais vu. J'acceptai avec plaisir la proposition.

Le déjeuner eut lieu dans un restaurant suédois de Montparnasse ; de Maré arriva quelques instants après nous ; il plongea dans l'admiration une petite femme assise à une table voisine ; il ne s'en aperçut d'ailleurs pas.

« Francis Picabia, Rolf de Maré — ou Rolf de Maré, Francis Picabia », je ne me souviens plus exactement du protocole employé pour cette présentation, mais je suis certain d'avoir tout de suite ressenti un courant sympathique.

Cette rencontre avait un but : Satie voulait soumettre à de Maré un projet de ballet que je venais d'écrire : *Relâche*. Les yeux de notre interlocuteur, qui ne savent être que francs, me plurent infiniment ; ces yeux qui ont beaucoup vu et qui savent à quoi s'en tenir sur bien des choses, ont une expression de bonté clairvoyante et agissante, en plein accord avec une bouche intelligente, spirituelle, un peu dédaigneuse, une bouche de prince charmant ! Cette figure n'est pas voulue, composée, à l'exemple de celle de tant de nos vedettes du monde des arts ; ce n'est pas un masque, c'est un visage.

Au bout d'une heure de conversation, nous étions tout à fait d'accord, car de Maré n'use d'aucun détour, d'aucune combinaison. Il aime les ballets, ses ballets ; il le dit, il le prouve, il veut leur infuser de plus en plus de vie, de nouveauté, de force, et son œuvre a une bien plus grande importance qu'il ne le pense lui-même. Elle permet à toute une génération cosmopolite qui travaille à Paris de faire avec un but, avec la possibilité de s'exprimer librement, sans le paralysant souci de ce qui doit ou ne doit pas « plaire ».

Plus on apporte d'inventions à de Maré, plus il a de plaisir ; il ne désire certes pas le scandale, mais il ne le craint pas si ce qui peut le provoquer en vaut la peine à ses yeux — il le préfère même, je crois, à l'atmosphère créée par un certain public qui « comprend » les choses modernes à la façon dont les dévotes acceptent les miracles de Lourdes ! Maintenant que je connais l'énergie de la troupe des Ballets Suédois, son dédain de tout mercantilisme, et que je suis à même d'apprécier quelle foi intelligente la guide, j'ai tout lieu de croire que Rolf de Maré peut prétendre chaque jour davantage à accomplir cette évolution magnifique : l'art devenant un plaisir, qu'il s'agisse de peinture, de musique, de littérature ou d'architecture — l'art représentant son époque avec toutes ses possibilités, et laissant bien loin à l'état de souvenir le symbole de l'amateur, qui composait sous l'influence d'un marchand sa petite collection de tableaux, tel un petit garçon composant un album de timbres-poste !

Désormais, le théâtre peut tout réunir sans ennuyer le public, rien n'y est définitif ; c'est une ardoise merveilleuse, éblouissante aux renouvellements incessants et multiples.

Rolf de Maré travaille à cette réalisation, il y travaille avec son intelligence, son activité, son plaisir. Les fruits qu'il récoltera n'ayant pas poussés en serre chaude auront la saveur du plein air.

LES BALLETS SUEDOIS*

Les rastaquouères, les clergymen, les charlatans, les magistrats, les maquereaux, les généraux, les cambrioleurs, les croupiers, les filles publiques, les législateurs ne font qu'un : ils dansent sur le miroir de l'évolution infinie et définie des phares. Les yeux, les mains, les jambes, les bouches ne font qu'un quand ils font l'amour ; l'amour de la vie pour oublier la vie. Pour oublier dans les dentelles du plaisir, dans le parfum des danseuses nues et des danseurs en habits noirs.

Poésie des poésies, poésie du poète, poésie de l'éditeur, poésie de l'amour, poésie du papier, poésie des cambrioleurs, poésie des sénateurs ne font qu'un sur l'évolution indéfinie et définie des phares.

Les spectateurs sont les acteurs des acteurs, les danseurs sont les spectateurs des spectateurs, ils dansent sur le cadran des montres de platine, d'or, d'argent, de cuivre, d'acier, que les rastaquouères et les vicaires portent comme leurs décors.

Relâche n'est pas de la musique, n'est pas un ballet, n'est pas de l'art ; le jour où *Relâche* sera compris, il mourra, il mourra comme toutes les choses que nous comprenons trop... L'homme incompris peut vivre, l'homme compris n'a plus qu'à mourir.

Relâche traverse la boue de la vie et pour ne pas se salir montre ses bas de soie et ses jolies jambes.

POURQUOI « RELACHE » A FAIT RELACHE*

Il y a huit jours exactement, presque à la même heure, un spectacle bien plus beau que celui que nous pourrons présenter ce soir se donnait devant le Théâtre des Champs-Elysées.

Des yeux merveilleux, des coiffures éblouissantes, des robes, des manteaux somptueux étaient rassemblés là en l'honneur de *Relâche*.

Devant les portes fermées, on m'accusa d'avoir eu peur ! D'autres bruits fantaisistes circulèrent...

La vérité était bien plus tragique. Jean Borlin, écrasé par l'effort donné depuis plusieurs semaines, n'avait qu'une idée : se lever de son lit, courir au théâtre, danser *Relâche* ; mais ses forces le trahissaient, il ne pouvait pas même aller à la porte de sa chambre !...

---

* *Montparnasse*, 1er décembre 1924[152].
** *Comœdia*, 2 décembre 1924, p. 1[153].

Tous les êtres sensibles ne tardèrent pas à admettre la possibilité de ce que leur affirmaient les contrôleurs du théâtre, seuls quelques personnages, suivant leurs rancunes particulières, déclarèrent qu'il n'y avait là que fumisterie ou lâcheté !

Aujourd'hui, les portes sont grandes ouvertes et Jean Borlin complètement remis ; le public pourra juger si *Relâche* n'est pas l'œuvre la plus importante et la plus belle d'Erik Satie.

ENCORE UN PECHE MORTEL*

> *Le critique est toujours un*
> *faible et un déshérité.*
> *Nietzsche*

> *Le critique est un animal à*
> *idées molles.*

Faire la critique des critiques est chose bien osée pour un critique. Pourtant, il n'y a pas de raison de se laisser toujours injurier passivement !

Ce qui m'amuse dans l'ensemble des critiques que d'autres critiques ont eu plaisir à me lire, c'est le manque de personnalité qui s'en dégage ! Je ne sais si ces seigneurs se connaissent entre eux, mais on dirait qu'ils ont rédigé leurs élucubrations au sortir d'un conseil de famille, réuni en vue de donner un conseil judiciaire aux derniers êtres ayant encore quelque valeur à dépenser ! Parmi ces êtres, je n'hésite pas à dire bien simplement, bien timidement, que je range Erik Satie et Francis Picabia.

Les grands personnages, membres du conseil, nous déclarent lourdement que notre œuvre manque de nouveauté ! Je serais bien heureux de savoir ce que ces messieurs entendent par nouveauté, celle des Galeries Lafayette sans doute ? Ou peut-être la guérison de la goutte militaire ? Pour nous donner un exemple, messieurs, réunissez-vous donc tous ensemble (je ne peux raisonnablement vous demander de faire ça tout seul) et montrez-nous quelque chose de nouveau, quelque chose de nouveau, pas pour les commis voyageurs, mais pour les êtres sensibles à la muette transparence, à l'expression impondérable de notre époque.

Le rôle d'un artiste, si toutefois c'est un rôle, ce que je ne pense

---

* *Paris-Journal,* 20 décembre 1924.

pas, devrait être de raconter, de projeter hors de lui-même le centième de millimètre dont est faite notre acuité nerveuse.

Messieurs les critiques, je crois entendre que ce que vous baptisez nouveauté, c'est la nouveauté d'il y a trois ans, à laquelle vous commencez à vous habituer ! Encore faut-il qu'elle soit signée de noms ayant la même dimension que les vôtres : Messager, Levinson, Roland-Manuel, Félix Potin, Auric, Vuillermoz, Georges Pioch, Dufayel ! J'en passe, ils sont trop ! Bien que *Relâche* soit « vide », « imbécile », « vaniteux », tous ont écrit sur *Relâche* des colonnes et des colonnes ; que de temps perdu pour tout le monde, surtout pour ceux qui ont lu ! *Relâche* n'a pas été fait pour vous, mais pour quelques amis très chers et pour le grand public dont l'ensemble est devenu un ami pour nous ; voyez-vous, la critique, quoi que vous puissiez faire, ou plutôt à cause de ce que vous faites, perd chaque jour du terrain, et ce n'est pas vous qui empêcherez que Rolf de Maré soit bientôt le seul à Paris qui, en dehors de toute influence imbécile, arrive à imposer les seuls spectacles ayant vraiment une valeur et une originalité, pas plus que vous n'empêcherez le public de s'amuser à la représentation d'une œuvre parce que vous l'aurez décrétée ennuyeuse !

Il m'est bien difficile, n'étant pas musicien, de prendre la parole vis-à-vis de musiciens ; il me semble pourtant étrange de constater que tous ceux qui disent du mal de Satie l'ont imité. C'est d'ailleurs le seul intérêt qu'ils présentent jusqu'ici. M. Roland-Manuel, qui ressemble à un coq de village, devrait bien regarder sa musique dans une glace avant de la produire ; il a bien de la chance de pouvoir la dissimuler derrière les décors pleins de grâce asiatique de Foujita ! Cette musique me fait songer à un provincial qui se serait assis sur de délicieux gâteaux à la crème et garderait toute sa vie les petits fours de l'assiette collée à son derrière !...

C'est chose facile, messieurs, en parlant d'Erik Satie, de prédire son passé ! Moi, je vais vous prédire l'avenir, tout comme Freia : cet avenir, je ne le vois pas aussi brillant que celui de l'auteur de *Parade* ! Donnez-moi la main, M. Messager ! Vous êtes un artiste dont le train est parti... mais vous êtes arrivé à la panne ! Il ne vous reste plus qu'à repartir, la morgue n'est pas loin.

M. Roland-Manuel, vous risquez bien de faire ce même voyage, mais à pied et avec quelles bottines !...

Auric, vous ressemblez trop à Beethoven lorsqu'il devint sourd et aveugle ; cela me trouble pour suivre les lignes de votre main.

M. Aymard, M. Aymard, ne parlez pas avec autant de désinvolture des paradis artificiels...

Levinson, vous ferez une grave maladie, dont vous mourrez l'année prochaine : avant de trop maigrir, vendez-vous au poids !

Puisque vous ne voulez pas payer la consultation plus de cent sous, Vuillermoz, je ne vous dirai rien du tout !

171

Les autres ? Ils n'ont pas voulu ouvrir la main ; ils ont peur, je crois. Je ne ferai pas l'effort nécessaire pour regarder ce qu'il y a dedans !

Dans la main de Satie, j'ai lu quelque chose qui m'a fait un certain plaisir : il les enterrera tous et il ira regarder leurs tombes anonymes, où se lira cette seule inscription : « Ci-gît un critique ! » J'allais écrire un crétin ! Excusez-moi.

Francis Picabia, le vaniteux

"J'aime mieux les entendre crier qu'applaudir"

F. P.

1925-1932

PICABIA M'A DIT*...

... avant *Cinésketch* au Théâtre des Champs-Elysées

Oui, mon cher, moi, Picabia, j'ai écrit une revue, un sketch plus exactement, pour terminer l'année sur une note gaie, ou du moins pour y tendre... Quelle mouche m'a piqué ? Mais c'est bien simple, voici le point de départ : jusqu'à présent, le cinéma s'est inspiré du théâtre, j'ai essayé de faire le contraire en apportant à la scène la méthode et le rythme vivants du cinéma.

Y aura-t-il un sujet ?

Oui, une petite histoire, mais enrubannée d'un tas de détails colorés. Ainsi je reconstitue un tableau de Cranach, le seul peintre que je trouve actuellement supportable : on verra surgir dans une cuisine cette évocation d'Adam et Eve. Les personnages seront intégralement nus, j'aime mieux vous le dire tout de suite pour qu'il n'y ait pas de malentendu. Marcel Duchamp et Francine Picabia, une de mes enfants psychiques, feront revivre cette toile charmante.

Vous verrez un cambrioleur : Marcel Levesque... Un amant très élégant, Marcel Bain. Une baronne, la baronne Doubles. Cette gracieuse personne que vous voyez là-bas, au premier rang d'orchestre, près de Jeanne Pierly et de Maria Ricotti, sera pour la circonstance la plus aimable des cuisinières. Il y a même un mari...

Il en faut...

Oui, c'est M. Fournier... Jean Borlin sera un sergent de ville et Mlle Bonsdorff, une femme nue... Le tout accompagné du premier jazz-band de New York, le Georgiew's... Avec cela un arrosage de lumière... Les gens disparaissant sous des douches de lumières vertes, roses et jaunes... Comme décors ? Une cuisine, un couloir et une chambre à coucher, dont les murs seront recouverts de craie... Voilà, vous avez maintenant une idée très précise de ce que sera *Cinésketch*...

---

* *L'Action*, 1er janvier 1925, p. 4. L'interview est signée Paul Achard[154].

(Réponse à une enquête*)

Je pense, étant donné la mentalité qui existe chez la plupart des artistes actuels, même chez ceux qui ont une réelle valeur, que le musée le plus indiqué pour leur production c'est le grand magasin de nouveautés !

(Réponse à un journaliste**)

Il n'y a rien qui puisse plaire toute la vie, excepté la vie, *me dit Picabia*. Ici on goûte la joie de vivre. Les gens qui vivent dans les pays sans soleil ne la connaissent pas. Il fait chaud parfois ? C'est entendu ! Mais à Paris aussi. Seulement, à Paris on cuit à l'étouffée. Ici, si l'on cuit, c'est à la rôtissoire, c'est-à-dire avec de l'air. Et, d'ailleurs, j'adore les bains de soleil.
Travaillez-vous encore pour la scène ?
Je ne crois pas. Mais j'ai donné à un directeur de music-hall une idée d'attraction qui pourrait être drôle : une course de peintres ! Un modèle sur la scène et dix peintres des écoles les plus diverses, dans des boxes séparés. Celui qui finit le premier le portrait a gagné ! On peut faire un chef-d'œuvre en cinq minutes et on peut travailler cinq ans pour donner le « chef-d'œuvre inconnu » de Balzac, c'est-à-dire une toile blanche.

(Sur la spéculation foncière**)

Je veux me livrer, moi aussi, à la spéculation. Je vais construire dans mon jardin un faux cimetière ! Les terrains voisins perdront immédiatement de leur valeur et je pourrai les acquérir à bon compte. Je n'aurais plus qu'à démolir mon faux cimetière et à aller recommencer ailleurs l'opération !

---

* *L'Art vivant*, 15 août 1925, p. 37, « Les grandes enquêtes[155] ».
** *L'Eclaireur de Nice*, 6 septembre 1925, p. 3. L'article intitulé « Hôtes d'été », était signé Paul Gordeaux.

SOLEIL*

Avez-vous remarqué que les êtres fatigués ne sont jamais fatigants ?

J'entends par « fatigués » ceux qui sont incapables de participer aux joies de la guerre ou des vêpres, à la gloire des expositions chez le marchand en vogue, au triomphe du grand mariage en musique à la Madeleine, l'émotion causée par la vue de ces décorations qui ornent les poitrines ainsi que les croix ornent les tombeaux ; ceux qui ignorent le plaisir de mettre les animaux en cage, l'exaltation de posséder une femme qui soit une spectatrice sans cesse en émoi devant leur haute intelligence, ceux qui sont insensibles au bonheur procuré par de belles relations ou le tirage de leur roman à trente millions d'exemplaires. Enfin tous ceux qui n'aiment dans la vie que la qualité, la finesse des choses et vivre au « petit bonheur » dans la vallée lumineuse de l'invention inutile. Suggestion nouvelle peut-être, mais dont l'intérêt ne réside pas en une exhibition offerte par les chapelles à la mode dont certains malheureux peintres espèrent l'hospitalité, comme les sous-officiers espèrent les galons.

Il est curieux de voir combien de soi-disant indépendants sont rapidement devenus dépendants. Dépendants comme une vieille fourrure du Faubourg-Saint-Germain qui ne pense qu'à l'impression qu'elle produira sur une autre vieille dame fourrure. Ils font des rétrospectives, ils ambitionnent les honneurs. Les Indépendants deviennent un Salon pour les morts, les grands morts et, dans ce pauvre Salon, il n'y a même pas la haute et noble gloire du peintre inconnu ; ils sont trop célèbres ; l'inconnu, comme celui qui se fait mettre à la porte parce qu'il manque de respect à ses confrères, cela consiste à moutonner, à panurger au milieu d'un marécage fétide sur lequel flotte lourdement le petit appât si convoité.

L'idéal des hommes c'est de devenir impotents, comme une statue. Pauvres statues qui n'ont pas même le côté pratique et utilitaire du sel.

Le peintre actuel est à la recherche d'un genre, un genre bleu et rose, ou rose et bleu, rouge et noir, noir et rouge. Les Égyptiens deviennent des acrobates au service de collections que rien ne différencie de celles de timbres-poste sinon qu'elles sont plus encombrantes.

Il me semble qu'une femme, ayant du caractère, reste la même, qu'elle soit en costume de bain, nue, en toilette de soirée. On la reconnaît de loin, sans qu'elle soit obligée, pour cela, de se faire une croix sur les fesses ou sur le nez. Pourquoi ces spécialités picturales ? Ces peintres de natures mortes, de natures vivantes, ce peintre

---

* *Paris-Soir,* 5 mars 1926, p. 1.

d'intérieurs, ce peintre de négresses, ce peintre de femmes mécaniques, ce peintre de cubes ? Cela me fait penser aux accoucheurs, aux psychiatres, aux vétérinaires exclusivement réservés aux petits chiens loulous. La véritable personnalité est plus forte et plus complète.

Un être qui a du génie peut le montrer partout et, copiant *Le Radeau de La Méduse,* en faire un plat de crevettes roses comme une assiette bleue. De braves révolutionnaires pleins d'ardeur ont critiqué Ziem[156], Charles Jacques[157], Henner[158], Didier-Pouget et ils font la même chose, mais avec un système à la mode. Cela va bien avec le Louis-Philippe ou le Napoléon III.

Zut, zut et zut, quel ennui se dégage de ces souks sans soleil. Ces gens-là me donnent l'impression de femmes de chambre voulant jouer à l'impératrice moderne de la peinture moderne, reconnue d'utilité publique. La seule peinture qui me plaise, c'est la peinture d'inutilité publique, celle qui représente la vie ; c'est celle de demain pour les sots, presque celle d'hier pour l'être sensible dont le cerveau fait de radium enferma à la fois les deux pôles actif et réceptif.

Entre un Comité d'exposition de peinture et la Chambre il n'y a qu'un pas. Mêmes ambitions, mêmes comédies d'idéal, mais, au fond, la course à la pièce de cent sous que l'on déguise en Sainte Vierge pour les besoins de la cause. Pourquoi tant de blagues et d'hypocrisie, pourquoi ne pas s'avouer, ne pas avouer que tout est affaire ? Vendre de la politique, de la peinture, de la littérature, c'est en somme un commerce, et tout aussi respectable que celui qui se trafique à Lourdes. Je crois qu'il faudrait avant tout supprimer l'absurde auréole semblable à celle dont on adorne les saints et qu'on distribue avec autant de facilité que les palmes académiques, à tous les soi-disant grands artistes. Une œuvre riche d'invention a de la valeur ; l'école qui se crée autour d'elle n'est qu'absurdité.

Chers amis, méfiez-vous de la panne. Un moteur a besoin d'air frais. Les promenades se font sur les grandes routes, non dans l'atelier, et ce sont les gens fatigués qui conduisent le plus longtemps vers l'horizon inconnu.

A PROPOS DE BOTTES*

La vie est faite d'imprévus sur lesquels on peut toujours miser ; voici l'aventure arrivée à un jeune peintre étranger — il y a encore des étrangers ! — et prouvant surabondamment que le meilleur peut engendrer le pire — et réciproquement !

Ce jeune homme arrivant à Paris, qu'il rêvait de conquérir, se mit en devoir de fabriquer un tableau aussi extraordinaire que possible ;

---

* *Le Journal des hivernants,* janvier 1927, p. 10-11[159].

après huit à dix heures d'efforts, il arriva à constituer une jolie toile bien moderne — du moins c'est ainsi qu'il la jugea. Les encouragements les plus flatteurs ne tardèrent pas à lui être prodigués, des artistes influents lui suggérèrent d'exposer dans un Salon d'avant-garde : il s'empressa de les écouter.

Le jour du vernissage, après s'être minutieusement fabriqué une toilette négligée, il s'en fut, important et rêveur, se promener alentour de ses œuvres, afin de recueillir les louanges — ou les cris d'horreur — que le public se croit obligé de dispenser aux tableaux d'apparence géniale, qu'il ne comprend pas ! Une jeune femme, devant la cimaise, examinait avec un intérêt passionné les envois de notre jeune artiste ; couverte de perles et de fourrures, elle apparaissait tel un magnifique objet d'art, incarnation vivante de notre belle civilisation. Elle semblait fascinée par l'apparente nouveauté de ce qu'elle contemplait, mais tout à coup, illuminée, elle s'écria : « Dieu me pardonne !... cette peinture... mais... il n'y a qu'à marcher dedans pour avoir du bonheur toute sa vie ! » Puis, se faufilant, elle se perdit dans la foule. Notre peintre qui avait tout entendu, en demeura là, stupide ; le choc avait été si rude pour cet être fin, autant qu'ambitieux, que l'on fut obligé de le transporter dans une maison de santé (de santé est ironique !). Après quelques jours d'hydrothérapie et de calmants administrés à haute dose, il en sortit guéri. Cependant, il conservait une idée fixe : « Marcher dedans, bonheur toute la vie ! » Ces paroles de la belle inconnue lui revenaient sans cesse, nuit et jour, l'obsédaient de leur cadence, si bien que, devenu la proie d'un véritable état second, il s'en fut chez un bottier en renom chercher, parmi les plus grandes pointures, des bottines auxquelles il demandait, avant tout, des semelles du ton le plus délicat et du grain le plus souple ! Lorsque le fournisseur, étonné, lui eut remis son achat, il s'en fut à son atelier et s'empressa d'installer sur son chevalet les précieuses bottines ; puis, il se mit en devoir de peindre, sur chacune des semelles, un délicieux tableau... Très impatient il employa le Ripolin, qui sèche vite et qui donne des glacis mystérieux ; ainsi, dès le lendemain, chaussé de ses chefs-d'œuvre, il partit à la recherche du bonheur promis. Hélas ! il le trouva très vite sous la forme de la misère.

Car dès qu'il avait vendu un tableau, le temps d'arriver chez le client, sa peinture trop fragile avait disparu ! Qu'importe, il recommençait sans craindre de se plagier, rien ne subsistant de son œuvre précédente ; il se considérait comme un grand modeste, un grand méconnu, ce qui console de tout ; puis il avait trouvé l'espoir du lendemain, gardait l'idée fixe — l'idée arrêtée — que les psychiatres considèrent comme dangereuse et qui est cependant intimement amalgamée à la matière grise dans le cerveau de l'homme de génie !

J'aurais voulu être heureux à la manière de ce peintre, malheureusement j'ai horreur du génie ! Tomber dans le génie, c'est comme tomber dans... c'est l'histoire de mon peintre, c'est « marcher » dans sa peinture ! Ce mot bien moderne de génie a engendré la plus panurgique bêtise. Il peut se traduire le plus souvent par impersonna-lité, les limites de génie sont déterminées, un homme de génie est enfermé pour toujours dans son génie comme dans une boîte et travaille dans un cercueil. Il faut peindre ou écrire de la même façon qu'on aime ; moi, pour travailler, je m'assieds dans une gondole, je demande à mon batelier habillé en danseuse de me chanter « *O sole mio »,* mon pinceau se promène sur les rahat-loukoums bleus, verts et roses des illusions réelles. J'aime mieux les fleurs que les racines, elles sont plus faciles à voir et moi qui voyage en gondole je suis devenu paresseux, fatigué des tableaux *modernes* qui semblent sortir de laboratoires, destinés à certains Américains chauves ou eunuques qui montent un musée de la même manière qu'ils le feraient pour un muséum d'histoire naturelle où l'on ne verrait que des squelettes étiquetés !

Fausses sont les routes (oui, chers surréalistes, il y a de fausses routes) qui conduisent au scandale par la cupidité. J'ai fait scandale, certes, et sans doute plus que personne, mais si vous saviez combien je l'ai peu cherché ! Combien j'en ai été étonné moi-même ! Alors que je croyais peindre des fleurs, les fleurs du Bien, le public voyait tout autre chose et concluait à la folie, à l'arrivisme, que sais-je ?...

Pour peindre il faut être amoureux de ce que l'on fait et l'amateur devrait être amoureux de ce qu'il achète ; sans se préoccuper ni de la hausse, ni de la baisse possibles. L'homme qui se ruine pour une maîtresse à laquelle il tient songe-t-il à ce qu'elle coûterait à un autre ? Je le répète il faut aimer, aller à ce que l'on aime sans réfléchir, sans préoccupations étrangères.

Peut-être une petite femme a-t-elle pensé, ou dit, devant mes œuvres ce que le peintre dont je vous ai conté l'histoire avait entendu devant les siennes ; seulement, je ne l'ai pas imité, ce n'est pas sur mes semelles que je peins mes tableaux, c'est sur mon cœur ; comme il bat toujours violemment, il leur donne la vie et à moi l'illusion : c'est ma façon d'être heureux.

« ENTR'ACTE »
UN PEU DE PICABIA AU STAR*

Entr'acte est un petit film dont j'ai fait le scénario, mon ami René Clair l'a merveilleusement compris et adapté à l'écran. *Entr'acte* servait d'entr'acte à mon ballet *Relâche* dont Erik Satie écrivit la musique. La musique de Satie me semble inséparable d'*Entr'acte*. De *Relâche* je ne puis que répéter ce que j'ai déjà écrit au moment des représentations données au Théâtre des Champs-Elysées : *Relâche,* rose de feuille, feuille de rose : guêpe de taille, taille de guêpe ; *Relâche* est un passage à niveau. *Relâche* est lamentable — ou l'Amant-chaise ! *Relâche,* c'est la vie, la vie comme je l'aime ; la vie sans lendemain, la vie d'aujourd'hui, tout pour aujourd'hui, rien pour demain.

Les phares d'automobiles, les colliers de perles, les formes fines et rondes des femmes, la publicité, la musique, quelques hommes en habit noir, le mouvement, le bruit, le jeu, l'eau transparente et claire, le plaisir de rire, voilà *Relâche* !

Relâche a été fait, comme l'on abat neuf, dix-sept fois de suite, sans avoir maquillé les cartes !

Relâche, Entr'acte se promènent dans la vie avec un grand éclat de rire ; Erik Satie, Borlin, Rolf de Maré, René Clair et moi les avons créés un peu comme Dieu créa la vie, dans un instant de bonheur sans réflexion ; pourquoi réfléchir, avoir une convention de beauté ou de joie ?

Je vous montre *Entr'acte*, c'est l'enterrement d'un prestidigitateur, Jean Borlin l'interprète, l'enterrement part dans la vie comme un enfant vient au monde, il part et traverse Paris en passant par Magic-City, il est un incident au milieu d'autres incidents. Le corbillard est traîné par un chameau, ce chameau symbolise le désert et, comme tout symbole, il est faux car il n'y a pas de désert ou, mieux, tout est désert : Paris et New York comme le pôle Sud.

Le prestidigitateur dans son cercueil reste en contact avec les péripéties de la vie, la mort ne met à l'abri de rien, ni des automobiles, ni des danseuses, ni des bateaux ; pas même de l'accident ! Le chameau se détèle, le corbillard part seul, à l'aventure, et capote !

La où un vivant trouverait la mort, le cadavre retrouve la vie, mais dégoûté, sans doute, le prestidigitateur, de sa baguette magique, fait disparaître tout le monde et lui-même.

Vous le voyez, ce petit film ne veut rien dire, car il n'y a rien à comprendre dans la vie, nous ne pouvons qu'en constater et accepter les conventions.

---

* *Le Journal des hivernants,* janvier 1927, p. 19[160].

UNE PROFESSION DE FOI DE PICABIA
LUMIERE FROIDE*

N'ayant jamais été croyant, j'ai été forcé de me fabriquer une âme parce que j'aime aimer. Mon âme croit en moi et moi... à ce que je veux !

On m'a toujours dit que j'étais peintre, je n'en sais rien ; enfant je me suis servi de couleurs, ces couleurs ont formé un tableau, puis un autre et encore d'autres mais c'est toujours le même. C'est « Petit chien », « L'enfant carburateur », c'est « Perroquet » ou « Martigues », c'est « Séville », c'est « New York », c'est « Paris », « Londres », « Monte Carlo » ou « Bécon-les-Bruyères » ; c'est « Udnie », c'est « Dada », « Oliviers », « Espagnoles » ; c'est la mer, le soleil, une blague.

Tout peut être, ou ne pas être, une blague, n'est-ce pas ? Les choses n'ont que la valeur qu'on leur accorde. Pourtant il ne faut pas confondre la force et la mode ; la force s'élève, la mode reste petite et mesquine, mesquine comme le communisme, donc imbécillité. Mussolini peut être un fou dangereux, inquiétant, il me sera toujours plus sympathique que l'effigie d'un Lénine, sculptée dans une telle matière que les hommes se la partagent comme les petits morceaux de sucre qu'on donne aux chiens !

Je me suis fabriqué une âme afin qu'elle ne ressemble pas aux autres et j'évite ainsi la douloureuse impression que me laissent les réunions populaires, qu'elles se tiennent dans les fêtes, pour une autre ambition — aussi bien que dans les caves où les rats font leurs nids...

Les pauvres révolutionnaires, faits en série, portent leur étiquette-réclame comme un drapeau ; leurs niches sont trop étroites pour mon âme de loup.

11 décembre 1926 à Mougins A.-M.   Francis Picabia

---

* *Ibidem*, p. 20-21 (fac-similé de l'écriture de F.-P.).

Lumière froide

N'ayant jamais été croyant, j'ai été forcé de me fabriquer une âme pour que j'ose aimer. Mon âme croit en moi et moi..... à ce que je veux!

On m'a toujours dit que j'étais peintre, je n'en sais rien enfant je me suis servi de couleurs, ces couleurs ont formé un tableau, puis en outre et encore d'autres mais c'est toujours le même. C'est "Petit chien", "L'infant Carburateur" c'est "Perroquet" ou "Martigues", c'est "Séville", c'est "New York", c'est "Paris", "Londres" "Monte-Carlo" où Becon-les-Bruyères", c'est "Udnie", c'est "Dada", "Oliviers", "Espagnols"; c'est la mer, le soleil, une blague

tout peut être, ou ne pas être, une blague, n'est ce pas? Les choses n'ont que la valeur qu'on leur accorde. Pourtant il ne faut pas confondre la force et la mode; la force s'élève, la mode reste petite et mesquine, mesquine comme le communisme, donc imbécillité. Mussolini peut être un fou dangereux, inquiétant. Il sera toujours plus sympathique que l'effigie d'un Larousse, sculptée dans une telle matière que les hommes se la partagent comme les petits morceaux de sucre qu'on donne aux chiens.

Je me suis fabriqué une âme afin qu'elle ne ressemble pas aux autres et j'évite ainsi la douloureuse impression que me laissent les réunions populaires, qu'elles se tiennent dans les fêtes, pour une autre ambition — aussi bien que dans les caves où les rats font leurs nids...

Les pauvres révolutionnaires, faits en série, portant leur étiquette - réclame comme un drapeau; leurs niches sont trop étroites pour mon âme de loup.

Francis Picabia

11 Décembre 1946 à Mougins A.M.

184

PICABIA CONTRE DADA OU LE RETOUR A LA RAISON*

*Un rien agite la pétaudière universelle qui
s'auréole de la modernité
Ne vous êtes-vous donc pas aperçus que le goût
du monde avait dégénéré en ivrognerie.*

Christian[162]

A mon ami René Clair

Maisons en ciment armé, cuisine au Tip, lapin-chinchilla, perles d'ablettes, écaille en celluloïd, automobiles en carton mâché, crocodile en peau de chameau, peau de chameau en pégamoïd, pégamoïd en faux pégamoïd : voilà notre époque !

Le goût, le besoin peut-être, d'aller vite, sans savoir où, avec un maximum d'apparences, le désir d'égaler ou d'égaliser, nous a menés à l'abolition des différences, à la négation de la qualité des êtres et des choses ; la finesse a disparu, étouffée sous le clinquant. De plus en plus les doublures s'emparent des premiers rôles, on estime une femme au poids de ses bijoux, et les perles fausses pèsent le poids des vraies ! C'est le règne absolu de l'ersatz. Mais voici qu'à ses côtés la neurasthénie est apparue et domine le monde ; les hommes sont tristes, déçus dans leurs espoirs parce qu'ils n'y mettent plus d'idéal.

Dans un besoin ancestral de croire à quelque chose, ils demandent à l'argent de leur donner l'illusion de l'amour ou de la gloire. Or, à mon avis, l'argent est le meilleur bouillon de culture où puissent pulluler la mauvaise foi, la muflerie et la prostitution, et cela parce qu'il s'est répandu partout, parce qu'il est manié par des mains maladroites, trop faibles pour sa puissance.

Et voilà la plaie de l'égalité. En place de chercher à diminuer les forts au profit de la masse, on devrait leur faciliter les moyens de s'exploiter eux-mêmes, c'est la seule façon de défendre ce qu'il y a de plus beau, de plus sublime dans la vie : aimer.

Le socialisme n'a été inventé que pour les médiocres et les imbéciles. Voyez-vous le socialisme, le communisme en amour, en art ? Ce serait à se tordre de rire si nous n'étions menacés d'en subir les conséquences.

Les hommes qui ont inventé ces mots ridicules n'étaient que des ambitieux cupides ; ils ont ouvert les portes à des personnages nuls, pillards, bavards sans vergogne. Actuellement, un pays où le clan des non-valeurs chercherait à couper la tête à ceux qui représentent une

---

* *Comœdia,* 14 mars 1927, p. 1[161].

force, une intelligence, une aspiration au mieux, serait un pays fini ; plus tard peut-être, quand le monde se sera beaucoup refroidi et qu'il y aura quatre-vingt-dix degrés au-dessous de zéro !...

Croyez bien que mon intention n'est nullement de parler politique, c'est une chose dont j'ai profondément horreur, mais notre vie est à ce point comique que tout est mêlé à tout et les arts n'échappent pas à cette loi.

J'ai inventé le dadaïsme ainsi qu'un homme met le feu autour de lui, au cours d'un incendie qui gagne afin de ne pas être brûlé, et nous étions plusieurs à donner le meilleur de nous-mêmes au centre de ce cercle infernal ; maintenant, nous touchons à la fin du drame et voici que certains qui n'en furent que les spectateurs attardés, sans y avoir rien compris, essaient sottement d'imiter ceux qui risquèrent tout pour se sauver du péril démocratique de la vulgarisation ; ils s'époumonent sur les braises encore rouges, mais le feu s'éteint vite, car ils n'ont pas de souffle.

L'art ne peut pas être démocratique, croyez-vous que l'ouvrier, qui sait ce que c'est, ait envie d'une gueule démocratique pour orner sa chambre à coucher ? Mais non ! il rêve de belles femmes, de Versailles, d'honneur et de propreté. Il faut bien tendre vers quelque chose de plus haut que soi, sinon à quoi bon l'effort, et sans l'effort comment établir une sélection ?

Les montagnes ne peuvent être à l'envers, ce qui s'élève se termine en pointe et sur cette pointe il y a peu de place ; pour y arriver, il faut être soutenu par l'amour que l'on porte en soi et qui n'est autre chose que le désir d'aimer, pour s'y maintenir il faut croire à sa propre force. Sur les pentes arides qui mènent au sommet il ne faut pas avoir peur d'écraser les reptiles, de fusiller les chacals qui suivent la caravane avec l'espoir de la dévorer ou tout au moins de se repaître des provisions qu'elle emporte pour le dur voyage... de là-haut, déjà, nous apercevons les clowns, costumés en habits noirs, qui se disputent entre eux les restes laissés par nous, ils s'acharnent sur les cadavres du cubisme et du dadaïsme ; affamés par le vide de leur cerveau, ils ont peur de mourir d'inanition...

De l'amour ils ont fait des vices, l'amour est devenu la p..., il y a aussi les p... de l'art...

Idéal, Amour, l'époque est mal choisie pour prononcer ces mots, le public commence à s'habituer aux laideurs, à y prendre un goût maladif !

Peut-être est-ce le moment pourtant de lui dire la vérité, de lui crier casse-cou ; il faut qu'il apprenne à discerner le vrai du faux, l'or du doublé, il faut qu'il se donne la peine de se regarder avec des yeux neufs, il faut qu'il acquière un contrôle propre, en dehors de toute influence, il faut qu'il réapprenne ce qu'est une belle forme et une belle conscience, alors il retrouvera la joie de vivre.

Votre petite caravane survivra, car nous sommes tous croyants, nous rejetons loin de nous ceux qui voudraient se faire passer pour ce qu'ils ne sont pas, ceux qui aiment, peignent ou écrivent comme on vide du poisson et cherchent à faire commerce de cette tripaille !

Notre petite caravane monte avec courage et tend la main aux hommes de bonne volonté.

Mougins, février 1927

REPONSES A GEORGES HERBIET*

Permettez-moi de vous questionner sur la peinture et sur ce que vous pensez qu'elle devrait être ?

Les peintres modernes ne devraient pas penser s'ils sont modernes ou non ; ils devraient s'attacher à gagner leur vie au moyen de la peinture comme on peut arriver à la gagner en jouant aux échecs ou en fabriquant des automobiles. Malheureusement, tous les défroqués de la religion se sont froqués à la peinture.

Quelle serait votre conception... synthétique ?...

Ma conception de la peinture ?... c'est de l'oublier et de la voir comme un plaisir optique, car, à mon avis, tout est décoratif.

Dans cet ordre d'idées, pourriez-vous me désigner des tendances que vous préféreriez à d'autres ?

Il m'est impossible de faire des classifications. Ce que je reproche aux peintres c'est d'avoir peur de perdre leur modernisme aussi bien au point de vue chapelle qu'au point de vue marchands de tableaux. Ils en sont venus à faire de l'autopeinture comme d'autres font de l'autophagie.

Quel est donc à votre avis le plus mauvais peintre ?

Celui qui fait la meilleure peinture.

Il me semble comprendre par ce que vous venez de me dire que vous éludez la formule.

Peut-être. La peinture pour moi réside dans le plaisir de l'invention. Ce qui me ferait le plus de plaisir ce serait de pouvoir inventer sans peindre. La facture d'un tableau ne m'amuse guère et la peinture m'ennuie.

Si l'invention est votre plus mobile, n'avez-vous pas fait une recherche de la matière ? Sur quelle matière aimeriez-vous le mieux peindre ?

Raphaël peignait sur des nuages, moi, je peindrais sur de l'eau de Seltz.

---

* *This Quarter*, vol. 1, n° 3, printemps 1927, p. 297-300[163].

Vous rendez-vous compte que de tels raisonnements ne vous ont pas empêché d'occuper aujourd'hui la place la plus éminente dans le monde des arts ? A quoi l'attribuez-vous ?

C'est une question à laquelle je n'ai jamais songé, dont l'ennui que j'éprouve à regarder mes confrères me donnerait peut-être conscience. Pensez donc au nombre de génies qui surgissent chaque jour !

Enfin, croyez-vous qu'un homme ou qu'une exposition puisse avoir actuellement une influence sur les arts d'application ?

Extrêmement faible et pas immédiate mais forcément une. Si l'on voulait garder une personnalité très objective je considère qu'il ne faudrait pas exposer et pour ainsi dire ne jamais rien montrer à personne.

Est-il indiscret de vous demander si vous reniez votre ancienne peinture ?

Je ne m'en souviens plus !

Mais ne pourriez-vous pas me nommer le meilleur tableau que vous avez fait ?

Tous, même ceux que j'ai crevés, car chacun m'a donné pendant une seconde l'impression que c'était le meilleur.

Il se dégage de tout cela l'idée que vous ne pouvez rien prendre au sérieux.

Si je prends une chose au sérieux, c'est de ne rien prendre au sérieux.

Mais qu'entendez-vous par sérieux ?

Par sérieux, j'entends la suggestion et la convention établies par des hommes et qui deviennent un uniforme semblable à celui du chasseur alpin.

Serait-ce parfois le motif de votre éloignement de Paris ?

Mon éloignement de Paris, c'est à cause d'un grand besoin de soleil.

Je ne puis pas croire toutefois que votre éloignement de Paris puisse vous écarter des évolutions artistiques. Vous aimez l'activité et la vie ; que pensez-vous du proche avenir des arts ?

Le domaine des arts existera toujours s'il est régi par des hommes jouissant de leur majorité.

Pourquoi vous êtes-vous occupé de littérature ?

Parce que c'est de la peinture.

Ce moyen d'action vous semblait-il préférable ?

Cela dépendait des hommes et des jours.

Et pour quelle raison avez-vous donc abordé le théâtre ?

Parce que vivement sollicité par Erik Satie et Rolf de Maré, l'assurance m'avait été donnée d'y pouvoir faire ce que je voulais en dehors de toute ingérence directoriale contraire au moindre amusement. C'est la même assurance qui m'a engagé à créer un film comique.

Pourquoi vous êtes-vous toujours amusé à détruire les mouvements artistiques que vous avez créés ?

Par amour de mon prochain.

Quel est donc votre sens du comique ?

Celui d'outrager le respect sans aucune espèce de répétition.

Vous tenez dès lors au scandale ?

Non ! parce que le scandale est un poteau d'arrivée.

Songeriez-vous à continuer vos essais au cinéma ?

Oui, si je trouvais un commanditaire qui ne songeât pas à faire un film commercial, car il n'y a pas de film plus anticommercial que celui qui se fait un but du commerce.

Par ce que je connais de vos diverses productions, je pense pouvoir conclure que vous n'écartez aucun moyen d'affranchissement. Si ce n'est pas trop vous demander, que pensez-vous de la femme d'aujourd'hui ?

La femme d'aujourd'hui a choisi pour son plaisir ce qui n'était jusqu'alors qu'un dérivatif à l'ennui des hommes et a pris par conséquent le côté masculin le plus ennuyeux de la vie.

Quelle est à votre avis la plus belle femme ?

Celle qui m'a le mieux violé.

Il est inutile, je pense, d'en faire une question de personnalité. Et pour ne pas abuser davantage de votre bon vouloir veuillez me dire la raison qui vous a fait vendre tous vos tableaux à M. Marcel Duchamp.

Parce que c'est le seul homme qui me l'ait proposé[164].

Christian

189

« ENTR'ACTE* »

Entr'acte est un film dont j'ai fait le scénario, ce qui compte peu ! La réalisation en était compliquée, mon collaborateur René Clair s'y est employé de façon prestigieuse et j'ai éprouvé le plus vif plaisir à voir réalisé ce que j'avais conçu.

Entr'acte est un entr'acte au Cinéma, un entr'acte aux suggestions, un entr'acte à l'idée de mercantilisme.

Le Cinéma auquel on nous a habitués, comme le Théâtre, me fait songer à une histoire bien représentative : un de mes amis ayant acheté un singe magnifique « qui lui ressemblait comme un frère », c'est dire qu'il avait une grande personnalité, de retour chez lui l'enferma dans une pièce afin de savoir ce que ferait ce quadrumane lorsqu'il serait seul ; il attend un moment, puis vient coller son œil sur la serrure de la porte et il voit... il voit, de l'autre côté de cette serrure, l'œil du singe qui le regarde ! C'est sans commentaire et vous avez tous compris.

Tous nos bons scénaristes sont des singes qui regardent par le trou de la serrure. *Entr'acte* lui, est la Serrure, serrure sans clef, où les gestes, les actions des personnages, évoluent en liberté.

Il y a un corbillard qui devrait servir de réclame à des produits pharmaceutiques : « Il est mort parce qu'il n'employait pas le sérum Nader — ou le Boding-Didi. » Le corbillard est traîné par un chameau, pourquoi ? je n'en sais rien, les assistants mangent les couronnes parce qu'elles sont en pain et qu'ils ont faim, pourquoi ont-ils faim ? Il y a une danseuse que l'on voit par en dessous, pourquoi ? Je voudrais toujours voir les danseuses par en dessous ! Le corbillard passe par Magic-City, avant de s'arrêter au cimetière le mort passe dans les montagnes russes, pourquoi ? je n'en sais toujours rien, mais cela me semble naturel, et ainsi de suite.

A la fin, c'est la chute du corbillard, La Vie a trop précipité sa marche, seul un cul-de-jatte a pu suivre le convoi mortuaire ! Dans sa chute le cercueil s'ouvre, il en sort un prestidigitateur dans le plus merveilleux costume, couvert de médailles, il fait disparaître avec sa baguette magique le cul-de-jatte et tous ceux qui l'ont rejoint, il se fait disparaître lui-même trouvant peut-être que c'est trop fatigant d'être mort... Et le public sort de la salle en disant que Francis Picabia doit se ficher du monde.

* *This Quarter*, vol. I, n° 3, printemps 1927, p. 301-302.

SUZETTE*

La même, pourquoi ?
Comme les aristocrates,
La même difficulté
Dans la rue de soi-même.
Comme le thème d'une chanson ;
Jusqu'à l'infini des instincts nécessaires.
Je pense à l'indépendance à bon escient ;
Les femmes parlent comme la science ;
Les hommes, désordre démocratique,
Moi, l'ennemi du peuple,
Nous ouvrons la porte aux visages des génies pour être amoindris.
Tantôt est le mot moderne circulaire, instrument puissant comme un homme bête.
J'aimerais que ma philosophie ne puisse dominer.

MARGUERITE*

L'honneur n'est pas un modèle, car le créateur n'a pas d'honneur.
Je ne méprise rien,
Rien étant l'instrument esclave.
Taisez-vous, j'aime...
J'aime la non-valeur des forces,
Sous les vêtements, dans un sens nouveau, les femmes se désirent.
Cela doit être ainsi,
car ce genre commence à devenir ennuyeux.

---

* *This Quarter*, vol. I, n° 3, printemps 1927, p. 303.

PENSEES*

Le lézard sans pouvoir et la vie, l'âne qui fut un jour charmant, couvrent l'endroit immense du destin sans fin...

Le printemps s'en vint comme le vent ou comme l'eau pousse les destinées Pierre ou Jean...

Le ciel est sauvage, la clef du ciel est aveugle, les baisers cherchent le secret de la vie...

Un matin malmenait la justice dans le désert immense des jeunes filles...

J'ai tout trouvé dans le fond des morceaux...

Si jeunesse pouvait, si vieillesse savait.

Je ne me méfie que des honnêtes gens.

Il est plus dangereux de faire le bien que le mal.

On ne peut dire du mal que de ses amis.

Le cerveau d'un savant est dans son oreille.

La morale et le bon goût sont un vieux ménage, ils ont pour enfants la bêtise et l'ennui.

Méfiez-vous des amis qui vous contemplent pour « inventer » ce qu'ils vous ont vu faire.

Il y a des gens qui vous tuent en vous défendant...

(Sans titre**)

Il m'est impossible de savoir ce que c'est que la peinture ; la peinture ne s'apprend pas ; le génie, c'est ignorer les autres.

---

* *Ibidem*, p. 304.
** Catalogue de l'exposition F.-P., Galerie Fabre, à Cannes, 20-25 février 1928.

FRANCIS PICABIA

LA LOI D'ACCOMMODATION CHEZ LES BORGNES

" SURSUM CORDA "

(FILM EN 3 PARTIES)

---

* *La Loi d'accommodation chez les borgnes,* Editions Th. Briant, 3, rue de Berri, Paris, 1928, 35 p., 1 ill. de F.P.

PERSONNAGES :

LE CUL-DE-JATTE.
L'AMERICAIN.
LE CURE.
LE MARCHAND DE CARTES TRANSPARENTES.
LE COUREUR A BICYCLETTE.
L'ARTISTE PEINTRE.
L'AGENT DE LA SURETE.
    et LA MANUCURE.

Employés, agents, juges, mannequins, foule, etc.

Du même auteur :

ENTR'ACTE, film.

PREFACE

Il n'y a vraiment que les fous qui sachent ce qu'ils font, ils sont absolument conscients de leurs gestes ; le fou n'invente rien, il imite. Il y a le fou furieux dit-on ? Eh bien, celui-là m'est assez sympathique, sa fureur étant sans but.

Les peuples, eux aussi, sont pris parfois de folie furieuse ; de temps en temps ils ont leur crise, mais, pour des actes qui mériteraient le cabanon, ils se décernent des croix d'honneur !...

Ce petit préambule n'a rien à voir, semble-t-il, avec mon film, il est pourtant intimement lié à ce qui va suivre — contenant et contenu, espace et temps — comme tu voudras !...

LA LOI D'ACCOMMODATION CHEZ LES BORGNES *est une histoire de crime, mais il n'y a pas de crimes, pas même de crime de lèse-réalité, il y a des petites conventions bien absurdes qui se déplacent en sautillant sur une jambe, de gauche à droite, et de droite à gauche.*

Je vais donc vous demander de bien vouloir, pendant quelques instants, vous rendre à mon cinéma ; toutes les places y sont bonnes, et il vous est facile d'obtenir la meilleure ; vous pouvez vous installer dans votre lit pour voir tourner !...

J'ai entendu dire que le scénario, ce n'était rien... C'est pour cela que je demande à chacun de mes lecteurs de mettre en scène, de tourner pour lui-même sur l'écran de son imagination, écran véritablement magique, incomparablement supérieur au pauvre calicot blanc et noir des cinémas, dont les orchestres me font penser aux chiens qui aboient après les masques de Mi-Carême !... Mi-Carême... récréation de l'abstinence partagée par la bêtise des conventions sanitaires.

Tournez vous-mêmes en lisant LA LOI D'ACCOMMODATION CHEZ LES BORGNES, *les places sont toutes au même prix, et on peut fumer sans ennuyer ses voisins.*

195

PREMIERE PARTIE

Présentation des personnages faite par un photographe, visible sur l'écran, il les disposera en groupe, un à un (attitude de groupe de famille).

Le Marchand de cartes, qui est en même temps professeur de théologie à la Sorbonne, arrive en costume universitaire et s'habillera, pour poser, en marchand ambulant (vue de son éventaire de cartes licencieuses : nus animés).

Présentation en totalité d'un immeuble à Paris, quartier central, maison d'angle.

Détails du rez-de-chaussée :

Institut de beauté donnant sur deux rues, vitrines extérieures dans lesquelles on voit des poupées tournantes, femmes en hommes, et réciproquement, ces poupées feront des gestes d'invite aux passants, clins d'œil et sourires, juste au moment où ceux-ci s'arrêteront pour les regarder. Affiches animées, genre Palmolive, composées en tableaux vivants.

La bijouterie à côté : vitrines éblouissantes, scintillement de pierres précieuses attirant les passants dans une sorte de halo, comme un miroir à alouettes, réclames lumineuses, genre Citroën, etc.

On verra autour des deux magasins, sur le trottoir, le Cul-de-jatte et le Marchand de cartes (ce dernier, malgré son apparence misérable, restera très distingué d'attitude et de gestes). Tous deux se promènent de long en large, le Cul-de-Jatte cherchant à apercevoir ce qui se passe à l'intérieur, surveillant les entrées et les sorties ; le Marchand de cartes, lui, presque extatique, fait sans cesse le tour de l'institut, car, au travers des vitres, il aperçoit la Manucure.

196

Intérieur de la bijouterie : grand luxe, comptoir spécial de bijoux pour animaux. Des dames entrent accompagnées de chats, chiens, singes, moutons apprivoisés, et leur achètent des parures de brillants. L'Américain très considéré dans la maison vient acheter une rivière de diamants qu'il destine à la Manucure (vision de celle-ci parée du bijou).

Intérieur de l'institut de beauté : des gens extrêmement vieux, laids, difformes, entrent. Ils ressortent ravissants. La Manucure est en costume d'infirmière, mais, derrière seulement, décolletée en pointe jusqu'à la taille, jupe très courte, au-dessus des genoux, presque un tutu. Très jolie, blonde, elle va de l'un à l'autre, conseille, rectifie, dirige ses aides avec autorité ; tout le monde veut avoir affaire à elle ; l'Américain entre, il demande à se faire faire les ongles, durant ce travail, il lui fait la cour — coquetterie.

Le Cycliste vient se faire masser, la Manucure lui marque une préférence tendre. Le Curé vient acheter des parfums, il demande à les essayer d'abord sur les mains de la Manucure, qu'il respire ensuite avec volupté.

Le Peintre entre et demande une fausse barbe en crêpé, il désirerait acheter un manuel sur « L'Art de se grimer ». Il a la folie du déguisement.

L'Agent de la sûreté entre et demande des fards pastel, qu'il voudrait employer pour « remonter » des tableaux pâles...

Le Marchand de cartes que l'on voit toujours à l'une ou l'autre vitrine, contemplant la Manucure, la prend pour une sœur de charité, il a des visions de dispensaire, il offre au passant sa marchandise, tout en dévidant son chapelet, puis il achète une rose blanche et entre à l'Institut pour l'offrir dévotieusement à la Manucure, dont il baise la robe, *il la voit* telle une sœur blanche.

Chaque fois que s'ouvrira la porte, on apercevra le Cul-de-jatte aux aguets, il prend des notes. Sept heures, la boutique se vide, seuls, peu à peu demeurent les personnages qui sont des habitués et se connaissent entre eux, habitant le même immeuble. La Manucure apporte des cocktails, le Marchand de cartes semble communier avec le sien.

L'Américain leur annonce qu'il va offrir une grande soirée chez lui en l'honneur du sport français et à l'occasion de la course des

Six-Jours ; il les invite tous et apprend à la Manucure qu'elle sera ce soir-là couronnée reine du sport ; il lui a fait faire une très belle toilette en vue de cette cérémonie et lui offrira une importante surprise, en souvenir...

Le Cycliste semble ombrageux, mais l'Américain fait diversion en donnant connaissance du programme de la fête, paru dans un journal du soir, soit :

1° Réception d'une délégation de l'Association Amicale des Sports et des Jeux de hasard, et d'une délégation de l'U.L.V.S. (Union Légitime des Victimes du Sport) ;

2° Grand ballet sportif — danses modernes ;

3° Couronnement de la Manucure ;

4° Souper.

Ils acceptent l'invitation.

L'Américain, en sortant, embauche le Marchand de cartes pour distribuer les programmes, et il invite le Cul-de-jatte à précéder la délégation de l'U.L.V.S., à titre de victime du footing par usure !...

Il monte ensuite au premier étage de l'immeuble chez un couturier où il assiste au défilé des mannequins : robes extravagantes et costumes de bains « gonflés » pour Deauville, série des « costumes nus » (nus peints sur des maillots).

L'Américain se fera montrer la robe qu'il a commandée pour la Manucure, c'est une robe somptueuse et décolletée dans laquelle on reconnaît les éléments d'un costume de dompteur.

Dans les mannequins qui présentent les modèles, il lui semble parfois reconnaître celle qui le préoccupe de façon absolue. Il sort et monte chez lui, étage au-dessus.

Appartement de grand luxe et de grande fantaisie, les fauteuils sont suspendus au plafond, comme des agrès de gymnastique, à différentes hauteurs, une poulie, manœuvrée par un domestique en livrée, permet d'y accéder. L'Américain se rend dans son cabinet de travail dont le seul meuble est un énorme coffre-fort vide, il y serre le bijou acheté pour la Manucure ; puis il se fait monter dans le plus haut fauteuil et s'endort en lisant « La Vie de Bohème ».

Etage au-dessus : Appartement du Curé — celui-ci rentre chez lui ; grand nombre de statues de Saint-Sulpice auxquelles le Curé fera le salut militaire, elles prendront alors l'apparence de la

Manucure. Il déballe son paquet de parfums, les répand aux pieds des statues ; au dernier il hésite, puis l'avale d'un trait, il se met alors à taper furieusement sur un **punching-ball.**

Etage au-dessus : Appartement de l'Agent ; des tableaux partout, des « **tableaux modernes** ». L'Agent ne rêve que **peinture** et collection, comme son ami le Peintre ne rêve que romans policiers, intrigues, crimes, etc. L'Agent accroche ses dernières acquisitions, le dernier tableau qu'il met en place représente un feu d'artifice, à ce moment **ce tableau explose et le couvre de gravois !** Le Peintre entre, il aide son ami à se dégager, l'Agent voudrait, pour remplacer l'œuvre détruite, que le Peintre lui fasse le portrait de la Manucure en Reine des Sports, celui-ci accepte à condition que l'Agent lui prête pour quelque temps tous ses papiers de la préfecture et lui confie la première affaire criminelle à instruire.

Le Peintre rentre chez lui, étage au-dessus, atelier très **pauvre** dans lequel il n'y a aucun tableau, au moment où il ouvre la porte, il demeure stupéfait, car il assiste à une véritable répétition théâtrale : des personnages jouent des sketches reproduisant les couvertures des « Fantômas » célèbres ; en voyant le Peintre, ils s'arrêtent, tout doucement ils s'immobilisent, se réduisent, et bientôt ne sont plus que des personnages figurant sur les couvertures des volumes épars, le Peintre se frotte les yeux, il a rêvé, sans doute... mais un seul petit personnage rapetissé, le cocher du « Fiacre de Nuit », se promène encore, et même voltige dans la pièce. Le Peintre finit par l'attraper avec un filet à papillons ; à ce moment, il disparaît, le « chasseur » déçu s'assure que les papiers donnés par le Policier sont bien authentiques et en place dans son portefeuille ; il ramasse à terre un des volumes, s'installe pour lire, et s'endort. Le cocher revient dans son rêve en le taquinant...

Etage au-dessus : trois portes sur le palier (l'escalier, depuis le troisième a toujours été en se rétrécissant, la **maison en s'appauvrissant,** la montée en devient ardue et comme étirée). La **Manucure** monte, arrivée à la chambre n° 1, elle prend sa clef et entre : chambre très sordide et désordonnée, aux murs des gravures découpées dans « Le Petit Parisien Illustré », partout traînent **des bas à raccommoder,** elle dépose son manteau, son costume, passe un peignoir démodé et défraîchi, enlève sa perruque et apparaît coiffée de ridicules petites nattes, elle est très brune. Elle met des pantoufles très « savates », ses bas tombent, elle se graisse la figure, se met au lit, rêve de l'Américain (bijoux, luxe, Rolls-Royce), puis du Cycliste (amour, tandem, repas sur l'herbe). Les deux personnages se confondent, se superposent, et tels des équilibristes, montent sur les épaules l'un de l'autre, ils s'écroulent en même temps, ne sont plus que des morceaux épars que le Cul-de-jatte ramasse en tas dans son chariot qu'il traîne alors à toute vitesse, tout s'estompe...

La chambre n° 2, celle du Marchand de cartes postales, elle est très virginale cette chambre ; au lit, des rideaux de mousseline, un grand crucifix et branche de buis, images pieuses, impression d'austérité, le Marchand de cartes prépare son cours de théologie pour le lendemain, puis fait l'inventaire de sa vente de cartes. il met son bénéfice dans une tirelire et explique à son chien que cet argent est destiné à l'achat d'une statue équestre de Jeanne d'Arc, grandeur nature. Il se met à table après avoir récité le Benedicite, et prépare, tout en mangeant, sa collection pornographique pour le lendemain.

La chambre n° 3 : Chambre du Cycliste, très pauvre aussi, mais en ordre, accessoires de cyclisme, chambres à air, maillots rayés, etc.

Le Cycliste fait des « patiences » qui ratent toutes. On frappe à sa porte, entre un chasseur qui lui remet une lettre du Curé. Ce chasseur est habillé mi-ange, mi-chasseur. Par cette lettre, le Curé demande au Cycliste la permission d'assister le lendemain à son entraînement au vélodrome, le Cycliste donne une réponse affirmative. Il se replonge dans ses réussites, la dame de cœur a la figure de la Manucure, mais elle n'est jamais dans le jeu, elle tourne autour du Cycliste ; fatigué, il jette les cartes et s'endort en pédalant dans le vide.

DEUXIEME PARTIE

Le lendemain au vélodrome.

Le Cycliste, pour se donner l'habitude du public, a fait placer dans les tribunes une quarantaine de mannequins très ordinaires, semblables à ceux qu'on voit aux vitrines des magasins de province, mariées, sergents de ville, enfants de toutes tailles, premiers communiants, un général en grande tenue, un marin, un académicien, un chauffeur, etc. Lorsque le Cycliste passe devant eux, ils lèvent automatiquement les bras. Le Cycliste donne bientôt des signes d'effort, puis de fatigue. Le Curé, qui est seul vivant au milieu des mannequins, quitte alors précipitamment sa soutane, apparaît en caleçon, attrape le képi du mannequin-général et s'en coiffe, puis saute sur une bicyclette et entraîne le Cycliste à toute allure, les mannequins applaudissent. Ils font ainsi plusieurs tours, bientôt suivis par tous les mannequins sur patins à roulettes, enfin, ils sortent du vélodrome et, traversant Paris, arrivent (enfin) chez l'Américain en pleine soirée, toujours escortés des mannequins. Ceux-ci s'immobiliseront parmi les invités de la soirée, tandis que le Cycliste et le Curé termineront leur élan par quelques tours de salon.

SOIREE CHEZ L'AMERICAIN

Celui-ci reçoit ayant à ses côtés la Manucure en grande toilette. Défilé de la Délégation des Victimes du Sport ayant en tête le Cul-de-jatte : déformations professionnelles monstrueuses, toutes les têtes trop petites pour les corps, quelques corps sans tête, développements thoraciques anormaux par rapport aux jambes étiques, ou réciproquement, etc. ; en dernier lieu, une femme enceinte suivie de dix enfants de 10 à 1 an.

Le Marchand de cartes transparentes, à quelques pas, regarde la Manucure, et semble ébloui par elle, mais il *la voit* telle la Sainte-Vierge, il veut lui offrir une image pieuse qu'il choisit dans son portefeuille, mais dès que celle-ci a passé dans les mains de la Manucure, elle se transforme en carte licencieuse. La Manucure éclate de rire, le Marchand de cartes ne comprend pas.

Jazz infernal, lumière aveuglante, sur des plateaux les domestiques passent des lunettes noires et des cotons spéciaux pour les oreilles, destinés aux gens incommodés par le bruit et la lumière. Un autre, au buffet, verse dans un grand récipient une vingtaine de bouteilles de champagne qu'il sert ensuite aux consommateurs, à l'aide d'une éponge qu'il presse dans leur verre. L'Américain entoure beaucoup la Manucure qui fait très maîtresse de maison, elle lui rappelle la surprise promise, il se réserve de la lui remettre tout à l'heure, à l'issue de la fête. Le Cycliste rôde jalousement autour d'eux, le Cul-de-jatte ne perd rien de ce qui se passe ou de ce qui se dit parmi les six personnages. Le Peintre qui fait très agent en bourgeois, profite de l'autorité que lui confèrent ses papiers, pour arrêter à chaque instant les couples qui dansent, et prier les hommes d'exhiber leur permis de conduire, faute de quoi il verbalise... Le véritable agent, très intéressé par les tableaux, ne peut résister à quelques toiles modernes qu'il décroche subrepticement, et met de côté pour sa collection ; il sera surpris par le Cul-de-jatte, lequel va de l'un à l'autre, toujours à l'affût.

Grand ballet sportif où on pourra faire régner toute la fantaisie ; l'agitation est à son comble, on boit énormément au buffet, l'Américain fatigué cherche en vain à s'isoler ; il va à sa chambre, mais là, les sportifs ont organisé un match de boxe. Dans le cabinet de travail, les victimes du sport tiennent un meeting, ils réclament le droit à l'inceste aucune femme ne pouvant supporter leurs infirmités, en dehors des femmes de leurs familles...

Dans la cuisine, le Curé, complètement saoul, veut absolument dire la messe sur le fourneau.

Le Marchand de cartes cherche à placer sa collection **pornographique,** en assurant que chaque acheteur aura droit à une indulgence plénière.

Le Cul-de-jatte va au buffet et s'empare d'un couteau qu'il affûte contre sa roue.

Tout le monde est ivre.

L'Américain découragé ne trouve comme endroit solitaire que les **W.C.,** il y entre, s'écroule sur le siège, s'endort profondément, en négligeant de fermer la porte.

Ici, sorte d'entr'acte — le sommeil de l'Américain : vues d'Amérique, ports, usines, élevages de bestiaux, puits à pétrole, jazz nègre, **le portrait de Lincoln,** etc., etc.

La Manucure, en fantôme, se promène à travers tous ces paysages... puis tout doucement, **tout disparaît...**

Enfin, dans l'appartement, c'est l'aube. Le plus grand désordre règne : chaises renversées, **le coffre-fort** énorme est ouvert et vide, à terre l'écrin brisé **du bijou** destiné à la **Manucure,** les invités sont partis, seuls cinq des six personnages sont là endormis, entourés de mannequins qui ont des attitudes horrifiées, par ce qu'ils ont vus, peut-être... **Le Cul-de-jatte,** lui, est bien éveillé et tourne comme un fou, ivre de joie autour des meubles et des dormeurs. Cependant, il heurte et réveille le curé, qui est maintenant **revêtu** de son surplis et de son étole, il secoue les autres qui s'éveillent, à leur tour, peu à peu : **Où est l'Américain ?** Il faudrait prendre congé, remercier !... La Manucure voudrait bien **le bijou** qu'elle attend toujours... « Vous l'aurez bientôt, souffle le Cul-de-jatte, si vous n'en parlez pas... » On cherche l'**Américain** partout, sans succès ; devant la porte maintenant fermée, **des W.C.,** on s'interroge, on pense que l'Américain est là, souffrant peut-être ? Sur la porte, une pancarte : **« Cabinet Particulier »** ; qu'importe, le Cul-de-jatte propose d'enfoncer, car on frappe sans réponse ; acceptation, mais la porte résiste, le Cul-de-jatte fait apporter une planche sur laquelle il se fait hisser, et qu'on incline vers la porte, le chariot roule et défonce. **Horreur !... L'Américain est là, à terre, la gorge tranchée,** baignant dans son sang, **mort.** La Manucure se met à rire comme une folle, les autres sont consternés, **le Cul-de-jatte** pleure et prend le mouchoir de l'Américain pour s'essuyer les yeux.

On transporte le cadavre sur son lit suivant les ordres du Peintre, et, sur présentation de ses papiers d'agent, il délègue le Cul-de-jatte chez le commissaire de police ; pendant ce temps, par habitude professionnelle, la Manucure fait les ongles du mort, le Curé allume des bougies, le Peintre rédige un rapport, le Marchand de cartes prie, son chapelet aux doigts, l'Agent fait un croquis du cadavre, le Cycliste fait une réussite.

Le Cul-de-jatte arrive chez le commissaire après une course folle, il demande à être entendu, il raconte le crime et fait une déposition sur les personnes alors présentes, il produit des charges accablantes sur le Peintre, le Marchand de cartes postales, le Curé, le Cycliste ; en effet, il peut affirmer avec preuves à l'appui que :

Le Curé a été vu courant en caleçon au vélodrome.

Le Marchand de cartes postales a une vie double et interlope.

Le Cycliste était certainement jaloux de l'Américain.

Le Peintre est porteur de faux papiers.

L'Agent de la sûreté a volé des tableaux à l'Américain.

Le commissaire se transporte sur les lieux du crime.

Interrogatoire, enquête sur place, les faits avancés par le Cul-de-jatte sont reconnus exacts, arrestation des pseudo-coupables ; la Manucure qui fait de l'œil au commissaire est laissée en liberté.

TROISIEME PARTIE

LES ASSISES

L'Agent et le Peintre, après audition des témoins, dont le Cul-de-jatte et la Manucure, sont condamnés à mort, les autres aux travaux forcés. Le Cul-de-jatte est très élégant, il assiste au procès sur un chariot automobile de grand luxe, derrière ce chariot une plate-forme avec siège pour la Manucure, qu'il a épousée.

A la sortie du Palais de Justice, il lui offre, en souvenir de cette journée la rivière de diamants achetée jadis pour elle par l'Américain et que le Cul-de-jatte lui a volée, car c'est évidemment lui qui a fait le coup, commis le crime, la Manucure le savait, mais l'attrait de l'argent a été plus fort. C'est maintenant une dame très élégante et distinguée. A la sortie, le Cul-de-jatte lui propose un voyage à Deauville.

LES TROIS ROUTES

La route de Deauville sur laquelle file une somptueuse Hispano dans laquelle sont réunis le Président des Assises, l'avocat des condamnés et celui de la partie civile qu'on devra reconnaître sans aucun doute. Cette voiture est dépassée par le chariot du Cul-de-jatte, saluts et sourires échangés.

La route de « La Nouvelle » où passent les condamnés dont : le Cycliste, le Curé, le Marchand de cartes, tous trois pensent à la Manucure avec des visions différentes.

Enfin, la route du ciel où montent l'Agent et le Peintre. L'Agent a emporté ses tableaux sous son bras. Au bout de la route un grand crucifix ; à leur arrivée, le Christ s'anime, éclate de rire, détache ses bras, applaudit avec force, et les unit sur son cœur...

FIN

JOURS CREUX*

> *Ce qu'il y a de plus difficile, c'est
> d'apprendre à siffler en anglais.*

Les petites méchancetés émanent parfois de beaucoup de bonté !

Ainsi, les anodines saletés que l'on écrit journellement sur moi doivent provenir, lorsque j'y réfléchis, de très braves gens, pas à la hauteur tout simplement, et malheureux !

Pas à la hauteur ! J'entends par là des gens qui, ayant pris un billet de troisième classe dans le rapide de la vie, se sont jetés par la portière en passant à Villejuif, se croyant arrivés ; peut-être n'avaient-ils pas suffisamment de bagages pour aller plus loin.

Chers amis, la Vie n'a pas de stations, la Vie n'admire pas, la Vie ne critique pas, la Vie ne possède pas vos sottes petites balances sur les plateaux desquels vous mettez un nom, puis un autre, afin de savoir le poids du génie ! Méfiez-vous, il arrive parfois que ce poids soit si lourd qu'il casse la balance et que les plateaux vous retombent sur le nez... car vous regardez d'en bas ! Il ne vous reste plus alors qu'à haïr, à rejeter votre bile qui sent mauvais, cela vous soulage, n'est-ce pas, de détester ? Ça remplit l'existence... ce serait plus simple de fumer une cigarette, la fumée est délicieuse !...

La Vénus de Milo ? très jolie ; Jésus-Christ ? aussi ; dreyfusard ? antidreyfusard ? charmant ! Le bureau des naissances où l'on enregistre les génies, le bureau des décès où on les supprime ? Commodes !

Exquis petits critiques, qui devinez le temps qu'il va faire, c'est à vous que doivent s'adresser les amateurs pour savoir s'il leur faut prendre un chapeau de paille ou un parapluie, c'est à vous que nous devons nous adresser pour avoir permission de peindre, d'écrire ou de faire de la musique ! Nous sommes surveillés par ces Messieurs et, s'il y a un artiste trop différent des autres, un malheureux qui fait le malin, il n'y a qu'à le brimer, à lui couper... les oreilles et si ça repousse, eh bien, on le punira mieux encore, on ne parlera plus de lui !

Ce petit jeu a eu son temps, tel le Jazz, c'est fini ; l'homme qui a envie d'un livre ou d'un tableau suit de plus en plus son mauvais goût personnel ; sa critique est beaucoup plus certaine, car elle n'est influencée que par l'œuvre elle-même.

L'homme qui suit le goût des autres est un impuissant, un voyeur, ce n'est pas dans un bordel qu'il trouvera de quoi réveiller sa virilité !

Ce sont nos sens qui peuvent nous faire croire à une apparence de vérité et ce n'est pas la vérité que de chercher à faire l'amour avec un

---

* *Orbes*, nº 1, printemps-été 1928, p. 29-33[165].

étau, un verre de lampe ou du papier de verre ! Evidemment c'est assez nouveau mais notre tactilité nous fait vite comprendre que c'est idiot et bien désagréable !

L'Ecole des Beaux-Arts, si .décriée aujourd'hui, représente l'évolution la plus abstraite peut-être, c'est pourquoi nos sens nous sont indispensables pour nous transmettre cette évolution, mais ceux qui jugent et qui tranchent n'ont plus de sens, plus de vie, leur cerveau est un coffre faible au service de jeunes gens forts ! Il y a autant de vie chez un élève de l'Ecole des Beaux-Arts que chez un élève Cubiste ou un élève Dada ; là où s'arrête la vie, c'est au prix de Rome comme au prix Cubiste ou au prix Dada. Tout personnage qui croit aux prix — ou au prix de ses œuvres — n'a plus qu'à louer un corbillard pour terminer son voyage : qu'il fasse un petit trou dans le haut de son cercueil, d'un œil il verra chacun le saluer à son passage : les morts ne sont plus à craindre, on peut les respecter !

Un de mes amis m'a dit un jour que le concubinage avait été corrompu par le mariage ! Tel homme a été corrompu par la littérature, tel autre par la peinture ou la musique. Ceci veut dire qu'il n'y a que l'homme lui-même qui soit dans la vie ; le reste n'est qu'une poussière que l'on peut acheter avec une autre poussière : l'argent. Pourtant, un être peut acquérir une œuvre par amour, il peut en être jaloux, avoir le désir d'être le seul à la posséder, mais ceux qui font la traite des tableaux, comme d'autres font la traite des blanches, sont de pauvres riches, privés de bien des joies, dont le cœur n'a jamais battu que devant de gros prix, gros prix payés, gros prix vendus.

Toujours le même vide immense, toujours la même aridité, quel malaise, quel ennui que ce socialisme artistique, ce désir de diminuer les poumons des uns au profit des autres, quelle saleté !

J'ai lu dans un journal que les seuls grands artistes sont maintenant ceux qui, travaillant à n'importe quoi en semaine, se livrent le dimanche à l'exercice de l'Art, on les appelle les Dimanchiers... c'est tout un programme...

Toujours cette sentimentalité imbécile, on aime un artiste parce qu'il ne travaille qu'un jour par semaine — ou par mois, par an serait mieux — quelle lumière, ce jour-là ! — ou bien encore parce qu'il est tuberculeux ou pédéraste. Pauvres révolutionnaires de carton mâché, si vous voulez absolument renverser quelque chose, renversez-vous vous-mêmes et couchez avec la vie !

Elle se fiche pas mal des républiques et des pauvres d'esprit qui veulent rendre service à la Société. La Société, surtout la bonne, quelle fumisterie ! Il n'est pas plus vache que ses défenseurs, quelle que soit leur étiquette.

Il n'y a pas d'école, école signifie : mort.

Il n'y a pas de gens connus : voyez le Soldat inconnu, tout le monde le connaît !

208

Les tableaux deviennent plus chers à mesure qu'ils deviennent plus ennuyeux.

L'admiration comme le dénigrement sont faits de mauvaises raisons.

Une tache de vin sur la gueule n'est pas donnée à tout le monde : l'exposer, c'est risquer de la vendre.

Je connais un homme qui a influencé toute notre époque en se cachant.

Les ennemis ne peuvent devenir que des amis et réciproquement : que craignez-vous ?

Les vrais Français se teignent la barbe en vert pour inviter les grillons à venir y chanter.

On ne peut pas savoir pourquoi l'évolution existe, les recherches sont trop petites à côté des moments culminants.

Pour se soulager, il faut changer de conscience : mettez-vous deux doigts dans la bouche !

La laideur est la décadence d'une convention.

Il ne faut pas avoir peur de son immoralité, mais en faire montre c'est vouloir en faire commerce.

Encourager les médiocres dans leur médiocrité, c'est un plaisir de gens du monde.

Les faibles sont sympathiques aux juifs antisémites.

La civilisation a inventé le crime.

Le rayon de soleil est cruel, mais la lune est charitable aux imaginations.

L'homme athée qui va mourir demande un prêtre, il vaut mieux demander une femme !

Un homme qui repousse son instinct s'engourdit pour devenir communiste, c'est-à-dire raisonnable — raisonnable comme celui qui dort.

Tout cela, vous semble-t-il, a bien peu de rapport avec le commencement de cet article, mais pourquoi diable un article serait-il en rapport avec lui-même d'un bout à l'autre ? et puis, si vous cherchez bien...

Peinture, Musique, Littérature, ces trois mots magiques peuvent encore rester vivants pour ceux qui, oubliant leur rôle de peintre, de musicien, de littérateur, ne verront dans ces moyens d'expression d'eux-mêmes que la joie d'être des viveurs !

On dit « c'est un homme de rien, c'est un viveur ! » Eh bien, tant mieux !

(Préface à l'exposition Meraud-Michael Guiness*)

Elle a des yeux
Pleins de soupirs.

« ENCORE UNE ! »

« Pourquoi diable fait-elle de la peinture, elle est si riche ! »

Eh bien, c'est justement à cause de cela !

Ecœurée, dégoûtée des milieux où l'argent joue le premier rôle, elle s'est réfugiée en elle-même ; dans cette retraite, prenant conscience de son *moi,* elle a compris que sa véritable expression ne pourrait exister que dans la joie égoïste de l'Art.

L'antisepsie que dégage le grand monde est une glace très belle, mais la vie y est impossible pour les êtres vibrants.

Meraud Guiness aime la vie, la vie libre et indépendante ; elle a renversé jusqu'aux plus petites frontières des conventions morales, c'est pour cela que l'on peut croire en elle, attendre d'elle des possibilités infinies dans le domaine de l'invention. Ses tableaux sont déjà des œuvres extrêmement personnelles dont la bourgeoisie est exclue... Il y a des tableaux chauds, des tableaux froids ; les siens sont chauds. Pour vous en assurer, prenez-les entre vos mains, fermez les yeux pour mieux les voir...

_____

* Galerie Van-Leer à Paris, 2-15 décembre 1928.

LA FOSSE DES ANGES*

> *Pour beaucoup d'hommes, le jeu de*
> *l'oie l'oie représente la vie.*

J'ai horreur des gens qui parlent du beau, qui parlent du bien, qui parlent du génie ou de la fidélité, des gens qui parlent de tout, des gens qui parlent...

La « conversation » est une des choses que je ne peux plus supporter, même de loin et sans être forcé de m'en mêler !

C'est pourquoi je ne peux compter Dieu au nombre de mes relations, il a trop fait parler de lui ; c'est devenu un personnage imbécile, ennemi invétéré de la vie. Dieu représente pour moi le point mort au milieu de l'évolution. Le mouvement circulaire des évolutions s'élève et s'abaisse, créant l'énergie, énergie qui ne peut nous toucher que si elle devient le transformateur de la moralité en soi-disant immoralité.

Tous les êtres, de plus en plus, m'apparaissent comme des flacons vides mais ornés de magnifiques étiquettes décoratives. La société s'ingénie à les grouper à la façon d'un étalage de pharmacie, c'est inoffensif mais peu attrayant !

Inoffensif comme l'eau de Vichy en bouteilles, cette eau qui, bue à la source, en trop grande quantité, peut être mortelle !

Les êtres contrôlés, autorisés par la Société, sont des eaux en bouteilles, ils ont perdu leur radium... On peut aussi les assimiler à des conserves !

Si vous avez eu le tort d'y goûter je vous engage à faire le traitement du doigt-dans-la-bouche, vomissez !

(Rien n'est agréable comme de vomir, si cela devenait un vice tout le monde aimerait vomir comme on aime boire.) Et ne mangez désormais que des crudités, génératrices de vitamines. J'ai appris que Dieu était cuit par le feu du Saint-Esprit !

Ne m'accusez pas de lâcheté en m'objectant que Dieu ne peut pas me répondre dans le prochain numéro, il me répond tous les jours sous la forme des juges, de la patrie, de la famille ; sous la forme des embêtements quotidiens, sous la forme de tout ce qui déforme la vie.

La vie, pour un artiste, devrait être d'œuvrer pour lui-même sans préoccupations des résultats de son œuvre par rapport aux marchands, aux critiques, aux amateurs, mais seulement dans la joie que cette œuvre peut lui donner : curiosité merveilleuse de soi-même, introspection lumineuse, jamais complètement satisfaite, chaque jour renouvelée ; plus excitante, plus virilisante que tous les aperçus sur les

---

* *Orbes*, n° 2, printemps 1929, p.81-83.

costumes de bains des belles dames de la plage. Voilà la trente-troisième position qui restait à trouver !

A toutes les époques l'art a été égoïste, il ne faut pas me parler de la bonne blague d'un art communiste ou socialiste ; le véritable artiste, être exceptionnel emmerdé par l'officialisme, ne peut être que seul et cette solitude est un monde autrement magnifique que l'autre, lequel est peuplé d'une multitude d'idiots.

La cathédrale des fortunes géantes est aussi imbécile que celle qu'on dédie à la misère. La foule de Saint-Tropez, costumée en cow-boys, en ouvriers plombiers, en gigolettes et en marins, est aussi stupide que celle qui se presse dans les bars à la mode, d'ailleurs ceux-ci ne travaillent que pour ceux-là... Quel ennui, quelle tristesse que ce maquillage de la vie et du plaisir de vivre !

Les connaisseurs ont tout gâché ; dès qu'ils touchent à quelque chose de frais avec leurs mains grasses le pollen y reste collé ; voyez ce qu'ils ont fait des chants gitans, de la musique nègre, des dessins d'enfants et de fous ! C'étaient des animaux sauvages qu'ils ont mis en cage, ceux-ci y ont perdu leur couleur en attendant d'être débités en morceaux et transmués en billets de banque. Ah ! les gens avancés qui ont du goût... du goût comme la viande faisandée ! Ils ont créé cette race de faux artistes, tristes caméléons dont la langue sèche ne peut même plus attraper les mouches nécessaires à leur vie.

Il y a, paraît-il, un vrai public, un grand public ! Peut-être se cache-t-il derrière le mur où il est écrit : « le public n'entre pas ici », peut-être se manifeste-t-il seulement, lorsque personne n'a le droit de lever les yeux pour regarder, à la manière de certaines divinités dans les temples hindous ?

Regardez en vous-même, soyez votre propre public et votre propre Dieu, nourrissez-vous de votre seule substance et taisez-vous pour m'écouter !

AVENUE MOCHE *

Tout ayant été dit sous des formes différentes, il faut avoir un certain culot pour écrire encore, sans hésiter !

La philosophie, les voyages, l'amour, les crimes, la politique, les apaches sont épuisés pour avoir servi de vaches aux grands ténors de la plume !

On en est beaucoup maintenant aux inventaires de soi-même : « J'étais alors un petit garçon de cinq ans qui adorait son petit camarade Pierre ! » Véritable littérature d'huissier !

---

* *Bifur*, 25 juillet 1929, p. 24-29[166].

Le lecteur fait un doux et profitable retour sur lui-même :

Aimait-il, lui, autant que cela, son petit camarade Jacques ?

Cette délicieuse et rafraîchissante simplicité va de pair, sur le chemin de la mode, avec une autre production qui consiste dans une manière d'abrutir le pauvre public par la métaphysique et l'emploi d'une tautologie dont le labyrinthe mène à un trou noir au fond duquel tout le monde se retrouve ainsi qu'au sortir d'une rivière souterraine de Luna-Park !

Mais quel agrément, pour tant de gens, de pouvoir répandre dans les salons un bel assortiment de mots qui feront leur petit effet, d'autant plus qu'ils resteront obscurs...

Enfin, il paraît que cela « fait passer le temps » de lire et que celui qui écrit a, tout de même, l'impression de servir à quelque chose !

Luna-Park disais-je ? mais voilà le Palais de Carton à l'image de la vie moderne ! On y cherche, on y trouve le grand frisson pour 1 fr. 50 ! Tout le monde aujourd'hui exige de connaître le grand frisson ! C'est pourquoi il faut qu'il soit accessible à tous et diffusé par les gros spéculateurs qui savent à merveille le présenter sous des aspects différents.

Sa qualité importe peu.

Belle vie moderne où l'attraction règne maîtresse ! Sentez-vous son côté « Barnum », son côté « Femme à barbe » ? Pour exciter un public saturé, fatigué et qu'il faut pourtant... « faire cracher », on enveloppe de mystère et d'abstractions tout un tas de saloperies rapidement glanées, on les tire de derrière un rideau noir, dans une ombre propice...

Bien entendu, il faut en demander cher...

Les bandes rouges, vertes, bleues qui ceinturent et closent prudemment les volumes aux devantures des libraires contiennent parfois dans leur intrigante concision le seul piment du triste rabâchage des faux vices d'un auteur qui travaille en vue de la curiosité égrillarde des petits ménages bourgeois.

Les peintres me semblent moins contaminés ; peut-être vivent-ils plus en dehors des gens du monde ; il y en a qui font partie d'une petite élite, ils ne craignent pas l'effort, ne cherchent pas à regarder par-dessus le mur du voisin, ils puisent dans leur cœur ; ils reviennent doucement à une croyance, à un désir d'idéal et d'amour qui les guide, les soutient, les garde de l'odieuse fabrication en série ; avec licences X, Y, Z. Ceux-là sont à la fois des artistes et des artisans, ils s'appliquent à leur travail ne pensant pas que la hideur soit nécessairement un brevet d'art ; ils y apportent le « métier » sublime, aristocratique, qui n'a jamais empêché l'inspiration poétique et, seul, permet à une œuvre de traverser les siècles et de demeurer jeune. Lorsque je parle d'aristocratie, je considère bien entendu qu'un paysan peut être un aristocrate et M. de... un pleutre.

L'aristocratie est une échelle que ne peuvent gravir les hommes sans cœur...

Les musiciens, pour la plupart, vivent de la commodité des moyens de transport ! Ils cueillent leurs fleurs dans les prairies du Danube ou dans les plaines de l'Ukraine, avec quelques cannes à sucre prises aux plantations nègres, cela fait un bouquet séduisant, bizarre, exotique, et c'est tout ce que demande le public des avertis — des invertis ! Les invertis !

Quel travail pour avoir l'air « d'en être » ! Ce qu'il faut se surveiller ! C'est tellement demandé... On m'a parlé d'une jeune femme, divorcée très vite pour incompatibilité d'humeur : peu de temps après son divorce, elle apprit que son mari avait été, était peut-être encore, pédéraste : « Ah ! si j'avais su cela avant d'aller chez mon avoué, s'écria-t-elle, jamais je ne l'aurais quitté ! » et elle fondit en larmes...

Les Américaines, plus neuves, veulent un beau nom — un beau maquereau. Les jeunes gens souhaitent les Américaines, cela fait partie de la publicité, ils entrevoient la Rolls-Royce ; ce n'est pas d'un point de vue sportif qu'ils pensent à cette voiture, mais pour épater les camarades ; ainsi tant de collectionneurs ont des tableaux pour les revendre, attendant anxieusement leur cote en Bourse ! Le vice lui-même n'est plus intégral !...

Enfin, l'amour d'un être, l'amour de ce qu'on fait, l'amour de ce qu'on a, l'amour tout simple, disparaît de plus en plus. C'est l'époque de la « bonne combine » ; le dé...brouillard est roi, mais il n'est pas heureux ; regardez-le, il est gras comme un eunuque, inquiet comme un trafiquant, il s'ennuie car il trime sans idéal pour acquérir toujours plus d'argent qu'il n'aura pas même plaisir à dépenser ; il ne croit pas au plaisir, il s'est désensibilisé pour être plus fort, il ne connaît plus la joie et voilà que la neurasthénie le guette ; il cherche en vain à la combattre par les cocktails et les drogues qui l'y enfoncent un peu plus ; à son tour il va devenir la proie des spéculateurs, des terribles spéculateurs qui se cachent derrière les façades blanches de pas mal de maisons de santé — « maisons de santé », quelle ironie ! —, mais il aura la consolation d'avoir vécu une vie organisée sur l'électricité et la mécanique, d'avoir assisté à la naissance de l'aviation, au perfectionnement de l'artillerie et des sous-marins, de toutes ces belles machines qui servent à tuer en gros et à enrichir ceux qui souhaitent que l'on tue ; enfin il aura connu le cubisme, le dadaïsme, le surréalisme ! Le dadaïsme avait bien essayé de donner un fameux coup de balai dans l'écurie, mais la poussière retombe.

Alors, alors quoi ? faut-il désespérer stérilement ? non, mais il faut faire *attention*, attention à ne pas favoriser par lâcheté, par égoïsme, les milliers de petits parasites de la vie qui cherchent à grimper sur tout ce qui est haut pour se hausser, à salir tout ce qui est beau et qui peut leur porter ombrage, tout ce qui est pur et dont ils veulent se nourrir pour en faire de la fiente. Il faut serrer les rangs et ne pas chercher à se tirer dans les jambes entre « consciencieux ». Il faut vivre au front sans autre désir de victoire que la victoire sur soi-

214

même. Il faut aimer... aimer les simples, les maçons et les marins, les pêcheurs et les débardeurs, aimer ceux qui aiment, les nègres non convertis, non domestiqués par les missionnaires, les oiseaux de l'air, les animaux au merveilleux instinct. Il faut haïr les ambitions officielles, les concessions à l'argent et à ce qu'on appelle les honneurs, l'instruction conventionnelle qui écrase le cœur sous des mots lourds et vides ; il faut favoriser l'éclosion de l'idéal et ne pas oublier que tout passera, se transformera, tout, sauf trois ligues, trois touches ou trois arpèges, d'hommes qui auront su trouver une expression nouvelle de leur vie personnelle et intérieure ; cela c'est le trésor immuable de l'humanité. Enfin il faut vivre en marge de cette civilisation en celluloïd dont la légèreté vous tente...

Au milieu d'une tribu de tortues, il en était une plus « intelligente » que les autres ; elle avait vécu quelque temps auprès des hommes et s'était fait confectionner par eux une magnifique carapace en celluloïd.

A son retour, elle fit l'admiration de ses camarades : « Quels tons merveilleux, quelle coupe originale et ce poids ancestral de l'écaille enfin diminué !... »

Mais voici que la belle promeneuse, grisée d'éloges, passe trop près d'un feu... une flamme, un crépitement léger, tortue et carapace ont disparu au centre d'une petite fumée !...

Ce conte me paraît exprimer la vie moderne : désir d'acquérir vite, sans contrôle, quelque chose de facile, quelque chose à effet, de mauvaise qualité mais qui brille !

Peur du travail continu, avec l'idéal du perfectionnement qu'il faut obtenir par la peine, peur de la vie quasi austère qui doit être celle de l'homme désirant œuvrer fortement, loin des influences qui ne concourent jamais qu'à un résultat hybride et inviable.

Ce que tant de jeunes cherchent maintenant, lorsqu'ils choisissent la voie de l'art, ce sont ces commodes succès qu'un littérateur, un peintre, un musicien, obtiennent toujours auprès des imbéciles, de par le qualificatif qu'on ajoute à leur nom en les présentant au snobisme des salons : « M. X., le jeune compositeur de grand talent » (bien entendu !). Ça leur suffit, l'auréole est créée...

Auréole en baudruche ! Lorsque vous la porterez, messieurs, ne passez pas à proximité du feu... ou du génie, vous risqueriez de finir en un petit tas de cendres !

C'est en plein air, loin des troupeaux qui croupissent commodément dans le purin des étables, qu'il est possible de croire encore à la vie claire, dans la beauté du soleil.

Mougins, 3 mai 1929

(Réponse à une enquête*)

Auprès des marais stagnants, au contact des buées malsaines, les hommes végètent, malades et paresseux ; ceux qui vivent auprès des torrents impétueux sont robustes et actifs. Les oiseaux des pays ensoleillés sont ornés d'un plumage éclatant alors que ceux des régions brumeuses se contentent d'une parure terne qui semble être de demi-deuil. Ainsi tout s'assortit et tout se tient, harmonie universelle...

Les hommes qui n'ont d'autre idéal que les pauvres théories démocratiques en gardent sur eux l'empreinte et semblent recouverts de poussière ; ce qu'ils expriment ne peut être que terne et laid. Ce sont des ratés : école de ratés ! ouverte à tous les candidats depuis une trentaine d'années, sa clientèle n'est pas épuisée... Auprès de ces lauréats gonflés que peuvent peser, vis-à-vis du public influençable, les hommes sains, optimistes, équilibrés, doués surtout ? On les considère comme des pauvres idiots ; ce qui plaît, c'est le cerveau politique, astucieux, cambrioleur produisant d'une façon maladroite une fange dont l'inhabileté passe pour de la sensibilité et de la profondeur.

Bonne blague, cette profondeur sans fond, vendue adroitement, avec quel trucage ! Trucage usité chez ces courtisanes qui se refusent d'abord pour se vendre plus cher !

Au début de cette période, il fallait trouver un homme, essence et représentation de cet absurde. Cézanne, arrivé sur un chariot de cul-de-jatte, remporta les suffrages, ce fut un délire extasié, la révolution était faite, réussie ; elle avait son Dieu, indispensable aux larves encore timides, les ignorants, les paresseux allaient pouvoir sortir, au « grand jour », se vendre enfin ! La suggestion et le fakirisme permirent à ce peintre, mort avant d'être décédé, de devenir un génie. Ce peintre plus que médiocre, qui a éclairé de sa pauvre lanterne d'égoutier la nuit de ces trente dernières années ! Quelle joie d'avoir par lui renversé la boîte de poudre de riz ! Enfin on allait donc pouvoir installer les W.C. au milieu des Salons ! Ce qu'on allait rigoler !...

Mais quelle gueule font déjà ces pauvres tableaux accrochés dans les musées, comme ils y semblent tristes, gênés d'être là , conscients de ne pas se trouver dans leur milieu !

La suite de Cézanne continua par le cambriolage des hautes époques : « Quel beau tempérament », dit-on maintenant de tel ou tel personnage de cette suite ! Je pense bien, il réunit à lui tout seul ce que tous les autres ont fait ! Lui le « moderne » incroyant, le pessimiste adroit de ses mains suppléé à la pauvreté de son cœur en se servant de ce qui a été l'idéal et la vie de millions d'êtres avant lui. Assimilation trop intense qui le condamne à mourir jeune ; pauvre génie connu, trop connu, il est entré si vite et si facilement dans ce génie que non

---

* L'Intransigeant, 31 décembre 1929, p. 6[167].

216

seulement on ne l'a pas vu entrer, mais qu'on ne le verra pas même en sortir !

Triste oiseau de proie, lancé par des chasseurs imprudents à la poursuite d'une proie qui lui est supérieure et dont l'approche lui fait peur...

Mon avis est qu'il ne subsistera rien, absolument rien, de ces fumisteries imbéciles, à part l'« idée » du cubisme et l'activité dévoratrice de Dada.

Les jeunes de ce temps sont de pauvres vieillards sans élan ; leur jeunesse, ils l'ont laissée au bord de la route, elle était trop lourde à porter, elle aurait pu les retarder.

La jeunesse ne raisonne pas, elle agit. Le vieillard raisonne et voudrait faire agir les autres à sa place.

Chef d'école, à l'école du néant, il entraîne peu à peu avec lui quelques derniers disciples qui ont trouvé plus commode de le suivre pour gagner du temps. Le temps les a gagnés.

TRENTE ANS DE PEINTURE*

« Picabia a fait trop de blagues avec sa peinture ! » Voilà, n'est-ce pas, mon cher Léonce Rosenberg, ce que certains personnages trouvent dans le fond de sac de leur acrimonie...

Et moi je dis : on a fait trop de blagues avec la peinture de Picabia ! Mon inquiétude a été transformée en plaisanterie ! Certains hommes de notre époque ne peuvent admettre que l'on soit diamant, eux qui sont à la fois bijouterie et diamant — tout — et qui ne sont rien, par conséquent !

Mon anxiété maladive m'a toujours poussé vers l'inconnu. L'impressionnisme fut le cordon ombilical qui me permit de développer mes poumons, d'apprendre à marcher, alors l'horizon idéal devint pour moi l'aventure de chaque œuvre entreprise...

J'ai travaillé des mois et des années en me servant de la nature, en la copiant, la transposant. Maintenant, c'est *ma* nature que je copie, que je tâche d'exprimer. J'ai eu la fièvre des inventions calculées, maintenant c'est mon instinct qui me guide. La préméditation écrase trop grossièrement le pollen de notre projection intérieure. Peintre aventurier ? Peut-être, mais j'ai toujours et surtout aimé cette belle solitude, si profonde, en marge d'un monde si plat, et c'est là l'histoire de mon évolution.

Voyez-vous, ma plus grande blague, la mauvaise, celle que je me suis faite à moi-même et qui a fait dire tant de mal de moi, c'est que je

---

* *Exposition Francis Picabia*, du 9 au 31 décembre 1930 inclus, chez Léonce Rosenberg, 19, rue de la Baume, Paris[168].

n'ai jamais pu prendre la plupart de mes confrères au sérieux ! Je ne les ai pas pris au sérieux, ayant considéré leur absurde morale comme un manque absolu de naturel, les faisant s'exprimer contre leur nature même. Ils pêchaient et filtraient mes fameuses blagues afin de les présenter avec bienséance et recevoir, grâce à elles, les suprêmes honneurs distribués par une foule trompée. Mais, ainsi que vous l'avez dit si justement, mon cher Léonce Rosenberg : « On peut bluffer les hommes, mais non le temps... »

L'humanité demeure, les parasites ne peuvent en avoir raison. La vie restera la vie, ceux qui veulent s'en venger succomberont dans le propre piège tendu par leurs petites intrigues. La peinture-vedette a été inventée comme antinomie de la vie, elle est épouvantable. C'est le vautour de Prométhée, mais vautour épuisé qui déjà se révulse et lâche sa proie.

Le salut de mon âme m'intéresse moins que celui de mon estomac — mon âme est spéculation, mon estomac est instinct !...

Si j'ai péché contre certaines conventions picturales, sociales, que l'on n'essaie pas de me torturer, de me lapider avec ce mot « péché », car c'est sur l'instinct des êtres que je compte pour me juger et me défendre des lapideurs...

Mon esthétique actuelle provient de l'ennui que me cause le spectacle de tableaux qui m'apparaissent comme congelés en surface immobile, loin des choses humaines.

Cette troisième dimension, non faite de lumière et d'ombre, ces transparences avec leur coin d'oubliettes me permettent de m'exprimer à la ressemblance de mes volontés intérieures. Lorsque je pose la première pierre, elle se trouve sous mon tableau et non dessus. Les moyens d'activité moderne barbarisent. Moi, je veux une expression plus grandiose, avec une sûreté de main et une bravoure implacables, sans la crainte de s'attaquer soi-même. Je veux un tableau où tous mes instincts puissent se donner libre cours.

Ces toiles ne sont pas faites d'une décision prématurée, mais d'une évolution lente que l'on peut suivre dans cette exposition. Mais ceux qui veulent trop expliquer leurs raisons ne finissent-ils pas par déraisonner ?...

Mes antennes palpent à distance, au contact du monde elles dépérissent. Je n'ai aucun désir de dominer, je ne veux que dominer mes œuvres. Je leur défends de m'entraîner chez le bistro, là où se passent les élections des modes, égouts de l'art moderne. Car les tableaux veulent être à la mode. J'interdis aux miens ce snobisme. Les tableaux sont de petits personnages coquets et superficiels, il faut les corriger et les transformer en miroirs de son instinct.

Sympathiser avec son prochain est absurde. Toutes ces petites armées de tableaux veulent sympathiser entre elles. Le temps change les couleurs, or, il n'y a pas de couleurs. Les couleurs sont ameublement. Un tableau ne doit être d'aucune époque, il doit concentrer ses propres besoins et non ceux d'une époque, mais la dominer. Il n'y a ni premiers, ni derniers artistes. Il y a leurs œuvres qui font partie de l'infini mystérieux. C'est dans ce mystère que mes œuvres doivent vivre, je leur défends les costumes à la mode, bons pour parader dans les casinos de la peinture.

Ceux qui ont dit et qui disent que « je n'entre pas en ligne de compte » ont raison. Je ne fais partie d'aucune addition et ne raconte ma vie qu'à moi-même.

Un écureuil avait un œillet à la bouche, un âne lui dit qu'il était fou... vous connaissez cela, n'est-ce pas ?

Mon évolution ? comparez-la, si vous le voulez, à celle d'une plante dont les fortes racines lui permettent d'aboutir en mille feuillages. J'espère que le destin lui permettra de créer une fleur que je pourrai cueillir moi-même, offrande au sublime bouquet commencé à travers les siècles.

MON CHER MAN RAY*...

Mon cher Man Ray, vous avez compris que les baisers sont pour les amants et non pour la famille !

Vous avez cherché — et vous avez trouvé — l'exceptionnel. Je n'ai vraiment pas besoin de présenter vos œuvres ! D'elles-mêmes, elles nous plaisent, parce qu'elles chantent au lieu de hurler ! Ceux qui les regardent deviennent leurs esclaves.

Vous écoutez, avec vos yeux, ce que devraient faire tous les peintres : vos peintures, vos photographies ne rient ni ne pleurent, je les compare au regard du philosophe couché au soleil, elles sont loin de l'anthropophagie parisienne !... Man Ray, vous êtes de ceux qui poussent toujours plus avant : vos pensées ne sont pas des parvenues, elles sont souveraines ; vous êtes l'homme de la tristesse du profond idéal.

SOUVENIRS ET APPRECIATIONS **

Rolf de Maré et Jean Borlin ont été, incontestablement, deux grands animateurs de la vie ! Rolf de Maré, avec son esprit curieux et large, a permis à un grand nombre d'artistes de se révéler en exprimant leur personnalité. Jean Borlin, si aimable, si dévoué, mettait au service

---

* Préface à l'exposition « Photographies de Man Ray », galerie Alexandre - III. Cannes, 13-19 avril 1931[169].

** Extrait de l'ouvrage collectif *Les Ballets Suédois dans l'art contemporain* (Paris, Ed. du Trianon, octobre 1931), p. 185[170].

de ceux qui travaillaient pour les Ballets Suédois ses grandes connaissances chorégraphiques, leur permettant toutes les recherches sans jamais leur imposer cette limite de bêtise, apanage de ces stupides professionnels qui vivent uniquement dans leurs conventions laborieusement apprises !

Je conserve de Borlin le meilleur des souvenirs. Il m'aida à réaliser *Relâche* tel que je le concevais, grâce à son érudition technique et à son esprit délicat et sensible qui acceptait toute nouveauté comme la véritable forme de l'art et de la vie. Avec lui a disparu un camarade auprès duquel j'avais plaisir à travailler.

Les Ballets Suédois ont ajouté une puissance nouvelle à l'expression théâtrale ; ils eurent cette supériorité certaine sur les Russes d'avoir puisé en eux-mêmes l'élan qui entraînait le public parisien et international dans un désir de grandes possibilités, vers l'horizon où des étoiles nouvelles apparaissent, dans la vie ajourée de l'optimisme indispensable au bonheur. Avec les Ballets Suédois, disparus momentanément, un grand vide s'est produit où l'inépuisable imbécillité des scénarios projette sur l'écran la stupidité prétentieuse des sensibleries maladives.

ORDONNANCE GENERALE N° 555*

Je conseille :

1° *2 galas par semaine*, pendant deux mois si possible, les mardis et samedis.
2° Tous les jours après le golf, le tennis, le yachting, une tasse de thé aux *Ambassadeurs*.
3° Faire plusieurs petits tours au baccara pour assurer le rythme du cœur. Même exercice dans la soirée, repos et danse au *Brummel*.
4° *Ce soir comme alimentation :*
    Cacodylate Bortsch Koof en tasses
    Aiguillettes de soles ambassadeurs strychnine
    Poularde Coca du Mans Maryland
    Pommes phytine noisette
    Asperges phosphoriques de Laures
                 Sauce vierge
    Cassates Iodure napolitaines
                 Frivolités d'alcôve

Cannes, le 5 mars 1932

---

* *Empreintes* (Bruxelles, Ed. de l'Ecran du monde), mai-juillet 1950, p. 68. Fac-similé d'un « Autographe humoristique de F.P. » adressé par lui à Jean Cocteau sur papier d'ordonnances médicales à en-tête imprimé « Docteur Francis Picabia, Chef de Laboratoire de toutes les facultés, à bord du yacht *L'Horizon,* port de Cannes, tous les jours de 5 à 7, sur rendez-vous pour la nuit ».

MONSTRES DELICIEUX*

Penser autrement que les autres n'est pas forcément un signe d'intelligence. Cette soi-disant « meilleure intelligence » n'est bien souvent qu'une adroite perfidie, organisée par des spéculateurs mercantis et orgueilleux.

. Beaucoup de novateurs ne pensent pas, ou pensent en surface et leur œuvre n'est que surface. N'ayant aucunes connaissances théosophiques, je ne vais certainement pas m'aventurer à discuter sur ce sujet bien trop immense et inexploré pour moi. Mes tableaux ont touché certains théosophes et en particulier, je crois, Vivian du Mas[171], ce qui l'a décidé à faire une conférence à propos de mes œuvres. J'ai trouvé cette conférence remarquable et le conférencier m'a étonné, du fait que n'ayant jamais causé avec moi il a pourtant compris, et exprimé exactement les raisons qui me font peindre et les états mentaux et physiques que je traverse dans les moments où je m'exprime par la peinture. Il a compris que je n'étais pas un indiscret vis-à-vis de moi-même et que le vide en moi m'est absolument nécessaire pour peindre : si mes tableaux ne ressemblent à aucun autre, c'est qu'ils sont conçus dans l'infini et le mystère.

Beaucoup de peintres veulent explorer l'avenir, quelle belle blague ! l'avenir n'a été exploré que par des charlatans et c'est le passé qui demeure inexploré ! Comprenons-nous bien : je veux dire le passé en tant que mystère ; les cachettes de notre mystère ne peuvent s'ouvrir qu'à la condition d'une expulsion absolue de toute influence, de toutes conventions héréditaires ou contemporaines : ni bien ni mal, ni haut ni bas, ni courbe ni droit, ni infini ni défini, ni espace ni temps si vous voulez, ni sommeil, ni éveil, ni rêve, un seul mot (il faut bien tâcher à se faire comprendre !), un seul mot : la vie. La vie qui est le contraire de Dieu, la vie, amour de la chair, la vie qui est la mort ; la vie mystère silencieux que nous tourmentons bruyamment avec nous-même.

Double mort, triple mort, Dada, surréalisme, super-surréalisme, tralala, tralala, Bécon-les-Bruyères, Berlin, Paris, Rome, New York, tout cela des mots pour nos pauvres petits besoins économiques ; il y a la vie que personne ne veut reconnaître et qui est pourtant aussi lumineuse que le soleil.

Toutes les mascarades intellectuelles et tyranniques deviennent le besoin de tout le monde, c'est-à-dire la mode, la mode ne fait pas partie de la vie, elle n'en est que le relief, le mirage.

Le succès ou l'insuccès ne doivent pas être une réponse au travail, au mouvement, comme vous voudrez ; ils ne doivent pas être un but ; le salaire tue l'idéal chez les hommes, le véritable gain c'est le travail

---

* *Orbes*, n° 3, printemps 1932, p. 129-131.

lui-même ; vous avez tous transformé le mot travail dans le sens bénéfice d'argent, or *travail* et *vie* doivent être pris dans le même sens.

Un mineur, un boutiquier, un ministre, unè cartomancienne, c'est la même chose ; pourtant, s'il me fallait absolument établir une différence, je l'établirais en faveur du mineur qui doit être le plus heureux. Suggestion que l'histoire des classes basses et des classes élevées !

Les artistes aujourd'hui sont déshonorés par la Légion d'honneur, quel ennui que la Légion d'honneur et quelle vulgarité !

Les lois des hommes ne nous montrent pas les hommes, bien au contraire elles nous les montrent comme étant étrangers à la vie. Dans l'Antiquité, pour parler comme le vulgaire, car il n'y a pas d'Antiquité, quand un homme embrassait une femme, c'était toujours par morale et pour savoir si elle sentait le vin, s'il percevait quelque relent, il la faisait condamner à mort, de même s'il se savait trompé, mais son odorat n'était pas toujours assez fin...

Tous les gens vous parlent peinture, moi, je vous parle vie. Il faut être fou, il faut savoir perdre pied avec le sol « homme » pour planer et faire l'amour avec la vie. Quelle belle femme et quel beau jeune homme, tout à la fois, que la vie !

Il faut errer comme les étoiles qui ne se préoccupent pas d'être des étoiles et suivent leur destin d'étoiles, sans le raisonner. L'affaiblissement de nos passions est contraire à la vie. Celui qui aime tuer doit tuer, celui qui aime voler doit voler ; il n'y a ni mort, ni vol, ni crime, c'est une pure illusion. Le manque de sauvagerie est une grossièreté envers la vie, jamais les sacrifices n'ont ennobli quelqu'un, il n'y a pas de passions méprisables. Dans le monde j'entends retentir un cri de détresse, ce cri atteste la misère de chacun et de tous, tous sont veules et n'existent pas par eux-mêmes, ils ont perdu toute autonomie ; ils n'ont plus d'yeux, plus d'oreilles et vivent dans l'admiration de Dieu qui n'est qu'une bête, alors que moi je suis Dieu.

« ENTR'ACTE* »

Entr'acte est un entr'acte de toutes les conventions que ce soit gloire, argent, bien et mal ou l'absurde « Légion d'honneur ».

Le besoin idiot d'imiter la vie ne nous montre qu'un pauvre musée Grévin où les personnages automates veulent émouvoir le public dans ses plus bas instincts. Cette magnifique invention du cinéma qui nous donnait de si grandes possibilités est devenue un miroir à maquereaux et à putains.

_____

* *Ibidem*, p. 131-132.

Un enterrement n'est pas un spectacle triste, ce sont les curés qui ont rendu la mort désagréable, je me demande pourquoi on ne se sert pas des corbillards comme moyens de publicité ? De grandes pancartes pourraient nous annoncer que le mort ne serait pas décédé s'il avait pris chaque jour un verre de quinquina Dubonnet, par exemple !

J'ai assisté un jour à un étonnant miracle : deux enterrements se croisaient rue de la Paix, les deux morts sortirent de leur cercueil afin de se saluer simultanément !

A la fameuse vérité s'oppose une puissance contraire, puissance qui nous aide à échapper à la bêtise humaine : L'ART, en tant que bonne volonté de l'illusion.

Le héros et le fou doivent se donner la main pour se placer au-dessus de la morale ; il est plus facile de se passer d'argent que de héros et de fous !

Pour aimer *Entr'acte,* il ne faut pas avoir honte de soi-même.

Ce que je viens de vous dire, c'est le point de vue psychologique ; du point de vue mécanique, j'ai essayé de me servir de cet appareil du cinéma pour cet appareil lui-même, je veux dire par là que j'ai essayé de ne pas retourner l'éternel sablier de l'existence, ce terrible clair de lune entre les arbres !

Il n'y a pas plus divin que le démon.

DIALOGUE DANS LA STRATOSPHERE*

ELLE — Je te le disais bien, on voit admirablement de là-haut !

LUI — On voit quoi ?

ELLE — On voit tout !

LUI — Tout ? Tout ? Epatant, passe-moi vite ton télescope... Que de jolies femmes !

ELLE — Les smokings des hommes ne sont pas mal non plus ! Eh ! Eh !

LUI — Moi, tu sais, j'ose l'avouer, j'aime mieux les femmes... Celles-ci sont rudement charmantes et élégantes ! On ne se croirait pas en crise !

ELLE — La crise, les hommes n'ont que ce mot-là à la bouche, c'est si commode. Mais la crise est finie et tu n'as aucune raison de me refuser, pour mon petit Noël, ce collier que nous regardâmes hier...

LUI — Pardon, que tu regardas !

ELLE — Que tu regardes... à acheter, je sais ce que je dis. Les gens se sont figuré qu'il y avait une crise, comme toi, par raison d'économie, et puis, pour en être certains, ils en ont fabriqué une,

* *Le Cancan de la Côte d'Azur,* n° 48, 17 septembre 1932[172].

la crise c'est porté et cela a permis à tous les pingres de ne plus faire de cadeaux à leurs femmes, d'être à la mode en satisfaisant leur horrible vice !

LUI — Mais voyons, la guerre, la révolution menaçantes ?

ELLE — Tu sais bien que pour faire la guerre, il faut de l'argent. Or, tu prétends qu'il n'y a plus d'argent ! (Ce collier était pour rien, une affaire !) Quant à la révolution, contre qui, contre quoi ?

LUI — Eh bien, contre nos bons législateurs qui vont un peu fort pour faire croire qu'ils sont forts !

ELLE — Je t'en prie, pas de politique un soir de Noël, paix aux hommes de mauvaise volonté, comme aux autres !

LUI — Alors quoi, parlons de la stratosphère ! C'est gentil, un peu froid mais nouveau.

ELLE — Moi, je trouve que c'est vieux comme le monde ! Icare voyons ! Mais Piccard, lui, est nouveau, Piccard est pis qu'Icare, il est picard !

LUI — Mais non, il est belge.

ELLE — Non, suisse. Les Suisses ont quelquefois des hommes célèbres, bien qu'on prétende cette année que Guillaume Tell n'a jamais existé ! Sans doute l'année prochaine affirmera-t-on le contraire, la mode est si changeante !

LUI — Enfin, où veux-tu aller avec la stratosphère ?

ELLE — Au Ciel, voir le Petit Jésus. On dit qu'il n'a pas changé, toujours petit et mignon parce qu'il est si sage. Je lui demanderai mon collier...

LUI — ...Dis donc, tu n'aperçois pas au loin la nouvelle année ?

ELLE — Mais si, mais si, elle se montre !

LUI — Comment est-elle ?

ELLE — Sympathique, en bleu, une jolie taille et de tout petits pieds ; elle a un bien beau collier !

LUI — Elle semble riche ?

ELLE — Très riche en promesses, c'est elle qui va nous redonner la joie de vivre, le bonheur d'aimer, dans cet endroit merveilleux : Cannes !

LUI — Là, un peu au-dessous de nous, c'est le Paradis ? Je vois des anges !

ELLE — Mais non, idiot, ce sont les *Ambassadeurs* et ceux que tu prends pour des séraphins, ce sont les dîneurs ! Il est vrai qu'à l'œil nu on pourrait s'y tromper !

LUI — Alors, si on descendait, on serait aussi bien qu'au Ciel ?

ELLE — Ça va, mais demain tu iras m'acheter mon collier ? Il y a un charmant bracelet qui va avec et...

LUI — S.W.A.K.

UN SPECTATEUR DE LA SALLE — Ce qui veut dire ?

LUI — *Sealed with a kiss !* : « scellé avec un baiser ! »
(Ils s'embrassent, descendent et prennent une table.)

UNE PETITE HISTOIRE*

C'est l'histoire d'un homme du jour !

Il se nommait Emmanuel, mais il a pris le nom de Pierre ; ceci pour ne pas attirer l'attention et se créer des alibis.

Il se camoufle d'un air froid, sûr de lui, afin de dissimuler une nervosité qui, parfois, touche au délire.

Jolie tête paresseuse, servant de monture à un sourire hybride ; les mains et les pieds pourraient indiquer la bonté.

Il fut l'amant discret des femmes de ses amis — truc inconscient, par lâcheté devant les difficultés de l'existence, il faut bien faire repriser son linge ! Il est le conseiller des jeunes filles auxquelles il enseigne que l'on découvre le sel de la vie dans la jouissance qu'il y a à ligoter les scrupules...

Son métier ? Ingénieur, inventeur de machines qui ne marchent pas, mais sa façon d'en parler les met de suite au point surtout auprès de ceux qui aiment la publicité ; lui, il n'aime pas la publicité, il a vite compris qu'il y a mieux : le mystère !

« Quel être extraordinaire ! »

« Comment vit-il ? »

« Cela ne pourra pas durer, car, au fond, il n'est pas si bien que ça. »

« Il n'a jamais rien voulu faire, ce sont les vieilles femmes, n'est-ce pas, qui lui donnent de l'argent ? »

« Oui, cher ami, et les jeunes, les belles, il les méprise un peu. La beauté, la jeunesse, dit-il, suggestion ! De beaux seins qui fleurissent dans un lit ce n'est pas mieux que d'énormes testicules malades et toujours moins bien que ce que l'on voit dans les musées. »

Sportif, il fut un moment coureur en automobile, toujours dernier d'ailleurs, mais il avait une telle personnalité dans la façon de risquer l'accident ! Au tennis, toujours battu, mais imbattable dans sa manière de reprendre certaine balle au troisième jeu !

S'intéressant aux arts, il a découvert un musicien ayant inventé de nouvelles notes ; à prix d'or, il en a fait acheter les manuscrits par une Américaine, ils sont actuellement encadrés de peau d'iguane sous cristal de roche et accrochés aux murs d'un salon très « vogue » ; à côté de cela, voyez-vous, un Botticelli semblerait la dernière des conneries ! Lorsqu'on est admis à contempler cette musique, on est prié d'observer le plus absolu silence ; il paraît que l'on est alors susceptible d'« entendre chanter le noir sur le blanc » !

A Venise, Pierre fut l'amant d'une petite bonne ; lui jurant qu'il l'adorait, il répétait, à part lui, ce qu'il redirait le lendemain à une comtesse italienne ; après une nuit sensuelle, il ne la revit plus. Serions-nous donc tenus de croire aux mots, nous qui ne croyons plus en Dieu ?

---

* *Orbes*, n° 4, hiver 1932-1933, p. 61-63.

Il entreprit un grand voyage, afin de visiter tous les bordels du monde (cela est une façon de parler). Dans l'un d'eux, il fit connaissance avec un agent d'assurances génial mais en détresse ; ils eurent une grande joie à pouvoir parler d'algèbre ; cet homme éminent n'arrivait jamais à se lever avant trois heures de l'après-midi ; au fond de son lit, il cherchait la solution d'un problème : pourquoi avait-il raté son existence ?

De retour à Paris, en flânant rue de La Boétie, Pierre rencontre une idée, il se met à la peindre. Peinture d'ingénieur, direz-vous ! Non, peinture ingénieuse puisqu'il est résolu à la vendre très cher. A ce prix-là, il y aura sûrement amateur. Un seul suffit pourvu qu'il soit riche ! Il devient alors vraiment chic, les femmes ne l'intéressent plus, il a une grosse auto, un chauffeur, ne voulant plus entendre parler de conduire lui-même. Un artiste, n'est-ce pas ?...

Comme on pourrait le traiter de parvenu, il attache son trousseau de clefs à son pantalon par une simple ficelle qui apparaît un peu...

De cette gloire matérielle, il ne tire qu'une impression plus grande de la méchanceté des hommes, il est amer.

Je l'ai rencontré à Cannes l'autre jour, il tenait en main le *Journal officiel,* la liste des nouveaux promus où son nom figurait enfin !

« Comment vas-tu ? » lui dis-je. Il eut un sourire fin : « Vois-tu, mon vieux, articula-t-il tristement, les hommes sont bien stupides, il n'y a vraiment que le suicide à envisager ! Mais, dis-moi donc, à qui m'adresser ? J'ai bien envie d'acheter un yacht. »

P.S. La morale raccourcit l'homme, l'homme raccourcit la vie...

(Sans titre*)

La vie n'aime pas les verres grossissants, c'est pour cela qu'elle m'a tendu la main.

---

* Catalogue de l'exposition de dessins de F.P., galerie Léonce-Rosenberg, *ibidem,* 1-24 décembre 1932·

1933-1949

DANS MON PAYS*

Les mathématiques, oui, les mathématiques... Instrument-étude pour l'étude de la vie ! Le but : évoluer. La nature évolue-t-elle ? Mouvement objectif, sans rapport avec le point, centre infini ; l'infini est au centre, Dieu le définit mouvement extrémité, mais...

Il n'y a pas de ruines, les ruines sont pour moi des sources de volonté et ne sont pas les victimes du niveau de la vie.

Des voix que l'on ne saurait suspecter se sont prononcées contre mon idée ; les artistes naturellement qui ne sont ni sensitifs ni émotifs, pour l'imitation devenant un besoin dominateur. Indépendance, disent-ils, et l'optique aveugle de l'étroitesse du bon sens, c'est le sixième ! Le sixième sens ; le sens moral, c'est le septième et ainsi de suite pour les belles âmes des cabotins inconscients qui mettent en lumière l'animalité romantique.

Imaginer sans préjugé contre le bon goût, ce plat a bon goût ! Sensibilité classique contre la nature cruelle, cynique.

Vivent les rayons du soleil qui ne connaissent ni bien ni mal, ni irritabilité morale ; j'aime la vie sans bonté, mais il faut peut-être s'entendre sur l'idée bonté ?

La naïveté grandiose, perfectionnée de l'individu se demandant, courageusement sans doute, si son acte auprès des choses prochaines consistant en expériences afin de bénéficier de la rédemption des autres, n'est-ce pas tout simplement solution des choses et dépérissement du désir de la fin ?

Ma philosophie enseigne qu'il ne faut pas enseigner. Le moyen de devenir grand ? Il n'y a ni grands ni petits, tout est imperfection pour l'homme, tout est perfection pour les montagnes, la mer, les arbres, les étoiles et le vent. Ce qui manque aux hommes, c'est ce qu'ils ont, c'est-à-dire les yeux, les oreilles et le cul.

Le monde vérité, où est-il ? Au ciel ?

Nous sommes le ciel. Le monde vérité où est-il ? Sur la terre ? Nous sommes la terre. Le monde de l'Au-delà, la chose en soi, histoires de Dieu devant le cancer. Le cancer apparence des testicules de Dieu pour le monde vérité !

---

* *Orbes,* n° 1, printemps 1933, p. 20-22.

Je suis tombé sur une idée : présenter un *marquis* et un *communiste* au miroir, le miroir les invite à dîner ! Ils mangent l'argent du miroir qui devient la fenêtre par laquelle le bourdon cherche à passer avec son miel.

Cette vitre n'est pas une frontière, elle est force déterminée dans un espace vide, vide comme elle-même tant pis pour le bourdon et le surbourdon — enfin surhumain pour lui.

La condition finale non prévue, vous cherchez à la prévoir, avec incertitude bien entendu ; cette idée, sorte de désir de croire et de se garrotter, compagnie d'assurances dans l'inassurance des miroirs magiques de l'amour, fièvre raisonnable pour ceux qui raisonnent au son des cloches du parfait !

Le parfait au café en état explosif, la vertu prolifique de la chasteté, comme dans Faust...

Actif et réactif, vertu sur une autre vertu, ne donnent pas un enfant, au contraire ; ni vice ni intempérance, et pourtant, devant Dieu, Don Juan, lui, prêche la morale chrétienne ! Cela devient plaisant, car Dieu est célibataire, comme les sentiments généreux du Diable vaincu par lui-même !

Mougins, 22 février 1933

AVIS*

Se fier à son cœur, c'est
obéir à son grand-père.

L'alcool spirituel décime et corrompt l'humanité.

Les Anglais dominent les Indes,
les communistes veulent dominer les Bourgeois...

Surréalisme...   Communisme...
   blanc   Cela fait gris...   noir

le rouge excite les taureaux... paraît-il...

---

* *Orbes,* n° 4, été 1935, p. 20.

A.Z.*

Vice, luxe, crime, maladie, quelle naïveté !
Les célibataires doivent s'épanouir,
On ne supprime pas la théorie.
                    On ne supprime en musique
que la musique du dilettantisme
abandonnée au hasard des artistes modernes ;
artistes mal compris...
Excédents de narcotiques,
opiats vous me chatouillez de jeunes histoires.
Toutes les cloches flattent le pressentiment
du faux monnayage de l'art,
art âme moderne d'affranchissement du moi,
préparation au bouddhisme de l'attitude.
                         Vous flattez les femmes ;
humanité de la bonne compagnie,
humanité du Dieu rémunérateur du succès,
    .   Hypocrites,
le mariage, la patrie, la famille, l'ordre, le droit...
                         Vive la vie
Qu'y puis-je ?

VERTU « H »**

Si tant est que nous soyons des calomniateurs, pourquoi être des menteurs ?
Moi et Dieu sommes les avocats de la vie et nous chions sur les décisions politiques.
Artistes, jongleurs . . . . «A».
« B », la guerre, petit moyen de séparation,
je ne veux pas être isolé . . . . «C»!
Une alliance est vouloir se séparer de ses adversaires ;
mes adversaires sont au Paraguay ;
le droit, comme je suis une exception,
les hommes médiocres se protègent contre moi « Q ».
Morale, religions petit bouillon de culture,
pour conserver la haine... belle justice vengeresse,
contre le vice et le Travail.
Le vice est le déshérité de l'« âme immortelle ».

---

 * *Ibidem*, p. 21.
 ** *Ibidem*, p. 22.

« âme immortelle » petite femme naïve,
Subtilité de l'innocence au-devant de la domination
des étiquettes chrétiennes . . . . « X ».
Je suis un peintre... qui grandira en espagnol,
cela vaut mieux que de ruiner l'humanité,
pour sauver les hommes « bons ».
Faux et vrai, il ne faut pas croire,
aux yeux ni aux oreilles.

P.S. — « R » est le nouveau chemin du bonheur ! . . . .

POEMES
DE
DINGALARI*

---
* *Poèmes de Dingalari*, Alès, Pierre-André Benoit, octobre 1955[173].

J'ai besoin d'air pour respirer
devant moi la Suisse aux orbites creuses
me regarde
j'entends prononcer le mot guerre
le sol est mou
j'ai l'impression d'être tombé
et qu'il me sera impossible de me relever
je suis tellement bouleversé
j'ai buté contre la porte de sortie
mais quand elle s'ouvrira
il sera trop tard
je suis épuisé
ma tête s'écroule doucement
quelle horrible chose
il y a encore les cigarettes
mais mon briquet ne marche plus
et les allumettes du monde entier
vont être mouillées par les larmes.

Depuis septembre 1939
le soleil semble s'être couché
tout est devenu suspect
tout est devenu plus vieux
les événements ne sont plus que bruits
toutes ces démolitions
toutes ces destructions
toutes ces ruines
ne sont qu'assombrissements

moi je suis du siècle à venir
du siècle que je ne verrai pas
j'ai l'espoir
que ma naissance sera demain
mais tous les impuissants venimeux
seront puissants
comme toujours.

Mes pensées deviennent pâles
malgré le chant du coq
mes idées ne servent plus à rien
pour le moment
et il pleut
je voudrais que demain
au premier déjeuner
le monde des idiots
ne serve plus à rien.

J'ai pour amie une araignée
elle espère que la lune
viendra se prendre dans sa toile
j'aime mieux cette amie
que l'éternel sablier
ou peut-être s'aimer soi-même
pour ne pas désirer autre chose.

Les sonneries du téléphone
vivent de leurs rentes
le téléphone est le plus gentil
garçon de la terre
il est célibataire
sa faiblesse féminine
a un charme désarmant
vous voilà renseigné
mais là n'est pas la question importante
ma préoccupation est de savoir l'avenir
aussi j'ai une question à vous poser
la glace peut-elle fondre au soleil ?
une voix frémissante d'impatience
me répondit
tout va s'arranger.

J'ignore le bonheur
n'ayant jamais assez chaud
comment ne devinerais-je pas
l'endroit où il se cache ?
peut-être dans un jeu de dés.

236

L'intelligence et la bêtise
ne seront jamais amies
l'intelligence est sans robe
la bêtise est une robe
sur la porte d'un garage.

Plus je chante toutes les chansons
que je sais
plus je souffre
et plus je chante
sur le chemin recouvert de neige gelée.
Il n'y a pas de nouvelles
mais j'aime la nuit
au milieu des statues couchées
sur les dalles des églises
mon amie est en trop
aussi son cœur se gonfle
sur la table de la cuisine
le saviez-vous
je suis toujours au carrefour
de deux chemins
vous devinez
il faut entretenir l'amitié
sans changer de place
mais comme vous avez un joli pied.

Ses yeux sont comme des rats
qui furètent un autre monde
sur la table une miche de pain
une paire de chaussettes
et des tubes de couleurs
j'ignorais tout de lui
elle me dit aimez-vous ce qu'il fait ?
ayant oublié où nous étions
je luis dis
il pourrait être quelque chose de pire
vous savez les peintres
sont presque tous des Don Quichotte
surtout aujourd'hui
et pourtant hier et demain
se ressemblent.

J'ai frotté mon amour
au papier de verre
pour oublier ma longue vie errante
mon cœur est couché
sur un tas de copeaux

il est né de père et de mère connus
naturellement je suis son fils
je suis le fils de mon cœur
mais votre métier de peintre
où l'avez-vous appris ?
je l'ai appris en regardant ailleurs
excusez mon indiscrétion.

La grosse lampe de la cuisine
n'est pas allumée
et pourtant j'ai vu que mon amie
avait le nez de travers
une de plus voilà tout.

Partout de gros rires bruyants
partout la paresse de se raser
je suis obligé
de mettre mes pensées sous clef
les paysans sont tous des morts
qui passent leur temps
à aller à leur enterrement.

Pourquoi craindre la barbarie
très cher ami
cela est si bon d'être heureux
sans en savoir la raison.

Le signe le vrai signe
tu vas le voir
j'ai regardé à la fenêtre
le soleil brillait
Sous ce soleil
le village était refait à neuf
déjà
personne ne l'avait vu
et tout fut oublié.

J'ai cherché la lumière nouvelle
lumière tourmentée
de littérature universelle
explorateur du sublime
dans le laid et le hideux
ma pensée virtuose peut-être
bien au-delà de mon talent
elle s'exprime pour me séduire
et voulait étrange et exotique
me faire aimer le monstrueux

ma pensée est venue se briser
à mes pieds
pourquoi ?

Ne me posez pas de questions
parlons d'autre chose
parlons de lunettes mortes si vous voulez
Botticelli Piero della Francesca
ou Velasquez
ou d'une fille violée
qu'un ramassis d'idiots pensent
qu'ils doivent plaindre
vous rappelez-vous le vernis de mes tableaux
ils étaient comme des miroirs
où à chaque moment
quelque chose peut surgir
pour se confondre avec les oscillations
de mon cœur fatigué
qui ne sait plus aimer
ni haïr
ni même se transporter
au-dessus des misères intimes
j'ai atteint le comble des souffrances.

Aujourd'hui je pense aux hommes
ces hommes amphibies du capital
qui cherchent dans les recoins
des maisons en ruine
ces hommes font fumer l'encens
pour l'humanité
donnez-moi de l'air
ouvrez les fenêtres
ne regardez plus ces anémiques
c'est quelque chose de nuisible
plus nuisible que la maladie
elle au moins peut être
un sentiment
eux sont des serpents à sonnettes
qui font venir près d'eux
les petits enfants.

Croyez-vous qu'en ce moment
beaucoup d'hommes prononcent
le nom de leur amour
si c'est cela que vous espérez
tas de crétins
vous serez bien déçus

ils disent simplement
ma petite Jeanine ou Marie
ou Louise ou Germaine
ou donnez-moi une cigarette
du reste c'est le dernier cadeau
que l'on fait au condamné à mort
on lui fait cadeau de la mort
et d'une cigarette
l'une fait passer l'autre probablement
pourtant j'ai connu
un condamné à mort
qui avait demandé un cure-dent
celui-là devait être un poète
cela m'étonne que l'on n'enterre
pas les bourreaux
à la Banque de France
foutez le camp chez les sauvages
ceux qui croient encore
à la civilisation
ou restez tout seul en tête-à-tête
avec vous-même
ou commettez le crime
de vous assassiner.

Une glace en face de moi
se mit à rire
du même rire que moi.

Je suis débarrassé de ma jeunesse
débarrassé de son insupportable oppression
ce qu'il en reste en moi
n'est plus qu'un haschisch
les femmes maintenant
sont des pianos délicieux
pourtant aujourd'hui encore
je cherche vainement dans tous les arts
une œuvre qui égale
les femmes que j'ai aimées
ma peinture
n'a jamais été qu'un reflet
de ma vie
je considère que c'est pour moi
un bonheur
de tout premier ordre
de ne vivre uniquement
que pour les femmes
le monde est pauvre

240

pour celui qui n'a jamais aimé
j'emploie ici une formule mystique
rien ne m'empêchera
d'aimer leurs impudicités
je pense que les femmes
sont les dépositaires de ma liberté.

Ils méconnaissent la vie des femelles
aussi font-ils de leur épouse
des femmes communes
dont la haine rentrée
les rendent impuissants
leur soi-disant amour
n'est plus qu'une caricature
dessinée par leurs enfants.

Je suis bien innocent
il me semble
pourtant ceux d'entre vous
Mesdames Messieurs
qui n'êtes pas des nains
trouverez que ces poèmes
sont cyniques.

La puissance éternisante
du sérieux
me fait penser
au jour des morts.

Je ne suis pas fait pour la solitude
mais je dédaigne le bonheur
j'ai besoin d'entendre
de la musique
surtout en automne
vous savez le moment
où tout se fane.
Dans mon pays
il n'y a qu'une saison
celle de l'amour
sans musique.

Sursaturation d'une époque impossible
j'ai trouvé le chemin qui accumule mes forces
pour oublier les événements
un joyeux délire m'envahit
pour la première fois
depuis deux mois

mon individuation
comme un baume salutaire
suscite l'inouï d'un rêve
dont l'éblouissante splendeur
me donnera la consolation
métaphysique
loin de toutes ces horribles tragédies.
Mon cœur de satyre
s'est métamorphosé
sous le laurier des vierges
dans l'incommensurable joie
de l'inexpérience.

Mes nerfs sont fatigués
je suis à demi-mort
comment aiguillonner
le nouveau poison
la volupté du ciel
l'amour mystique
je crois que je sais mieux
que n'importe qui
de quels prodiges
mon corps est capable
ravissement de mes rêves
où le diable est sa femme
moi son amant.

La multitude me fait souffrir
la solitude me fait souffrir
je ne connais pas ma destinée
j'ai horreur de tout ce qui est officiel
je ne veux pas être pris
pour un artiste
l'idée rastaquouère
n'est pas pour me déplaire.

Pour l'amour de la folie
je suis devenu la femme
de ma maîtresse
nous dansons la nuit
sur le bout des pieds.

Plutôt rester dans son lit
et dans sa chambre
bien fermée
que de voir la femme qu'on aime
se promener nue sous la pluie.

Maintenant c'est le bateau
qui conduit le gouvernail
mes poupées de porcelaine
entendent l'écho lointain
des vagues.

Une auréole de grandeur spirituelle
commence à avoir pitié de moi
mais la négation de la vie m'entoure
je suis païen et immoral
j'ai toujours besoin
de plusieurs femmes
suspendues à mes lèvres.

Promenade dans la forêt
au milieu des pins
un dimanche
j'étais plein d'extase
surtout étant loin des hommes
mais mon martyre
devait recommencer le soir
les soldats
étaient en permission.

Instinct d'autodestruction
contre la fatalité
la fatalité
veut me faire disparaître
pourquoi avoir quitté des êtres corrompus
pour tomber
dans un climat corrompu ?
le brouillard
est devant ma fenêtre
et cerne la maison
ma pauvre chambre
dont la seule vie
est le tic-tac
d'un petit coucou suisse
qui prend des airs
de penseur
le radiateur électrique
me chauffe les pieds
mais j'ai froid aux épaules
mes pensées n'ayant pas de tendance
tendance destructive je pense
je n'ai plus confiance

que dans le hasard
et le non-sens.

Devant ma fenêtre
il y a une maison de fous
un des gardiens
habite dans ma maison
cet homme me plaît
il ne parle pas le français
mais il pourrait être gardé par les fous.

Mon journal est un instrument
sans pitié
mon journal est un tyran
mon journal remporte des victoires
mon journal laisse aux autres
le soin de faire la preuve
mon tout est un journal
que l'on ne peut lire
qu'à la lumière de la lune
eh bien ! c'est la vie.

La laideur de certains yeux
est épouvantable
ils veulent fasciner
mais ils se fascinent
devant les glaces
ils pensent pouvoir en faire de même
avec la vie
fasciner la vie
et trouver la clef
de la richesse des autres
pour s'en servir largement
les plus adroits ont l'air
de vous rendre service
ils parlent
tout cela n'est que duperie.

L'on peut perfectionner
son instinct
pour sa vie ascendante
mais l'instinct
ne nous perfectionne pas
aux yeux de la morale.

Passer son temps
à se faire des promesses

pour tâcher d'être moins malheureux
pour espérer un peu de plaisir
il n'y a qu'un moyen
l'instinct
doit tuer notre mémoire.

Je suis si solitaire
j'ai l'impression
d'être dans une foule
qui voudrait trouver
la porte du paradis.

Je suis devenu celui qui ne peut
plus donner
mon rêve est de voler
les choses volées
doivent avoir plus de goût
voler un petit pain
et pouvoir le donner
à celui qui meurt de faim
je suis certain qu'il me dirait
n'avoir jamais mangé
rien de meilleur.

Souvent deux grands yeux bleus
me regardent
ils veulent chasser les nuages
leur espoir est à Paris
et même au Golfe-Juan
ces endroits pour moi
sont infiniment lointains
ces yeux ont l'air de me dire
n'es-tu pas mon soleil
elle voudrait par son sourire
sans nuage
me faire croire au soleil.

Les heures me parlent
neuf heures me dit bonjour
dix heures me dit bonsoir
mais ma douleur
est si profonde
que le reste des heures
se passe sans sommeil
j'attends l'heure qui me dira
viens nous partons
nous rentrons chez toi

chez moi oh oui
ce merveilleux pays
où il n'y a pas d'heures
où il n'y a ni jours ni nuits
ce pays merveilleux
où l'on dort sans le savoir
les larmes me viennent aux yeux
en pensant que chez moi
la faim est insatiable
dans la satiété.

On peut concevoir
un tir à longue portée
il en fallait une exceptionnellement
longue pour que la balle
restât dans ma tête
et me servît de plume
pour écrire ce livre.

Rubigen, 1939

THALASSA
DANS
LE DESERT

* Paris, Ed. Fontaine, 1945 (3 septembre), collection « L'Age d'or » publiée sous la direction de Henri Parisot, 35 p., illustré par Mario Prassinos[174].

BACCARA

Je suis un beau monstre
qui partage ses secrets avec le vent.
Ce que j'aime le plus chez les autres,
c'est moi.

Je suis un beau monstre ;
j'ai comme suspensoir le péché de la vertu.
Mon pollen tache les roses
de New York à Paris.

Je suis un beau monstre
dont le visage cache la figure.
Mes sens n'ont qu'une pensée :
un cadre sans tableau !

Je suis un beau monstre
dont le lit est un vélodrome ;
les cartes transparentes
peuplent mes rêves.

Je suis un beau monstre
qui couche avec lui-même.
Il n'y en a que sept au monde
et je veux être le plus grand.

Le doigt levé pour goûter la pluie,
aspirez mon silence bruyant.
La transparence n'est belle que dans les cartes,
en face d'une lumière apprivoisée.

Chaussez vos pantoufles de course,
partez en ligne avec vous-même ;
n'allez pas jusqu'aux étoiles,
le tour de la table suffit.

N'oubliez pas le revolver
qui n'est chargé que de raison
et prenez votre courage
comme un imperméable femelle.

Mon chien n'est jamais au même endroit,
il gratte l'espoir du collier ;
ainsi que mes amis,
il croit encore aux portes !

OASIS

Explorateur de l'introuvable Moi,
je me promène en palanquin ;
les oiseaux bleus sont mes amis,
les bagues de mes doigts ma nourriture.

Pour compagnon, j'ai le présent
et pour guides les heures Plus-Loin...
Ma femme est la treizième merveille
d'un harem en forme d'étoile.

Mes porteurs s'appellent oublis ;
ils chantent une chanson couleur d'eau,
qui entre dans mon cœur avide
par une porte d'or sensible.

Mes chiens, Caresse et Mensonge,
se tiennent toujours à mes côtés
et traînent une écharpe rose,
reste d'un amour incestueux.

Et je prends le chemin facile,
semblable à tous les chemins,
qui s'éloigne des onze douleurs
et se rapproche de la Fin.

FILEUSE

Il faut prendre le temps par les cheveux,
accoupler les hélices subconscientes
dans l'espace du secret.

Il faut caresser le probable
et croire à l'impossibilité
des routes qui croisent.

Il faut apprendre à soupeser
dix grammes de blanc, cinq grammes de noir
en espoir de rouge écarlate.

Il faut savoir tomber d'en bas
pour favoriser le zénith
des matins privilégiés.

Il faut aimer les quatre bouches
flottant autour du doute soyeux
des principes morts.

LES DOMINOS

Au catéchisme des offrandes, j'ai chanté la vie,
nid-d'abeilles d'où s'échappent les forces,
château des odeurs concentrées.
J'ai regardé sous les persiennes le parfum qui tue.
Le parfum en spirales
qui n'est tangible que pour le cœur.

Mais mon cœur est masqué de noir,
depuis que vos doigts l'ont touché
et je puis affronter sans crainte
la piqûre des oiseaux-fées ;
je suis plus fort que la vie,
depuis longtemps je suis parti.

Serrez sur votre poitrine ce qu'on nomme
        la douceur ;
vous verrez pleurer votre bouche
car la douceur et le miel
sont des dominos rose pâle
tout garnis de dentelle noire
et doublés en soie de chagrin.

MON AMIE[175]

Merci, je prépare un cyclone
pour faire rire les yeux de mon amie.
Elle a beau ne rien craindre,
il faut l'effrayer
pour ne pas avoir peur...
En temps normal
je chasse le chien
dans les plaines
où les crabes de prairies
ne vont plus à la messe !
Mon amie crache à terre
et voilà tout.

LES SIGNES DE LA MAIN

Je frissonne d'amour
en regardant marcher les belles Américaines,
aussi belles que des cygnes.
Elles sont les actrices de cet amour,
fantôme errant, en forme de flèche.
La musique rit, l'ennui disparaît.
Il est minuit au goût de miel,
mais ces conditions favorables ne servent à rien.

VAGUE

Le trèfle rouge enchanté
fondit par le sortilège du grelot,
dans le pays des îles et des aventures.

Dans les mers bleues et jaunes,
sagesse ou folie,
les hommes se jettent à la nage.

LE CIEL

Paris dans la lune brille
du haut du ciel.
Les tramways passent,
comme la mort.
La mort est un petit chemin
pour tout le monde.
La mort est une statue.

Les meilleures familles
ont l'âge de raison.
J'aime mieux le cacao
des mendiantes
qui ne font pas le signe de croix
par peur de la mort,
les églises n'étant plus vierges.

Prenez toujours la porte latérale
pour monter au ciel.
Heureusement pour moi, le ciel
est au bout du monde.
Dieu vit dans un coffre-fort
dont les pauvres n'auront jamais la clé.

L'ENFANT[176]

L'automne est fané,
par l'enfant
que nous aimons.
Ainsi qu'un vautour
sur une charogne,
il diminue sa famille
puis disparaît
comme un papillon...

POEME SENTIMENTAL

L'azur ruisselait sur nos bouches,
comme l'amour parfumé des boutons pourpres.

Les étoiles sont les pétales de nos pensées
au coucher du soleil.

Ce soir, fermant les yeux, debout près de toi,
mes hymnes mûriront, arrosés par la lune.

Si tu voulais, tout nu, je vieillirais
avec ton sourire, les mains sur tes seins.

Surtout ne me jette pas dans le vide !

Fleurs de l'œil étendues,
comme la panthère
aux dents féériques,

rafraîchissez mes yeux
et calmez mon cœur
sens dessus dessous !

Ainsi mon bonheur,
en langue douce, prononça
son désir d'épanouissement.

Merveille ! Je danserai
comme la fumée,
tissée en robe de satin bleu.

Mon corps à l'envers
t'adjure
de me donner tes intimes pensées.

CINQ HEURES

Les lions énormes,
comme les agneaux craintifs,
ont des pensées de jeunes filles !
Mon cœur est rouillé
car il ne voit plus ton regard
bien-aimé.

Pareilles à tes mains,
les nuances de tes yeux
sont des caresses
et me donnent des frissons.

NAGER

Je suis le mirage au-dessus de la littérature
des absinthes bourgeoises.
Supposition tendre d'alcoolique buvard,
auteur fantôme d'un travail nouveau !
La route est discrètement sauvage,
coupée d'illuminations.
La mort, occasion unique
des splendeurs invisibles,
est couchée sur un lit de repos.

Comme un poète impair,
Je suis l'auteur de la mauvaise tenue.

JE SUIS MA VERITE...

Je suis ma vérité...
Cruelle ennemie des ennemis
et des amis bourreaux.
Les supplices flânent chez moi
pieds nus,
pour ne pas faire de bruit.
Quelles ruines
que les paradis du monde !

PROJETS

Prenez les confitures par la main
sur le plateau des abstractions.
Pour collier, vous mettrez l'Amour ;
non l'amour creux des enfants vierges,
ni l'amour kodak des prostituées,
mais le seul amour qui compte,
l'Amour de moi.

Allons au pays central où chantent les ilotes cruels ;
apportez vos faiblesses en bagages
et dans vos yeux le souvenir du Bénarès.
Je serai vêtu de guenilles de prix
et je vous offrirai chaque soir
un miroir transparent et sombre
où vous ne vous reconnaîtrez pas.

POEME D'ESPERANCE[176]

Son regard m'amuse
comme une porte que l'on pousse
sur un parc rouillé.
Citron du soleil qui tombe,
elle passe comme le hérisson en boule,
chaque soir sur les lèvres du ruisseau.

Les corbeaux, la nuit,
sont des étoiles noires
et font entendre une musique déchirante.
Je voudrais flairer un parfum
semblable à la caresse du printemps,
loin des montagnes vertes et blanches.

DE L'AUTRE COTE[176]

Assis à l'ombre de l'eau
l'idée mélancolique m'emporte
vers les époques de la main gauche.
Les oiseaux n'arrêtent que pour pleurer !
L'épouvante est que vous mourrez en petits
    morceaux
dans le mauvais lieu de la vie,
la tête dans les mains, sans but.
Prenez un verre de couleur,
jetez-y trois gouttes de froid,
vous aurez le parfum d'après.
N'ayez de reconnaissance pour personne ;
ceux qui survivent sont les assassins.
La mort est le prolongement horizontal
d'un rêve factice,
la vie n'étant pas vérifiable.

CONVALESCENT

Il faudra m'en aller
par l'étroit espoir de ta demeure ;
la maison et l'escalier,
ainsi que sur un paquebot,
dansent le secret des voluptés.
Montez amour attiédi
par la perfection du bonheur.
Je presse ma tristesse
au son des cloches invisibles,
mais les trains passent
sur mon chagrin diminué
comme l'amour
passe chaque jour sur mes pensées
avec le chapeau sur l'oreille !

ARC-EN-CIEL

Les oiseaux venus du ciel
emplissent l'air tels des mosaïques
sur le soleil d'or.
Elle est amoureuse de mes yeux,
il ne me reste rien pour moi-même !
Nous étions souffle à souffle,
comme des chats devant la viande.
Distrait de l'appétit,
je reconnais mon chemin,

256

et maintenant je souffre
devant la bête rusée.
Les sens font croire à la chasteté,
consolation malicieuse,
comme l'argent,
lequel est au fond de l'abîme
où donne la fenêtre ouverte
du fou rire arc-en-ciel.

CHANSON FINALE

Derrière la colline bleue, devinez ce qu'il y a :
il y a un roi dans un palais d'osier.
Et derrière ce palais frêle,
devinez ce qu'il y a ?
Il y a, près d'un arbre rose,
un coursier qui parle à la lune.

Derrière la lune jaune, devinez ce qu'il y a :
il y a un gnome en fil de fer
qui souffle dans un cor de bois.
Au fond du cor, il y a l'âme d'un oiseau
qui appelle la source où boivent les rêves ;
les rêves qui dorment le jour !

Derrière les rêves d'or, devinez ce qu'il y a :
il y a un corps de soie,
des cheveux en poussière d'ombre,
une bouche pour la soif aride,
des bras pour cacher ma peine.
Derrière mes rêves il y a toi.

GOETZ*

L'intelligence intérieure a donné la parole à l'homme pour cacher sa pensée. Goetz a donné à la peinture sa pensée prodigieuse au langage antennal, problème des communications presque exclusivement visuelles, mais qui transpose à l'échelle humaine les portes des couloirs de l'abdomen, hors les murs des conventions mitathorax.

Sa grossesse intellectuelle lui a donné l'esprit contemplatif et l'amour au caractère féminin loin des éclats de joie, au rythme déterminé d'Apollon.

Les poètes mentent beaucoup, Goetz philologue du temps nouveau peint son pessimisme pour l'acceptation du mensonge de Bouddha. Il donne de l'air à tout ce qui est artistique et fabriqué pour les apôtres du génie cleptomane, car artistes et spéculateurs s'entendent pauvres idiots du triste savoir.

J'aime la peinture de Goetz, j'aime ce qu'il dit, parce qu'il a foi en lui-même, il donne un nouveau style à la peinture, ce qui se rencontre rarement, ses tableaux ravissent mon œil et aussi la qualité de son goût, palais qu'il va construire et parcs qu'il va planter loin de l'égoïsme et de l'envie, son infini personnel et sa qualité où la pauvreté du riche est enterrée par sa nature dissipatrice loin des libéralités timides.

J'aime votre pensée que vous avez plantée sur vos nuages pour découvrir un autre monde et ne plus entendre le vacarme de la rue ; vous êtes le penseur qui avez besoin de vos applaudissements loin des applaudissements.

Vos tableaux sont la plus solitaire des solitudes, mais ils possèdent la conscience des choses que, nous ne voyons pas encore.

La douce et gentille bête humaine est sérieuse, vous ne l'êtes pas, mais heureusement vous nuirez à la bêtise de la gracieuse bête humaine.

---

* Catalogue de l'exposition « Henri Goetz et Christine Boumeester », galerie L'Esquisse, Paris, 27 mars - 27 avril 1945[177].

CHRISTINE*

Penser autrement que ce n'est l'usage est une sorcellerie de la bonne conscience, j'aime les peintures feu follet ; elles sont pour un rêveur comme moi le sublime, peut-être le moyen suprême de me reposer.

Pardonnez-moi, mes amis, si j'ose écrire sur l'écran du désenchantement que Christine est la femme peintre qui a le plus de profondeur dans le secret indestructible de l'amour.

Goetz et Christine qui exposent ensemble leurs œuvres sont capables de dépasser l'ivresse par leur croyance.

J'ai envie de créer pour eux des noms nouveaux devant leurs œuvres « choses nouvelles ».

LE PETIT MONSTRE**

Naturellement, cela devait finir avant la fin, ce qui me permet de finir en donnant des raisons d'espace et de temps, d'espoir et de raisons et de raisons sans espoir.

Vous avez entendu parler de cet homme fou dont la rêverie était l'honnêteté sans remords, sans égoïsme malgré les lois des grandes personnes.

Maintenant la femme de l'Ile aux Moines veut dormir.

Celle qui veut dormir obscurcit sa vie comme sa chambre, ses pensées ne sont plus que des ombres qui deviendront toujours plus obscures et plus vides.

Je suis le peintre qui connaît la joie du malheur. Tout maintenant est sage et convenable et pourtant sa conscience n'est pas en repos, car l'exceptionnel était sa vie mais tu as nui à ta cause en défendant tes intentions : tu abasourdissais tout le monde, mais maintenant c'est le monde qui t'abasourdit ; du fait que tu es une femme honnête eh bien, n'en conclus pas que tu es une femme. Ton esprit a de mauvaises manières, il bégaye, c'est pourquoi l'on croit à d'autres causes, pas à l'effet. Je n'aime pas les femmes qui pour obtenir un effet sont obligées d'avoir des yeux pour entendre et des oreilles pour voir. Tu as toujours un baiser dans ton sac ; verre grossissant que tu offres à tous ceux qui regardent de ton côté. Dans ton cœur il n'y a point de désintéressement, il y a seulement un pauvre moi, par habitude. Et c'est l'habitude de lire l'Ile aux Moines qui peut vous faire prendre pour vrai le mensonge de ce rêve.

Terminé à Paris, le 28 mai 1945

---

* *Ibidem*[178].
** *Les Quatre Vents*, n° 6, 1946, p. 108-109.

LA PERSPICACE ENNAZUS*

L'impression est singulière
de regarder son cadavre·
et de lui répondre machinalement.
Il est peut-être plus singulier
de camper dans un être mort
qui doit devenir notre assassin
et cela dans un chemin
d'où il faudra revenir
tout seul dans le noir.
Il y a le bonheur à perte de vue
quand l'être que l'on aime sera mort
mais l'on oublie plus aisément
l'avenir que le passé.
Quelle tristesse
que le bonheur qui se fonde sur la tristesse
des crimes de la vieillesse
dans la boîte noire
du chemin
dont on ne revient pas.

ZEE
(Petit poisson australien)

Oui parfois le feu
est utile pour aimer
pour se séduire soi-même
pour suivre celle qui vous suit,
pour échapper à l'étoile bleue
pour entendre bourdonner
les amis unis devant
le bonheur.

Adieu ma belle et cours après le soleil,
Bonjour les roses du bonheur
Comme s'il s'agissait de...
Détester déjà les forêts et les mers
Elle pense à la glace
Feu de glace
Gentille folle vue à mi-hauteur
Hasard qui déborde
Il veut passer à travers le trou

---

* *Troisième Convoi*, n° 1, p. 13, octobre 1945[179].

Jamais la fumée ne lutte
Képi à quatre pattes
Lentement le trou
Magique est allé au diable
Nourri par son esprit
Orientaliste
Pauvre petit oiseau
Qu'est-ce qui lui plaît
Reste et regarde les étoiles
Sans aspirer à la canicule
Trompeuse
Usufruit d'une seule peine
Venue des hespérides
Wagon-bar
Xantralin
Yacht pour passer le temps
Zée.

SOUVENIR

Comme l'attente amoureuse
la lune s'est couchée dans la mer
le poison dans mon cerveau me dit :
Que demandes-tu ?
Lentement une heure après l'autre
Mon bonheur
S'accroche au plumage du bonheur
tes yeux sont monstrueux.

Il faut briser la terre comme un pont qui est devant ou derrière nous.

Maintenant, il n'y a plus de ciel, il y a l'absolu qui rend la justice en sanctifiant l'erreur pour en faire une vérité, vérité qui éloigne les pauvres épuisés du petit moment de la belle folie.

Il n'y a qu'un homme qui vraiment peut nous trahir : c'est l'homme qui a pour nous de l'importance.

(Entretien avec Colline*)

Il y a actuellement un mouvement artistique très intense à Paris, je parle au point de vue qui m'intéresse, c'est-à-dire au point de vue peinture, mais on ne peut pas encore, il me semble, parler de renouveau et il est plus extérieur que véritablement vital. L'art figuratif est à un point mort, il ne peut en être autrement à mon sens, ses

---

* *Journal des arts*, n° 3, p. 50-53, novembre 1945.

principaux représentants restent égaux à eux-mêmes sans aller de l'avant. Le cubisme a pris fin complètement et les recherches de certains peintres dépassent maintenant le surréalisme. Il y a profusion de petits clans, de chapelles, de jeunes esthètes suiveurs sans grand intérêt qui ont profité du tumulte et de la confusion de ces années pour se pousser au soleil avec l'aide des marchands de tableaux, vivant à la remorque d'une idée ou plutôt d'un mot se terminant par « isme »... Parmi eux, il en est de sincères, bien sûr, mais aucun n'est vraiment créateur, et trop d'éléments secondaires entrent en jeu dans leur ascension : la politique, le pain quotidien...

Picabia me paraît pessimiste et je le lui fais remarquer :

Pas du tout, proteste-t-il, après un violent orage, l'eau d'un lac est trouble et agitée, ce n'est qu'avec le temps qu'elle se décante et que l'on peut savoir exactement ce que l'on voit. Je sais que certains peintres travaillent, isolément et sans bruit (ce qui en langage pictural veut dire à l'atelier et sans exposer). Ils ont ce désir de rester momentanément exclus de la vie publique pour mieux lutter contre l'inflation et le marchandage des valeurs qui atteignent un degré inquiétant en ce moment-ci pour l'avenir de la civilisation spirituelle. Le produit de ces heures de silence se révèle déjà création, et, fait curieux et bien réconfortant, les résultats auxquels sont parvenus ces peintres qui ne se connaissent souvent pas témoignent que les buts qu'ils poursuivent sont similaires ; ceux qu'ils « poursuivent instinctivement », bien entendu, car aucune recherche artistique ne doit être voulue ni absolument consciente, son authenticité exige qu'elle soit l'expression d'un besoin impérieux et sous-jacent et, lorsqu'on constate la présence de cette même question amenant chez beaucoup une réponse semblable, on a le droit de se dire qu'une vérité va naître (...)

Sous l'influence d'André Breton, du dadaïsme découla le surréalisme, cet art abstrait appelé maintenant concret[180] puisque nous sommes dans un temps où l'un des plus grands dangers est précisément l'abus de la dénomination qui ne correspond plus à aucune définition et qui souvent finit par tuer le fait, l'acte... C'est ce que je reproche à ces jeunes peintres qui imitent mal des gens dont l'art consiste lui-même à s'abriter à l'ombre d'un terme. D'ailleurs, toute peinture est abstraite puisqu'elle est par essence la transfiguration, la transmutation de la nature. Simplement l'objet que le peintre dit « figuratif » interprète est posé concrètement devant lui, tandis qu'il se dresse dans le désir, voire l'obsession du surréaliste, mais ce dernier le peint avec le même amour attentif qui anime le premier, comme Cézanne ses pommes, ou Chardin son œuf.

Ces peintres dont je vous parlais tout à l'heure et moi-même dépassons cela, il n'y a plus d'objet, ni tangible ni conçu, « entre » le peintre et nous, « entre » le spectateur et l'auteur, nous voulons qu'un tableau soit un moyen d'échange de nos sensibilités à l'état le plus pur, qu'il soit l'expression de ce qu'il y a de plus vrai dans notre être intérieur. Et c'est pourquoi il ne peut plus rien y avoir de figuratif dans cette peinture, parce qu'elle n'est plus une exploration du monde extérieur, mais une prise de contact de plus en plus profonde avec un univers intérieur... surtout n'allez pas en tirer les conclusions hâtives que les psychanalystes ont mises à la mode, il s'agirait plutôt de la découverte de la réalité dans le sens où les philosophes hindous la conçoivent ; pour moi personnellement j'éprouve le besoin impérieux d'une dématérialisation du milieu dans lequel nous vivons, de ce monde de machines et de formules, c'en est une voie...

Mais quels sont les moyens qu'emploie cette nouvelle peinture ? car n'étant pas de purs esprits, je suppose tout de même qu'il faut s'exprimer par quelque chose, en peinture par de la couleur et des pinceaux ?

Il n'y a pas encore de technique nouvelle cataloguée, naturellement, mais puisque ce que je veux exprimer est un état intérieur précis, avec le temps se préciseront aussi les moyens d'échange avec le spectateur. A chaque époque les artistes ont exprimé le besoin dominant de leur temps, mais on ne peut pas le définir exactement pendant qu'on le vit, peut-être maintenant que l'homme est prisonnier du langage qu'il avait inventé, dans n'importe quel domaine, qu'il s'agisse de machines ou de mots, est-ce l'imprécision même de ce moyen d'expression qui devient une possibilité d'évasion.

L'intellectualisme, la volution (*sic*) qui président à tant de recherches artistiques en signent leur stérilité, leur imposture. Un arbre ne pousse que s'il a des racines, rien ne part d'en haut, tout vient d'en bas. Toute création réelle est le signe sensible d'une exactitude avec soi-même, elle est la révélation extérieure d'une vocation (ce mot pris dans son sens le plus exact), qui doit commencer par sourdre de l'instinct, pour se préciser par la connaissance, puis par « les connaissances » qui nous font toucher les accords par lesquels on a l'« instinct d'exprimer son instinct ». Il me semble que je pourrais peindre en fermant les yeux, presque sans regarder ce que je fais et pourtant mes recherches passées, mon long métier, ce dur métier de peintre me sert, je réponds par cela à l'objection que je vois poindre sur vos lèvres : « Mais tout le monde peut faire une telle peinture ! » Mais non ! il faut penser peintre, sentir peintre, c'est-à-dire sentir « couleurs », aimer « lignes », vivre « formes », si vous préférez, et tout cela est le résultat d'un long passé technique. C'est la suite de mes recherches successives soutenues par ce travail d'artisan qui est aussi celui de peintre qui m'amène à ce point d'où découlera un « métier », un « style » nouveau.

Mais que voit-on sur vos toiles actuelles ?

Chacun y voit quelque chose de différent et même chaque jour quelque chose d'autre suivant son état d'esprit, mais cette forme qu'il voit ne s'attachant à aucun objet réel, ayant une vie propre, ne trahit donc pas ce « quelque chose » qui est le message de mon être au sien et qui est visible, j'en ai la certitude par la délectation que beaucoup trouvent à contempler ces toiles. Elle équivaut à la satisfaction, à la plénitude intérieure que je ressens à un certain moment de mon travail et qui me prouve que la toile est terminée ; chaque tableau est pour moi un drame, passant par tous les stades de ma production antérieure, formes, transparences, superposés, pour continuer plus loin et aboutir à cet instant fugitif, mais extatique où je sais que je tiens cet insaisissable qui est le réel (...).

A vrai dire il n'y a pas de groupe, ou plutôt pas encore et je ne voudrais pas les engager à fond dans ce que je vous dis, nous sommes parents, mais pas encore frères, dans ce monde à rebours à la découverte passionnante duquel nous sommes. Cependant Henri Goetz, Christine Boumeester, Atlan, Ubac, Manuel, d'autres encore, m'ont dit que mes toiles témoignaient de la même orientation que les leurs, qu'ils se sentaient poussés avec la même urgence vers cette sorte d'expression.

REPONSE AU « FIGARO »[*]

Enquête : Le cinéma peut-il prétendre légitimement aujourd'hui être devenu un art ? Et, dans ce cas, quelle est, selon vous, sa mission particulière ?

Je m'empresse de vous répondre, trouvant votre enquête d'un grand intérêt. J'aime beaucoup le cinéma, *surtout s'il n'a pas à accomplir une mission ;* si cette mission est vis-à-vis de lui-même, d'accord. Il y a l'art de la publicité, mais la publicité n'est pas un art. Le cinéma est un grand art, mais il est employé par trop de gens qui ne voient dans le cinéma qu'un moyen de faire de l'argent, et comment... Il y a trop de films, les bonnes choses ne se voient plus par l'encombrement. Il n'y a plus de combinaisons absolument mercantiles, elles deviennent un grand art au détriment du cinéma.

P.S. — On se contente maintenant de l'illusion de posséder la vérité, sans qu'il vienne à l'esprit de personne de se demander sérieusement s'il ne serait peut-être pas nécessaire, avant de posséder la vérité, d'être soi-même vrai. La France est peut-être le seul pays où le vrai existe encore, *avec son évolution.* Il est temps de le sauver.

---

[*] *Le Figaro,* 15 octobre 1946, p. 4.

PICABIA NOUS DIT*

Il faut peindre pour son plaisir comme si personne ne devait voir les tableaux. Je ne me suis jamais attaché aux réussites matérielles, et je suis effaré d'entendre les jeunes qui viennent chez moi parler de tableaux et de marchands.

Ce qu'on doit s'attacher à représenter ce sont les objets intérieurs, je trouve que de reproduire des objets extérieurs, pièce par pièce, tient du travail de couturière. Mais cela sans idée préconçue, il faut oublier ce que l'on sait, et ne penser à rien. J'y pense avant, par exemple en me promenant. Ce que j'aime c'est la vie, si j'ai un rendez-vous avec un tableau et un être cher, je n'hésite pas une minute et je laisse le tableau.

Et que pensez-vous de la peinture actuelle ?

Je crois que c'est aux surindépendants que l'on trouve le plus d'activité et un certain élan véridique. Je ne parle pas de certaines compositions fabriquées qui sont des mensonges. Je ne me sers pas de palette, mais comme vous avez dû le remarquer dans mon atelier j'écrase mes couleurs sur une table. Pendant un moment, j'avais des papiers. Un jour, j'en ai épinglé un au mur, et un amateur, qui venait me visiter, s'est arrêté net devant et m'a déclaré : « C'est ce que je préfère le plus de vous. » Il avait peut-être raison, cela correspondait sans doute à un élan intérieur. Si on appuie sur un tube de couleur, il sort de la couleur.

PREFACE ILLUSION...**

Je suis certain que beaucoup se martyrisent dans une inquiétante
    littérature.
Pitoyable bavardage !
Réactions bien instructives celles que provoquent les arts plastiques
    sur les esprits complètement vicieux.
C'est-à-dire les belles âmes, celles qui ne sont que mensonge,
Enfin les gentilles bourriques
Que voulez-vous on est ainsi ou on ne l'est pas.
Il faut posséder cette merveilleuse méchanceté sans laquelle il n'y a pas
    de perfection.
Un artiste ne peut puiser que dans sa réalité
Sans autre appui que lui-même.
Partout où se pose l'étiquette d'une nouvelle école
L'individu est corrompu.

---

* *Une semaine de Paris,* 19-27 novembre 1946, interview signée Gérard Pascal.
** Catalogue de l'exposition de F.P. à la galerie Colette-Allendy, Paris, 30 mai -
20 juin 1947.

Tout bien pensé, ma vie ne serait pas tolérable sans la vie
Mais j'en suis encore à chercher mon devenir sans morbidesse *(sic)*
    psychologique
Sans souci des expériences que d'autres ont pu faire.
J'aime les sceptiques, seul type d'homme honorable
Parmi tous ces philosophes dont chaque phrase veut dire plusieurs
    choses.
Les trois dimensions sous le rapport de l'esprit sont des œuvres
    cosmiques.
Je suis peut-être un poète
Mais aussi le démon qui rit, devant les vérités
Scientifiques, artistiques et même les vérités désagréables.
Ma vérité se fera jour entre les hommes.
De la vie, je tire l'origine de toutes mes œuvres,
Esprit tout court, qui représente foncièrement ma pensée.
Insurrection contre le règne des nouvelles valeurs *absolues*.
Mon idéal, non ascétique, est un idéal contre la décadence.
Comme explication, je suis le contre idéal
Vis-à-vis des hommes qui aiment le néant de l'infini.

Paris, le 1ᵉʳ mai 1947

(Préface à une exposition*)

    Cette absurde surestimation pour la joie d'un ciel non étoilé a la
faculté de priver les hommes du plaisir de vivre et de les rendre plus
froids, plus insensibles, aussi leur tristesse s'informe des causes.
Tandis que le véritable plaisir s'en tient à lui-même et ne regarde pas
en arrière.

    C'est sous l'effet du sentiment de bien-être que procure celui qui
vit, que les hommes chevaleresques s'habituent à l'échange d'une vie
de choix — la vertu des hommes et des femmes de joie est la pitié pour
ceux qui ne voient dans la vie que le capital : pauvre horizon voilé par
des précisions de vengeance, de punitions, de succès, d'insuccès ou de
raillerie.

    Les hommes les plus vides ont le sentiment de puissance ; pour
moi, la puissance est un fardeau, un ennui, ce butin est facile, il est
méprisable, comme le désir de propriété ; il ne signifie pas autre chose
que d'exclure le monde entier du bien précieux d'un bonheur, d'une
jouissance absolue, la recherche de son exactitude est dans l'espace. Il
faut regarder nos tableaux avec la curiosité que donne l'inconnu, le
plus loin possible de ceux dont l'idéal se trouve derrière eux.

---

  * Préface à une exposition collective « Réalités nouvelles », au Salon des Réalités
nouvelles[181], juin 1947.

266

TEXTES DE FRANCIS PICABIA

EXPLORATIONS

LITHOGRAPHIES DE HENRI GOETZ

VRILLE
1947

* *Vrille,* éditions Pro-Francia, 40, rue François-1ᵉʳ, Paris (30 juillet 1947), texte de F.P., lithographies d'Henri Goetz.

I

Apparition pour toucher l'odeur de mon cœur, au milieu du monde qui enserre le souvenir infini de la main sur le poing des autres objets ; cela pour réveiller en moi la liberté de l'amour dans la caresse du désir.

II

Caresse du désir, qui invite le désir, pour l'exquise femme, laquelle à mes propres yeux, dans le chemin de la caresse, glisse vers le monde de moi-même ; ma chaire contre ma chair avec le mouvement pour oublier la présence en face de l'autre, c'est-à-dire la nouvelle synthèse sadique des souvenirs brouillés.

III

Souvenirs brouillés des contenus extérieurs du présent ; hypothèses des autres, semblables les uns des autres, pour venir persuader le contraire au psychanalyste de ma vie du cercle, l'image du dessin dans la phrase des étoiles.

IV

La phrase des étoiles, comme la limite aliénée, pour saisir librement les replis des intuitions fondamentales. Liaisons de mon corps dans l'échec voué à l'échec ; la mauvaise foi des années dans le monde du tout espoir, suite de l'infini, essences singulières, la nécessité logique qui refuse la liberté du néant.

V

La liberté du néant pour ne pas être en soi, simple comme la forme réfléchie, exclusion des consciences de signification pour la moindre aventure ; vous avez eu beaucoup d'aventures Madame ? L'existence du monde, l'existence des autres est mesurée comme l'intuition d'une absence.

VI

L'intuition d'une absence, pour l'existence de mon expérience penchée par-dessus les épaules et les fesses étroites de vos conversations, sur la photo du village et la noblesse qui gonfle mon cœur à en crever. Du nouveau, des aventures, du nouveau pour sculpter la seconde nature des yeux noirs, qui implorent le monstrueux, au bruit du tam-tam des ventres pour les lèvres qui savent voyager.

VII

Les lèvres qui savent voyager, progrès immense de soi sur le terrain des vérités de l'existence irréfléchie dans l'illusion des mêmes choses pour le moment universel des intentions dans la vie ciselée du bonheur.

VIII

La vie ciselée du bonheur est le gentleman des distinctions de cuir pour étudiants au visage de plume d'oie, pauvre simple apparence du rôt léger dépassé par la pluralité du concept universel de ma connaissance.

IX

Le concept universel de ma connaissance est de saisir l'autrui qui aboutit aux cigarettes le long des grandes mains qui changent de place, comme la mer emporte le bleu des années pour parler avec cette douceur sereine du souci de soi qui ne regarde personne. La vie sans but, pessimisme des buts qui n'ont pas de raisons d'exister dans la contingence originelle.

X

La contingence originelle sur le plan des objectivités permanentes, intuition de la prévision, réalités sociales, carburateur de son cœur dans le monde infirme pour toucher le dos du bossu à la belle poitrine, mais sa douleur est cornemuse, dans la caresse du désir, ma maladie destructive des apparitions de mon corps ne fait plus qu'un dans le chemin du rêve.

H W P S M T B *

EXPLICATIONS ANTIMYSTIQUES

Les tableaux et leur exécution sont différents chez différents peintres : l'un a réuni dans un Tableau les clartés qu'il a su dérober à l'éclat d'une connaissance subite et emportée en hâte : l'autre ne donne que les ombres, les pastiches en gris et noir de ce qui, la veille, s'est édifié dans sa pensée.

Ma peinture est une femme qui ne veut pas faire l'amour avec son mari.

Je n'aime pas cette façon à la mode de faire des tableaux, ce n'est que l'étiquette qui les rend importants.

Ma pensée me dit où je me trouve : mais elle ne m'indique pas où je vais.

L'ignorance de l'avenir est ma vie, ma vie qui ne peut vivre par anticipation. Je suis le succès de l'insuccès.

Je ne désire ni résultat, ni but.

(Préface à l'exposition Francis Bott **)

Les tableaux de Francis Bott[183] sont des rêves sur la vie, comme ses pensées sont des rêves sur lui-même : de tous côtés j'entends le monde crier, hurler, menacer. Des voix stridentes montent jusqu'à mes oreilles, tandis que certains chantent leur mélodie, magnifique comme le mugissement du vent ; ceux-là s'accompagnent en mesure de ce vacarme, mais c'est tout ce qu'ils tirent.

Je regarde Francis Bott ; serait-il un esprit calme et silencieux semblable à ces petites embarcations aux voiles blanches qui flottent et glissent sur la mer houleuse ? Mon impression est qu'il se promène au-dessus de l'existence pour peindre son idéal ; il lui arrive de voir passer auprès de lui des embarcations qui lui donnent simplement l'envie de rire, car leur étiquette et leur course ne sont qu'embarras et inutilité.

Les tableaux de Francis Bott sont des rêves sur la vie, comme sa peinture est un rêve pour lui-même.

---

* Catalogue de l'exposition « HWPSMTB[182] », galerie Colette-Allendy, 22 avril 1948.
** Galerie Lydia-Conti, Paris, 19 novembre 1948.

FRANCIS BOTT*

Francis Bott est de ceux qui peuvent nous apprêter un monde où il serait agréable de vivre, loin du goût et de la mascarade intellectuelle qui veut imposer l'importance de l'or avec toutes ses tyrannies. Les conditions de la vie actuelle sont une erreur, car la recherche de l'or enseigne le scepticisme moral. La foi en l'esprit est morte et si cela continue, le bonheur du cœur disparaîtra à tout jamais. Nous n'aurons plus le plaisir de voir des rêves se promener dans l'esprit avec une dignité plus sympathique que celle d'un marchand ou d'un banquier.

Francis Bott a la passion de la peinture pour la connaissance de lui-même dans le bonheur et le malheur, points d'appui pour exprimer sa vérité.

Sa peinture est plus que le moyen de ne pas être seul : elle lui communique sa propre vie. Celle où il quitte la terre pour peindre ses tableaux qui sont des rêveries de bonté.

Francis Bott est un homme qui n'a pas le mal du pays matériel ; c'est pour cela qu'il a plus de liberté dans la terrible cage d'infini.

La bonne peinture est abstraite par elle-même. Les mauvais peintres veulent être abstraits, mais pour cela ils s'ignorent trop, et aussi la peinture.

Galerie Lydia-Conti

CHRISTINE BOUMEESTER**

Dans la peinture de Christine Boumeester, beaucoup de secrets sortent de leur cachette pour être éclairés par son soleil. Je voudrais donner la vie éternelle à ses tableaux. Ce qui m'attire c'est le spectacle du rêve qui entoure ses toiles ; en quelque sorte elle est la femme spirituelle de la grande aventure de l'art pictural.

Aujourd'hui les séducteurs les plus subtils de la peinture s'entendent à faire croire à l'aventure, plutôt qu'à la suivre ; on ne le peut pas avec des arguments ; les vrais tableaux d'aventures resteront toujours des aventures.

Je suis heureux d'écrire cette préface pour cette femme soudainement émergée des forces de l'instinct et aussi de la culture ; elle possède en quelque sorte l'atavisme d'un monde nouveau.

Et c'est ainsi que l'on peut trouver chez elle son développement.

---

* *Arts*, 3 décembre 1948, p. 4.
** Christine Boumeester, textes par Bachelard, Picabia, Clarac-Senou, Serpan, Arnaud. Paris, Instance, 1951.

Tant mieux si elle se tyrannise, car sa peinture en demeure toujours nouvelle, peu perceptible à l'œil et à peine assez clairement reconnaissable pour s'incorporer à une école.

Aussi ses œuvres ne peuvent être comprises que par ceux qui ont compris que les erreurs sont incorporées avec conscience avec des erreurs, erreurs pour ceux qui croient encore aux erreurs.

Christine Boumeester aime avoir l'ignorance de l'avenir, elle ne cherche pas à goûter par anticipation aux promesses des choses promises.

Sa peinture n'est pas un moyen de la connaissance pour une victoire.

Picabia, 1948

TROIS PETITS POEMES*

Mon amitié
est une étoile
toujours plus exigeante
à l'égard de moi-même.

Bonheur du renoncement

L'amour me trompe
ainsi pousse
le champignon
qui de ta bouche
orne pour moi
ton souvenir.

Logique

Logique
illogique
déduire
autrement
cela semble
de plus
en plus
vrai.

---

* Imprimés par Pierre-André Benoit (PAB[184]), à Alès (Gard), le 1er janvier 1949, tirage de 49 exemplaires.

EXPLICATIONS MYSTIQUES*

NS — NS — STONS — TOP — BIN — DEDU
EN — CE — PR — SA — TESE — PR
SA — PE — PR SA — PUM — PR — L'HADE
TS — CES — GRS — QD — IS NS — RASNT
NS — DCENT — NE — FAISSE — NS — RASNT
NS — DCENT — NE — FAISSE — NS — AIMS
DE — DOER — SR — EE — SS — SECS — SS
PACE — EE — ET — NE — TEE — PACE — MS
OU — COUNT — LS — SEDNS ?

Francis Picabia
Epoque Dada

Ce sont les autres qui choisissent pour moi, j'aime mieux cela, pour ne pas être victime de mon bon jeu.

Le matérialisme aime l'art abstrait, l'homme abstrait aime l'art, tout simplement.

* *491*, 4 mars 1949[185].

LES PEINTRES
ET LEURS EFFETS A DISTANCE*

PRENDRE LA VERITE AU SERIEUX !
MAIS DE COMBIEN DE FAÇONS ?
CE SONT LES MEMES OPINIONS
LES MEMES MODES DE PEINDRE
QU'UN PENSEUR CONSIDERE COMME ZERO,
LORSQU'IL MET CES MODES EN PRATIQUE,
IL SUCCOMBE, DANS CET INSTANT SENTIMENTAL.
LES OPINIONS QUI PEUVENT RENDRE HEUREUX UN
   ARTISTE,
LORSQU'IL SE MET A VIVRE AVEC ELLES,
CROYANT A LEUR PROFONDE GAITE,
DISPARAISSENT POUR LE SURPRENDRE
DANS CE QUI EST OPPOSE A L'APPARENCE.
NOUS SOMMES TRAHIS PAR L'IMPORTANCE
QUE LES HOMMES DONNENT A L'INVENTION
ET PAR CE A QUOI NOUS ATTACHONS DE L'IMPORTANCE
QU'IMPORTE TOUT NOTRE ART DANS LES OEUVRES D'ART,
SI L'AMOUR, QUI EST LA VIE,
SE MET A DISPARAITRE PARMI NOUS !
AUJOURD'HUI, AVEC LA PEINTURE,
BEAUCOUP D'HOMMES ONT LA CONNAISSANCE
SUBITE ET HATIVE DES POSTICHES EDIFIES
DANS LEUR TETE.
MAIS N'OUBLIEZ PAS QUE LES GRANDS MAITRES
DE LA PEINTURE
ONT PRESQUE TOUJOURS ETE POETE,
EN SECRET, ET POUR LEUR INTIMITE :
TOUT LE CHARME CONSISTE
A ECHAPPER POUR SE CONTREDIRE AVEC MALICE
A L'ENDROIT DE LA POESIE.

27 août 1948

---

* *Ibidem.*

(Sans titre*)

La connaissance est une vieille erreur qui pense à sa jeunesse.

L'illogisme a inventé la logique.

Les hommes ni beaux ni nobles veulent devenir des hommes ?

L'ombre de Dieu est un homme au clair de la lune.

La loyauté ne peut avoir qu'en conséquence le suicide.

L'amour pardonne même aux amoureux.

Les femmes sont plus sceptiques que tous les hommes, surtout les vieilles.

La prière a été inventée par les hommes, pour les femmes et leur sexe.

Les explications mystiques sont les plus superficielles.

Les hommes ont inventé le culte de l'erreur, du non-vrai et du mensonge.

Les mécontents et les faibles rendent la vie plus belle.

Les lois sont contre l'exception, moi je n'aime que l'exception.

Le diable me suit de jour et de nuit, car il a peur d'être seul.

Il pleut et je pense aux pauvres gens pour qui il ne pleut pas.

La bonne conscience du rire me repose des gens sérieux.

Faut-il que je commence à songer à un dénouement sérieux.

Toutes les femmes sont pleines de finesse, surtout lorsqu'il s'agit d'exagérer leur faiblesse.

Beaucoup d'artistes consacrent leur temps à leur peinture, je me demande pourquoi ces gens aiment tellement la mauvaise compagnie.

L'Art est le culte de l'erreur.

Craindre les sens, c'est devenir philosophe.

L'amour de la haine est le plus bel amour.

La fin est nouvelle, je suis le moyen nouveau.

Faire le voyeur, c'est passer au-dessous de l'existence !

---

* *491*, 4 mars 1949[185].

PRECAUTION*

Son cœur prétend n'avoir de sympathie
que pour les êtres intelligents
ils ne le sont pas
mais elle croit
qu'ils le sont
elle cherche des récits
comparables à ceux qu'elle voudrait avoir
ayant dans son cœur des pensées
aux teintes roses
dont sa bêtise
lui fait enregistrer l'approbation
comme sentiment d'un progrès
mathématique pour l'équation des rêves

DANS UNE EGLISE**

Dans une église à la campagne
J'ai vu à la place du Christ
la photographie
d'une très jolie femme
en costume de la Renaissance.
C'est un curieux ornement
pour une église.
Je méditais là-dessus
lorsqu'une porte s'ouvrit
et un curé
tenant dans une main une fleur
et de l'autre un sac de bonbons
me dit :
Vous désirez me parler ?
Oui Monsieur le Curé
si toutefois cela ne vous dérange pas.
Il eut un geste vague
et me dit doucement :
Je vous aime
voulez-vous venir coucher avec moi ?
Puis il se tut
pour regarder par la fenêtre
le Saint-Esprit qui passait.

---

* Imprimé par Pierre-André Benoit, à Alès, en mars 1949 ; sept exemplaires.
** *K. Revue de la poésie*, n° 3, mai 1949[186].

OU BIEN*

Ou bien dans une position tranquille
ou bien encore les bons et les mauvais souvenirs
ou bien les intentions et les espoirs
ou bien les douceurs de nos amertumes
ou bien les mensonges
ou bien d'une façon ou d'une autre
ou bien être amoureux
ou bien la souffrance et le malheur
ou bien le labyrinthe
ou bien le chaos
ou bien le néant
ou bien ?

AFFAIRE DE GOUT**

Nos opinions démontrées par nos actes
sont des plantes merveilleuses,
vous connaissez le bonheur,
le malheur et le bonheur
sont des pédérastes,
qui n'aiment pas la vie
car la vie est une femme
qui a la pensée pratique de la vie
et pas autre chose !

Je hais autant ce qui est bon
que ce qui est mauvais.

Je ne pose jamais de question
car je cours après le soleil.

Fidèle à ma nature
Je peins ce qui me plaît
Mais qu'est-ce qui me plaît ?
Ce qui me plaît.

Je regarde le plafond
où il n'y a rien.
Alors pourquoi ?
Je sais qu'il n'y a rien,
mais je n'en suis pas très sûr.

---

* *L'Art abstrait,* ouvrage collectif, Paris, éd. Maeght, 1949.
** *Ibidem.*

Donnez-moi des couleurs à broyer
Picabia à broyer
ne cherche pas un sens
à ce qui n'en a pas.

VESTIAIRE*

Voûte que la nuit éclaire
tu planes sur les hommes multicolores
sur les fantômes et les solitaires.
Le vent chasse les nuages
pour balayer
la mélancolie du ciel
aussi pour me montrer
mes souvenirs
accrochés comme des fleurs
aux étoiles.

* *Ibidem*.

1950-1953

CHI-LO-SA*

A ceux qui ont maintenant de l'idéal leur idéal occasionne souvent des remords : car l'idéal est une vertu d'un autre temps que l'honnêteté.

Picabia

---

* Imprimé par Pierre-André Benoit, à Alès, en 1950, avec une préface de Jean Van Heeckeren, couverture de PAB ; tirage de cent exemplaires.

Picabia est le seul exemple d'un grand peintre qui soit aussi un grand poète. Peut-être y a-t-il le cas de Michel-Ange, mais ne sachant pas un mot d'italien je ne peux le juger, ne me fiant jamais à l'opinion générale. Chez lui on peut considérer que l'écriture a autant d'importance que la peinture. La graphologie révélerait même que le poète dominerait le peintre. Du reste il est impossible d'apprécier pleinement sa peinture sans l'envisager en partie du point de vue poétique, et sans la considérer comme d'essence poétique ; ce qui, loin d'en diminuer la valeur ou l'intérêt, l'augmente au contraire.

Picabia passe aux yeux de la plupart des gens pour le contraire de ce qu'il est. On dit couramment qu'il est plein de chiqué, alors qu'il est impossible de concevoir un être plus dénué de chiqué. On dit aussi qu'il est artificiel, or ce qui frappe le plus en lui ce sont sa simplicité et son naturel. Simplicité par-delà toutes les complexités, bien entendu, comme ses œuvres sont par-delà l'art. On le dit superficiel parce que, Dieu merci, il ne pontifie jamais. Presque personne ne le prend au sérieux parce qu'il ne se prend jamais au sérieux, et c'est là une des erreurs les plus grossières de l'opinion publique. Il a aussi la réputation d'un brillant causeur ; en réalité il est généralement silencieux, contemplatif. Mais sa contemplation est un poste d'observation, car les paroles qui lui échappent sont des traits de lumière. Je ne citerai que celle-ci : « Un tableau n'existe pas s'il ne sait pas nous transporter au-delà de tous les tableaux. » Phrase dite en passant qui peut servir de clef à toute son œuvre, car c'est aussi vrai d'un livre que d'un tableau, et CHI-LO-SA en est un nouvel exemple car il ne ressemble même pas aux autres livres de Picabia.

Surtout Picabia n'a aucune prétention. Si vous abandonniez toute espèce de prétention vous trouveriez, peut-être, la clef de la vie. Vous avez baptisé vices et vertus un tas de prétentions.

En écrivant il travaille assez à la manière d'un peintre qui commence par barbouiller la toile d'où il extraira le tableau. En effet il m'avait montré un premier brouillon très volumineux, compact, confus, informe, d'où émergeaient quelques phrases. Quand j'ai revu le manuscrit terminé il était méconnaissable. Son volume s'était très réduit, tout était coupé en petits morceaux et s'était clarifié jusqu'à l'extrême limpidité. Fait curieux à noter parce qu'en lisant on peut avoir une impression d'improvisation, en raison de sa légèreté, (légèreté de la profondeur) que ne saisiront pas les esprits lourds. Ce livre qui donne un aperçu du cerveau de Picabia en 1949, est un rajeunissement perpétuel de l'esprit ; on a la joie d'y découvrir une intelligence-sensibilité tout à fait gratuite, sans idée préconçue et sans but, s'amusant à écrire tout ce qu'il lui plaît un moment, et c'est, comme dans ses tableaux, une invention perpétuelle.

Chi-Lo-Sa ? Sont-ce des poèmes ? Sont-ce des aphorismes ? ni l'un ni l'autre. C'est un livre. Un livre comme vous n'en avez jamais lu. Et ce livre ne ravira ni les sots, ni les incomplets, ni les embrigadés, ni les aveugles, c'est-à-dire la majorité des gens.

Jean Van Heeckeren

Me reposant à l'ombre des sapins
je vis mon cœur hausser les épaules

PAS D'ILLUSIONS

Un oiseau
apprend à nager
à un poisson
sans haine
et sans rancune.

LA FOLIE EST UN JEU

Mais qu'y a-t-il de beau
rien n'est démontré
l'intelligence
en diminue la clarté
pour décharger les passions
près de celui qui en donne.

PLAISIR

Le plaisir s'en tient à lui-même
et ne regarde pas
ce qui se passe derrière lui.

ACCROCHER DES FLEURS
POUR NE PLUS LES VOIR

La morale n'aurait-elle pas
son origine dans l'erreur.

INNOCENCE[187]

Pourquoi ne pas dormir
dans une fleur
les yeux dans les mains
et rêver
à tout ce qui se balance
et s'accroupit
mais viens donc
dans mes bras
pour ne plus me voir.

L'AMOUR

Je te compare
au poisson amoureux
qui serait jaloux
des intrigues des oiseaux.

INTERPRETATION

Partout où je rencontre la morale
je cherche l'instinct.

HAUSSE LES EPAULES

Voulez-vous faire de la peinture
dans un bidet à punaises.

ET VOILA

Pendant des heures sans parler
elle regarde la couleur de sa peau
et toutes les parties de son corps
elle s'amuse comme une enfant
nous étions l'un contre l'autre
mais ma bouche ne savait plus
joindre la sienne
je vais me coucher
me dit-elle.

LA LUNE S'EST COUCHEE
DANS MON POT DE CHAMBRE

Mon cœur est le plus grand
mystère
Il me souffle l'air
de l'esprit sans but
sur le divan
de mes pensées
en proie à l'incertitude
qui m'embrasse.

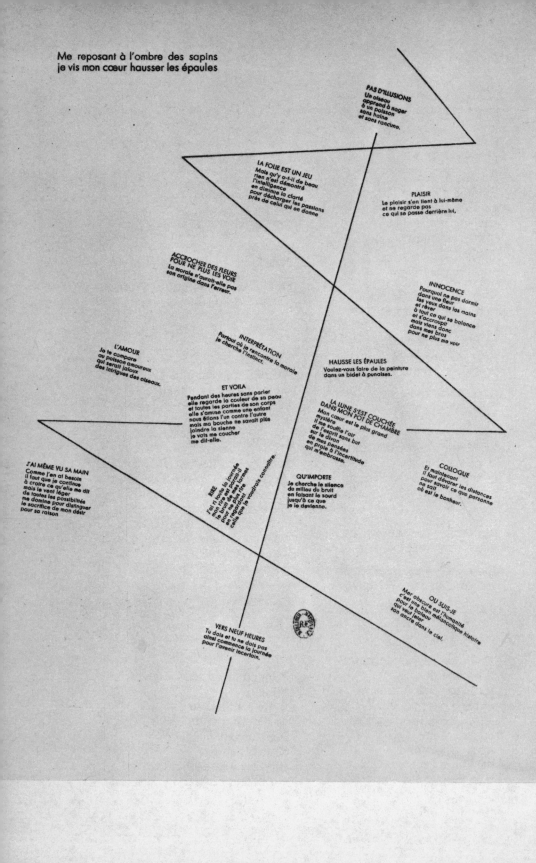

Me reposant à l'ombre des sapins
je vis mon cœur hausser les épaules

PAS D'ILLUSIONS
Un oiseau
apprend à nager
à un poisson
sans haine
et sans rancune.

LA FOLIE EST UN JEU
Mais qu'y a-t-il de beau
rien n'est démontré
l'intelligence
en diminue la clarté
pour décharger les passions
près de celui qui en donne

PLAISIR
Le plaisir s'en tient à lui-même
et ne regarde pas
ce qui se passe derrière lui.

ACCROCHER DES FLEURS
POUR NE PLUS LES VOIR
La morale n'aurait-elle pas
son origine dans l'erreur.

INNOCENCE
Pourquoi ne pas dormir
dans une fleur
les yeux dans les mains
et rêver
à tout ce qui se balance
à l'accroupit
mais viens donc
dans mes bras
pour ne plus me voir

L'AMOUR
Je te compare
au poisson amoureux
qui serait jaloux
des intrigues des oiseaux.

INTERPRÉTATION
Partout où je rencontre la morale
je cherche l'instinct.

HAUSSE LES ÉPAULES
Voulez-vous faire de la peinture
dans un bidet à punaises.

ET VOILA
Pendant des heures sans parler
elle regarde la couleur de sa peau
et toutes les parties de son corps
elle s'amuse comme une enfant
nous étions l'un contre l'autre
mais ma bouche ne savait plus
joindre la sienne
je vois me coucher
me dit-elle.

LA LUNE S'EST COUCHÉE
DANS MON POT DE CHAMBRE
Mon cœur est le plus grand
mystère
j'me souffle l'air
de l'esprit sans but
sur le divan
de mes pensées
en proie à l'incertitude
qui m'embrasse.

COLLOQUE
Et maintenant
il faut dévorer les distances
pour savoir ce que personne
ne sait
où est le bonheur.

J'AI MÊME VU SA MAIN
Comme j'en ai besoin
il faut que je continue
à croire ce qu'elle me dit
mais le vent léger
de toutes les possibilités
me domine pour distinguer
le sacrifice de mon désir
pour sa raison

RIRE
J'ai ri toute la journée
mon rire est nerveux
pour le plus fort
en regardant rire
celle que je voudrais connaître.

QU'IMPORTE
Je cherche le silence
du milieu du bruit
en faisant le sourd
jusqu'à ce que
je le devienne.

OU SUIS-JE
Mer obscure est l'humanité
c'est une bien mélancolique histoire
pour le bateau
qui veut jeter
son ancre dans le ciel.

VERS NEUF HEURES
Tu dois et tu ne dois pas
ainsi commence la journée
pour l'avenir incertain.

J'AI MEME VU SA MAIN

Comme j'en ai besoin
il faut que je continue
à croire ce qu'elle me dit
mais le vent léger
de toutes les possibilités
me domine pour distinguer
le sacrifice de mon désir
pour sa raison

RIRE

J'ai ri toute la journée
mon rire est paraît-il
le bruit de mes larmes
pour ne plus rire
en regardant
celle que je voudrais connaître.

QU'IMPORTE

Je cherche le silence
du milieu du bruit
en faisant le sourd
jusqu'à ce que
je le devienne.

COLLOQUE

Et maintenant
il faut dévorer les distances
pour savoir ce que personne
ne sait :
où est le bonheur.

VERS NEUF HEURES

Tu dois et tu ne dois pas
ainsi commence la journée
pour l'avenir incertain.

OU SUIS-JE

Mer obscure est l'humanité
c'est une bien
mélancolique histoire
pour le bateau
qui veut jeter
son ancre dans le ciel.

Pour ma réputation de ne pas être sérieux

Plutôt ne rien faire
que de faire
n'importe quoi.

REALITE NOUVELLE

Leur fierté ne vient
que de ce qu'ils n'ont pas
pauvre réalité nouvelle
comme je m'en fous
me disait un ami
comme morale
pour son instinct
de lui-même.

MEDICAMENT[188]

Vous aspirez à la gloire
écoutez-moi bien
renoncez à temps
et librement
aux embêtements.

Oui parfois
je fais de la peinture
elle me distrait
de la peinture
des autres.

INSTINCT

La moralité est la façon de vivre
des autres pour les autres.

CHOISIR

Je ne choisirai jamais
car j'ai peur de me tromper.

UN OISEAU CHANTE

Le jour vient après une triste nuit
une meule se repose
il n'arrive rien
un oiseau chante
un désir me pousse
mais où
et puis c'est encore fini
pour aujourd'hui.

PRENDRE LA VERITE AU SERIEUX
ME FAIT RIGOLER

Cette montagne rend la contrée
charmante si vous montez sur cette
montagne vous serez désillusionné
il en est de même pour les hommes
il faut les voir à une certaine
distance.

PREJUGE DES IMBECILES

L'idéal ne peut subsister
sans les insensés.

L'HUMANITE

Un homme
plein de puissance
d'amour
de larmes
de rires
est probablement
ce que les hommes
appellent l'humanité.

LA LUNE

Je vais dormir
me disait la lune
elle ferma un œil
et me dit encore
tu sais il faut autre chose
qu'un beau clair de lune
pour m'étonner.

Je dois manger mon pain
à la sueur de mon front
mais je n'ai jamais faim
quand je suis en sueur
j'ai soif.

L'OMBRE TOURNE

Les heures sont courtes
l'ombre tourne
autour d'une aiguille
dans le ciel
elle me prit la main.

TRISTESSE

Le remède contre la tristesse
s'appelle tristesse.

LE SUCCES

L'époque où nous nous trouvons
est aussi agréable
que celle où nous ne nous trouvons pas
pour faire le mal
quelle incertitude
dans le succès.

LE CRAPAUD AUX YEUX JAUNES

Nous étions au jardin
un après-midi
Suzanne soudain
ferma notre livre
pour écouter un air de musique
qui n'existait pas
et me jeta un regard agrandi
par une vision curieuse
celle d'un crapaud
qui avait les yeux jaunes.

UN ARTISTE

Un artiste m'apparaît
comme une insuffisante
antiquité.

FETE DE NEUILLY

J'aime cette femme
car elle me rappelle
les chevaux de bois.

La pitié est la vertu des prostituées

MON SOUVENIR

De ta bouche découle le mensonge
mais ta bêtise
efface les traits
maintenant je n'ai plus
qu'à nettoyer mon souvenir
jusqu'à ce que la dernière trace
ait disparu.

J'AI PEUR DES FLEURS

Je ne me soucie
pas plus d'être considéré
que d'aller au ciel
mais je vois mal
il y a un écran
entre toi et moi
peut-être l'obscurité
qui est tout à ton avantage.

DEPLAISIR

Partout où je rencontre
une morale
je rencontre une fonction
pour les autres.

LE CURE

Le calme et la crainte
sans regards
sans oreilles
sans paroles
sans pensées
voilà monsieur le curé.

DUREE DU REVE

Il faut que le somnambule
continue à dormir
pour ne pas rêver
et que son visage inanimé
ait l'ironie de lui-même
comme un petit feu follet
qui rêve
à la durée de son rêve.

LA DEDAIGNEUSE

Nous sommes allés
jusqu'à l'Aar
et nous y avons jeté
ton pantalon
avec le livre
que tu avais apporté.

La seule façon
d'être le plus fort
est de combattre
du côté de ses adversaires.

La douleur s'informe des raisons
le plaisir s'en fout.

SINGERIE

Les adieux semblent se disjoindre
par les oscillations fatiguées du cœur
et désirent se blottir
loin des douleurs intimes
comme singerie.

VIE PETRIFIEE

Quelle vie pétrifiée !
mais ma volonté
est de ne pas me sentir
assez mal
pour me sentir mal.

ODEUR D'ACACIA

Elle tenait sa joue
contre ses mains
ses yeux étaient brouillés
de bleu de vert de violet
elle laissa tomber
sa bouche ses gants et son mouchoir
te rappelles-tu
cette odeur d'acacia.

TES YEUX

J'admire tes yeux
ton nom
ta voix
ton corps
viens avec moi
chez toi
tu seras mon aide
pour penser à toi.

Le dégoût chez les esprits raffinés
est une nouvelle concupiscence.

Veux-tu aller
d'où je viens
pour regarder les putains.

EGOISME

INCERTITUDE DE FOU

Le labyrinthe cherche à sortir du labyrinthe
comme un rhinocéros sans cornes
dois-je le regarder comme un rossignol.

L'ESPRIT PEUT ETRE UNE REALITE ETERNELLE

Je cherche la corde qui lie
toutes choses
à la consigne de l'étonnement
pour découvrir l'importance
de l'attrait de l'illusion
qui veut devenir la raison
de l'ennui
et de la rêverie
de l'espoir.

N'EST-IL PAS CRUEL DE LAISSER VIVRE ?

Savoir jusqu'où va l'existence
savoir si l'existence possède un caractère
sans explication et surtout sans raison
pour notre curiosité
de vouloir comprendre
cette perspective inconnue.

PAR CONSEQUENT

Le glacial royaume des idées
a une séduction
plus dangereuse que les sens
la philosophie et le vampirisme
de l'énigmatique idéalisme
qui tient de la sagesse des sages
pour se contempler
et tracer la ligne de l'espoir
sur l'horizon de ses désirs.

LA MEPRISE TOUJOURS MAIS
AVEC L'ESPOIR D'ADMIRER

La nature scintille
j'entends son appel
pour la danse
à l'assaut d'un bonheur
accroché à mon désir
qui est sans espoir.

LA FOI NE SAUVE PAS

Cette nuit les étoiles
sont mortes
pour les fantômes
qui est-ce qui leur plaît
ce que je ne connais pas.

JOIE DE LA FOLIE

Malpropres et pures
les folles et les sages
les colombes et les serpents
ni bonnes ni mauvaises
il me reste à courir...

CONSCIENCE D'INTELLECTUEL

Chez certains hommes
j'ai trouvé la raison
de leur mauvaise conscience
c'est cela qui m'amuse.

PRENDRE LA VERITE AU SERIEUX

Il pleut à torrents
jusque dans l'eau
mais ce serait folie
de ne plus pisser pour cela.

UN PAS DE PLUS
DANS LE PESSIMISME

Lorsqu'on aime
les défauts restent cachés
excepté celui d'aimer
et pourtant la vérité
ne commence qu'à trois.

POINT D'INTERROGATION

La société bien organisée
ne sait qu'endormir
ceux qui s'endorment
pour semer le mal
au même titre que le bien
sur un pied
ou sur deux.

291

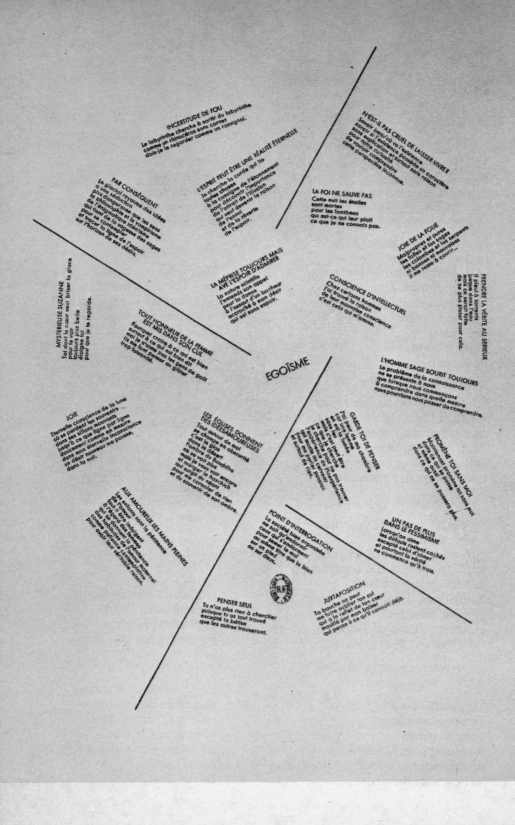

EGOÏSME

INCERTITUDE DE FOU
Le labyrinthe cherche à sortir du labyrinthe
comme un rhinocéros sans cornes
dois-je le regarder comme un rossignol.

N'EST-IL PAS CRUEL DE LAISSER VIVRE ?
Savoir jusqu'où va l'existence
savoir si l'existence possède un caractère
sans explication et surtout sans raison
pour notre curiosité
de vouloir comprendre
cette perspective inconnue.

PAR CONSÉQUENT
Le glacial royaume des idées
a une séduction
plus dangereuse que les sens
de la philosophie et la mémoire
de l'énigmatique labyrinthe
qui tient de la sagesse des sages
pour se contempler
et trace la ligne de l'espoir
sur l'horizon de ses désirs.

L'ESPRIT PEUT ÊTRE UNE RÉALITÉ ÉTERNELLE
Je cherche la corde qui lie
toutes choses
à la consigne de l'étonnement
pour découvrir l'importance
pour l'attrait de l'illusion
qui veut devenir la raison
de l'ennui
et de la rêverie
de l'espoir.

LA FOI NE SAUVE PAS
Cette nuit les étoiles
sont mortes
pour les fantômes
qui est-ce qui leur plaît
ce que je ne connais pas.

JOIE DE LA FOLIE
Malpropres et purs
les folles et les sages
les colombes et les serpents
les bonnes et mauvaises
il me reste à courir...

PRENDRE LA VÉRITÉ AU SÉRIEUX
Il pleut à torrents
jusque dans l'eau
mais ce serait folie
de ne plus pisser pour cela.

MYSTÉRIEUSE SUZANNE
Toi dont le cœur veut briser la glace
pour te voir
toujours plus belle
éloigne la
pour que je te regarde.

LA MÉPRISE TOUJOURS MAIS AVE L'ESPOIR D'ADMIRER
La nature scintille
j'entends son appel
pour la danse
à l'assaut d'un bonheur
accroché à mon désir
qui est sans espoir.

CONSCIENCE D'INTELLECTUEL
Chez certains hommes
j'ai trouvé la raison
à leur mauvaise conscience
c'est cela qui m'amuse.

TOUT HONNEUR DE LA FEMME EST MIS DANS SON CUL
Pourquoi croire à ce qui est bien
surtout à ce qui est bien dit
moi je n'aime pas les sens de goût
ils me font penser au gibier
trop faisandé.

L'HOMME SAGE SOURIT TOUJOURS
Le problème de la connaissance
ne se présente à nous
que lorsque nous commencons
à comprendre dans quelle mesure
nous pourrions nous passer de comprendre.

JOIE
Eternelle conscience de la lune
où se perdent les souvenirs
dans les nations mauvais
jusqu'à ce que ligne par ligne
doucement comme mesure
dans mon éternelle inconscience
un désir nouveau me pousse
dans la nuit.

LES ÉGLISES DONNENT DES IDÉESAMOUREUSES
Tout autour de moi
se chante en obscurité
c'est la dans
l'ombre du Bouddha
ne va plus voir encore
mais je veux voir encore
et maîtser le haschisch
pour me consoler de rien
au surgit du néant
et du souvenir de son ombre.

GARDE FOI DE PENSER
J'ai beau penser
sans la raison
et en pensant
ce que tu penses
je pense pas trouver
ce que tu cherches
dans la patience
qui cherche pour moi
ce que je pense
et veut penser
sans trop penser sa passion
surtout de l'être.

PROMÈNE TOI SANS MOI
Maintenant que le passe
et ce qui passe lointain moi
dans ce qui passe plus
douce à qui te passera plus.

AUX AMOUREUX LES MAINS PLEINES
Les enfants sont la pénitence
...

POINT D'INTERROGATION
La société bien organisée
ne sait qu'endormir
ceux qui s'endorment
pour semer le mal
au même titre que le bien
ou un pied
ou six deux.

UN PAS DE PLUS DANS LE PESSIMISME
Lorsqu'on aime
les défauts restent cachés
excepté celui d'aimer
et pourtant la vérité
ne commence qu'à trois.

PENSER SEUL
Tu n'as plus rien à chercher
puisque tu as tout trouvé
excepté la bêtise
que les autres trouveront.

JUXTAPOSITION
Ta bouche ne peut
me faire oublier ton cul
qu'à le relief de ton cœur
mouillé par mon baiser
qui pense à ce qu'il connaît déjà.

MYSTERIEUSE SUZANNE

Toi dont le cœur veut briser la glace
pour te voir
toujours plus belle
éloigne-toi
pour que je te regarde.

TOUT HONNEUR DE LA FEMME
EST MIS DANS SON CUL

Pourquoi croire à ce qui est bien
surtout à ce qui est bien dit
moi je n'aime pas les gens de goût
ils me font penser au gibier
trop faisandé.

JOIE

Eternelle conscience de la lune
où se perdent les souvenirs
dans mes sillons mouvants
jusqu'à ce que ligne par ligne
doucement comme en mesure
dans mon éternelle inconscience
un désir nouveau me pousse
dans la nuit.

LES EGLISES DONNENT
DES IDEES AMOUREUSES

Tout autour de moi
se change en obscurité
c'est le glas
dans le désert
l'ombre du Bouddha
ne se voit plus
mais je veux voir encore
et manger le haschisch
qui surgit du néant
pour me consoler de rien
et du souvenir de son ombre.

L'HOMME SAGE SOURIT TOUJOURS

Le problème de la connaissance
ne se présente à nous
que lorsque nous commençons
à comprendre dans quelle mesure
nous pourrions nous passer de comprendre.

GARDE-TOI DE PENSER

J'ai peur de ma chambre
car une femme
en est la fumée
sans feu
mais c'est peut-être
ce que je cherche
je cherche pour ne pas trouver
l'expérience de l'inexpérience
qui monte au cerveau
pour me parler passion
et surtout de rien.

PROMENE-TOI SANS MOI

Maintenant promène-toi sans moi
dans ce qui se passe
et même aussi
dans ce qui ne se passera plus.

AUX AMOUREUX LES MAINS PLEINES

Les enfants sont la pénitence
de l'amour
faut-il être indulgent
à l'égard des femmes
qui se donnent la pénitence
des habitudes de l'amour maternel
comme patience contemplative
pour avoir leur véritable raison.

PENSER SEUL

Tu n'as plus rien à chercher
puisque tu as tout trouvé
excepté ta bêtise
que les autres trouveront.

JUXTAPOSITION

Ta bouche ne peut
me faire oublier ton cul
qui a le reflet de ton cœur
mouillé par mon baiser
qui pense à ce qu'il connaît déjà.

MUSIQUE DE LA SOLITUDE

L'AMOUR NE PARDONNE PAS
LE MANQUE DE DESIR

Les gens ne connaissent pas
les expéditions lointaines
plaçant dans leur soif du déjà vu
toute la nouveauté de leur infini personnel.

PEUT-ETRE

Son cœur me fait des œillades
habile magicienne
qui chante éperdument
la gloire de son sexe
éclos dans mes mains.

VERS UNE MER NOUVELLE

Devinez-vous ce que je demande
un souvenir contre l'ennui
qui porte l'image de l'inconnue
pour me trouver plus près de moi
et voir le monde plus loin
cela en naviguant avec tous les vents
ayant horreur du calme plat.

L'ENNUI

L'or se transforme en plomb
pour celui
qui n'aime pas l'ennui.

ELLE ME CONDUIT
DANS LE LABYRINTHE

Elle me prie d'attendre
puis elle disparaît
j'ai appris de son charmant passé
qu'elle avait été la femme d'un Espagnol
qui vivait de ses souvenirs.

Celle-là cherche
pour ne pas trouver
la raison de sa recherche.

UNE FEUILLE POUR
UNE COURONNE

J'ai appris à trouver
en ne cherchant pas.

DECLARATION D'AMOUR

Le souvenir des pensées
n'est qu'un petit bouquet
pour nos illusions.

UN TORRENT DE DIAMANTS

Je désire ouvrir les yeux
à ceux qui ont
les mêmes yeux que moi
pour leur faire croire
aux yeux
que j'ai moi-même.

J'AI VU LA ROSE QUI ME PORTE

La pomme tombe de l'arbre
pour semer d'autres pommes
qui aussi tomberont des arbres
avec l'espoir que ces pommes
deviennent des étoiles
comme le soleil
qui fait pousser les pommes.

SUBLIME DERAISON

Quelle merveille
voit-elle encore
oui elle s'élève
et ses ailes
sont autour de moi
mais qu'est-ce qui la porte donc
peut-être moi.

BESOIN DE CERTITUDE

Un désir me pousse
je pense à toi.

A CAUSE DU VENT

J'occupe en face de l'existence
la somnambule continuité
en faveur d'une chose
ou de l'autre.

CROYANCE AU GOUT D'IMAGINATION

Te voilà
ôte ta robe
ôte ton pantalon
je te veux toute nue
pour me reposer
à l'ombre de toi.

SOUCIS

Mon bonheur veut coucher avec moi
mais ne serait-il pas mort
il n'est pas vivant
je veux passer au-dessus de l'existence
loin du ressac de mes souvenirs
trouver le rêve de l'illusion
et ne plus avoir à pardonner
à celles que l'on ne peut aimer
de ne pas les aimer
et ne plus avoir à simuler l'image
d'après des images
et ne plus avoir à se défendre
contre soi
contre elles
contre tout
et même contre les souvenirs.

SUR UNE OU SUR DEUX JAMBES

Prends l'héritage
de ce souvenir
et jette-le très haut
pour qu'il s'accroche
au croissant de la lune.

ET PAR CONSEQUENT

Mais déjà je ne sais plus ton nom
toi qui es passée
dans mes bras
comme l'ombre
d'un amour oublié
pauvre comédienne de ton imagination
qui veut avoir la tête en bas
et les yeux au bout des pieds
connaître le prix de la vie
sans en connaître la valeur.

MUSIQUE DE L'OUBLI

Sortir du néant
pour se consoler
de tout (rien).

LES UTILITAIRES ONT RAREMENT RAISON

Je n'ai rien entendu
ni senti la suite
des déductions illogiques
contre l'instinct logique
mais faux (est-il vrai).

CONDITION D'EXISTENCE

L'étoile de l'éternité
destine sa clarté
à celui qui peut croire
et trouver.

PRECISION DE L'ABSENCE

Elle veut à toute heure
coucher avec moi
j'attends comme un idiot
mais rien ne vient.

C'EST LA DE L'INJUSTICE A MA FAÇON

Mon cœur est incertain
aussi je lui en veux
Tout mon bonheur
est un supplice
doux et désespéré.

LA MOUCHE

Je voudrais être seul
sur un nuage
pour attraper des mouches

JE LA JETTE LA-HAUT

Celle qui vient d'en bas
sent le moisi
celle qui vient d'en haut
le sent aussi.

MAUVAIS INSTINCTS OPPORTUNS

Une amie est devenue deux
l'amour passa
auprès de moi.

LES COMMUNISTES CROIENT
QUE LE FEU EST FAIT POUR EUX

Inventer le culte de l'illusion
comme condition d'invention
n'est pas une invention.

CONTRE LE MISTRAL

Oublier est le mieux
et reprendre au hasard
les roses de ma vie
qui tournent
sans cesse autour de moi.

CROYANCE AMERICAINE

L'imperfection
comme règle
de la perfection
sur le nuage de la certitude.

FOLIE QUELCONQUE

Je revois les mouettes de Cannes
la mer est calme
le soir va s'y reposer
c'était peut-être le bonheur.

296

LE CIEL NOUVEAU

Le peintre devrait apprendre
à trouver son silence
pour ne pas mourir d'impatience
et rester sur le chemin
où les nuées s'écartent
pour laisser briller le soleil.

INTERPRETATION

Vous voyez elle fuit les hommes
pour nous les montrer
en courant devant eux
pour qu'ils la suivent.

JUGEMENT PHYSIQUE

Les mains mieux que les bouches
s'unissent
pourtant elles ont le même but
faire la même chose.

DESCENTE

Vous êtes en bas de l'escalier
où vous pouvez trouver
plus que vous ne désirez
si vous savez trouver
le cordon de sonnette.

EN TRAIN DE BOIRE DU VIN

J'ai voulu aller
dans les hauteurs
et maintenant je vais disparaître
et pour qui ?

LE BONHEUR

Le bonheur d'où vient-il
de près
ou de loin.

COMEDIE

Qui est-ce qui l'a vue
elle s'appelle amitié.

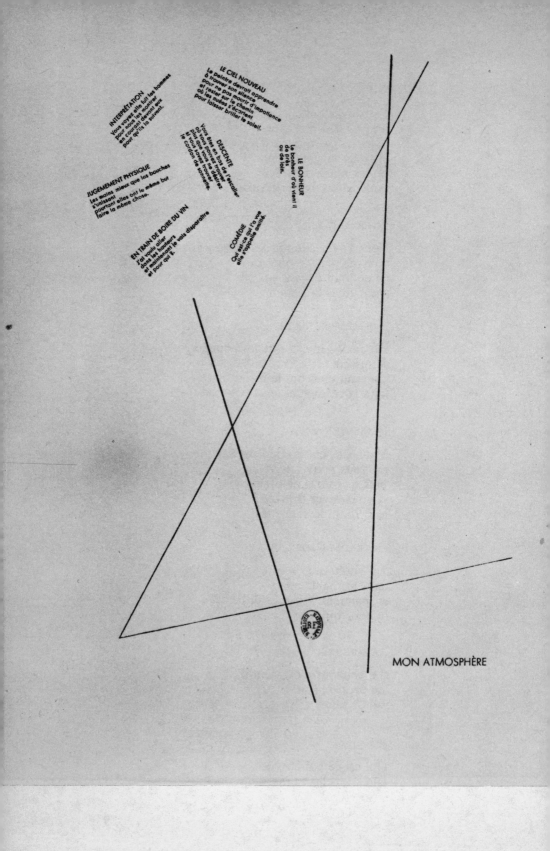

LE CIEL NOUVEAU
Le peintre devrait apprendre
à trouver son silence
pour ne pas mourir d'impatience
et rester sur le chemin
où les nuées s'écartent
pour laisser briller le soleil.

INTERPRÉTATION
Vous voyez elle fut les hommes
pour tous les montrer
en cousant devant eux
pour qu'ils le suivent.

DESCENTE
Vous êtes en bas de l'escalier
où vous pouvez frapper
plus que vous n'auriez désiré
et pour vous trouver
le cordon de sonnette.

LE BONHEUR
Le bonheur d'où vient il
de près
ou de loin.

JUGEMENT PHYSIQUE
Les mains mieux que les bouches
s'unissent
pourtant elles ont le même but
faire la même chose.

EN TRAIN DE BOIRE DU VIN
J'ai voulu aller
dans les hauteurs
et maintenant je vais disparaître
et pour qui ?

COMÉDIE
Qui est ce qui l'a vue
elle s'appelle amitié.

MON ATMOSPHÈRE

La raison est une lumière
qui me fait voir les choses comme elles ne sont pas

A MON COEUR LA MONTRE
QUI MARQUE LES MIRAGES

Les gens disposent leur vie
en vue des apparences
et des éblouissements.

ET IL EN EST PEUT-ETRE AINSI

Le rossignol a une flûte
ma femme des souliers
rouges en maroquin
et une peau qui fait fleurir
les fleurs du jasmin.

CETTE DERNIERE N'A
QU'UN INTERET SECONDAIRE

Ton sourire est un croissant de lune
pour mes testicules.

VERTU INCONSCIENTE

Je voudrais lancer en l'air
des idées vides
pour qu'elles descendent
vers le ciel
mais va à notre rendez-vous
pour m'apporter tes vertus
elles aussi descendent
en passant par le trou de ton cul.

Celui qui sait avouer
peut oublier.

C'EST DE CETTE ESPECE
QU'EST L'ESPRIT

Les radis tombent des arbres
pourquoi pas.

SOLITAIRE

Je pense à l'obscurité
de l'aiguille qui tourne
sur le charbon qui erre
pour la pitié
de ce qui n'est pas
un péché pour moi.

FAMILLE CONSERVATRICE

Matisse a l'œil persan
Picasso peint comme un caméléon
Braque comme une Normande.

DUREE DU REVE

Les années ne font que s'amincir
c'est pourquoi je dis à mon cœur
de boire le philtre des rêves
dont la fleur va s'ouvrir
pour me recevoir.

JE VOUS ATTIRE ET JE VOUS AIME
NE M'OUBLIEZ PAS

J'aime le prêtre défroqué
le forçat libéré
ils sont sans passé
et sans avenir
pour vivre dans le présent.

DANS LE MIDI

Prose pleine de hâte
poèmes qui se pressent
moi je me balance
sur la surface de la mer
la nuit dernière
quand tout dormait

le soupir du vent
pendant une heure
peut-être deux
eut pitié de moi
et me dit
je connais une femme
qui t'aime
pourquoi ne vas-tu pas la retrouver.

L'APPARENCE EST PEUT-ETRE LA VIE

L'optimiste pense qu'une nuit
est entourée de deux jours
le pessimiste qu'un jour est entouré
de deux nuits.

DOULEUR DE L'ERREUR

C'est un homme bon
donc il passe pour un idiot.

TANTOT A TRAVERS LES RUES
TANTOT DANS UN LIT

Jean Van Heeckeren Marcel Duchamp
l'un plus que moins
l'autre moins que plus
naviguent avec des voiles d'or
sans haine ni joie.

MONSTRES MASQUES

Je rêvais les femmes
de la Cinquième Avenue
à New York
ces balayeuses du ciel
d'acier.

AMERIQUE

A l'assaut de l'échelle du Diable
qu'elles accrochent aux étoiles
tout scintille
et me regarde
le vent me fait
perdre mon chapeau
je n'ai plus à saluer le but
qui s'éloigne de moi
maintenant une vie nouvelle
pour un jeu nouveau
je vais la saluer cette vie
mais sans chapeau.

A MA LECTRICE

Maintenant ma main
dans ton lit
ne peut plus trouver la tienne.

MACHAGE DU BETEL

Il faut jeter son ancre
dans le vagin
de son idéal.

QUELQUES JOURS EN SUISSE

Long comme un jour sans peine
me disait un ami qui s'ennuyait
de ne plus s'ennuyer.

Pour porter envie il suffit d'être un enfant.

La loquacité est un plaisir de bruit et de sentiments.

On se trompe beaucoup sur les femmes
ce ne sont pas elles qui ont le goût de la pureté
c'est le goût des hommes.

Avoir foi en soi-même est un aveuglement utile ou un obscurcissement partiel.

Aimer la vie c'est repousser les êtres qui veulent mourir.

Le conscient est l'évolution tardive, et par conséquent ce qu'il y a de moins fort.

Les hommes supérieurs se distinguent des inférieurs
par le fait qu'ils croient voir et entendre
ce que les autres ne voient et n'entendent pas.

Les femmes aiment exagérer leurs faiblesses.

Les hommes se laissent séduire par la tendresse discrète.

Sa célébrité sait profiter de ne pas avoir véritablement atteint son but.

Maintenant je ne me rappelle plus comment
j'ai pu avoir un si grand bonheur
en attrapant un petit oiseau.

Nos pensées sont les ombres de nos actions.

Je crains que les femmes très jeunes soient plus sceptiques que tous les hommes.

Il faut sortir des habitudes durables pour sa santé.

Le problème de la conscience ne se présente à nous que lorsque nous commençons à comprendre en quelle mesure nous pourrions nous passer de la conscience.

Nous ne sommes plus que matériaux de construction pour la société, mais quelle société...

Et j'espère continuer à voyager au-devant des plus grandes douleurs et de mes plus hauts espaces sans avoir honte devant moi-même.

Oh idéal petit oiseau.

Tous les hommes ne sont en somme qu'un seul homme car la multiplicité n'est qu'apparence.

J'ai comme plaisir de m'incorporer le savoir et de le rendre instinctif.

Les femmes ne devraient pas avoir cette pauvreté de l'esprit pour offrir leur vertu et leur pudeur.

Que savez-vous du caractère de l'existence pour pouvoir vous décider à la méfiance ou à la confiance ?

Quelle joie à faire pécher une protestante suisse parce qu'elle ne peut se faire absoudre.

La vulgarité a été inventée par les méridionaux.

J'ai rencontré Dieu[190]
il était muni d'un divin microscope
pour étudier nos vertus inconscientes.

Ils m'ont reconnu, je me demande ce que les gens entendent au fond
par connaître ?

Tous les gens qui parlent beaucoup n'ont rien à dire.

L'éloquence la plus convaincante est celle du silence.

Il ne peut exister de nouveaux événements moraux
pas même dans le domaine sensuel.

Est-ce la faim ou l'abondance qui donne le désir de destruction, peut-
être les deux.

Continuez comme vous avez commencé à avoir sans cesse tout à la
bouche.

Danser vous donne des illusions
prier vous les fait perdre.

Beaucoup d'hommes sont des fœtus
qui se prennent pour le Soldat inconnu.

La bravoure perd son droit par le manque d'expérience.

La mort est le but de l'existence
mais le défunt laisse son influence magique
car les vices sont faciles à imiter
et n'ont pas besoin d'un long exercice.

Oh ! comme il vous suffit de peu de chose
car les êtres apportent à la lumière
le cœur de leurs grands-parents
qui ne sont que les révélateurs de leur père.

LA RAISON[191]

Il suffit que ma vie
ait une raison
pour que je regrette
cette raison.

TRISTESSE DE LA FOLIE

Ma tristesse
veut coucher avec moi
pour me trouver dans mon imagination
et ne plus avoir
à me simuler l'image
pour ne plus me défendre
contre moi
contre la vie
et aussi contre les souvenirs.

PENDANT LA PLUIE

Je ne veux pas en savoir davantage
prenez des chocolats
personne n'en mange
et ils vont se rancir
puis elle prit ma tête
la posa sur son sexe
et parut frappée
d'un extraordinaire bonheur
ce qui lui fit perdre le temps
nécessaire pour aller chez le coiffeur.

ECURIES

L'odeur des écuries
fait se pâmer
les belles dames
qu'en penses-tu
ma chérie.

Elle a l'air d'attendre
la caresse d'une nouvelle main
que pensez-vous qu'il faille faire
relever sa robe
c'était une jeune fille en cristal
elle avait une voix de mandoline.

CE QUE ME REVELERENT LES FLAMMES

Nous nous reverrons
pour ne pas nous reconnaître
même s'il faut
que nous soyons amis.

304

La comédie de l'existence
n'est pas consciente
les hommes se figurent
savoir pourquoi ils existent
le rire est la sagesse
de la sublime déraison.

J'ai vu dans un cirque un gorille
sauter sur un spectateur
qu'il avait pris pour une femme
ce qui l'avait rendu furieux.

LE LIT[189]

Cette nuit
j'avais encore
un peu bu
suffisamment
pour raconter
des histoires
elle mit sa tête
dans ses mains
et pleura.

LA JOIE DE L'ENFER

Où que je sois
pense à moi
à tes pieds je suis
mais en bas
est paraît-il
toujours l'enfer.

ENNUI

J'ai donné un nom à mon ennui
et je l'appelle Berne.

VRENELI

La chambre de Vréneli
où nous nous tenions
avait des tentures roses
un lit capitonné de damas pêche
une pendulette marquait midi
ou minuit depuis hier
elle se déshabilla
un peu comme une Anglaise
sa robe avait des diagonales
et des carreaux.

LA CONNAISSANCE

Comme une balle qui roule
je tourne autour de moi-même
pour chercher
ce que personne n'a trouvé.

MATIERE ET IDEAL

Une grosse femme
marchait près de moi.

Elle sentait l'herbe
était coiffée d'un sac
tenait un parapluie
sombre et triste
au bout de ses doigts
négligemment des gants verts.

LA BOUGIE

Elle s'appuya contre le lit
un peu penchée
une bougie
aussi penchée
gouttait sur sa robe.

Rubigen, 25 août 1949

JE N'AI JAMAIS CRU*

Je n'ai jamais cru à moi, je n'ai jamais cru à mon actualité et je n'ai jamais su me voir dans l'avenir, comme un enfant qui croit qu'il sera vraiment lui, lorsqu'il sera devenu autre, lorsqu'il sera l'homme qui au-delà de cette vie pourra être quelque chose, je pense un moi imaginaire qui ne peut exister.

POUR ET CONTRE**

Caché à moi-même.

J'écris ces lignes dans le coin d'une maison en ruine ; mais elle est trop vaniteuse pour le savoir.

C'est la conversation de deux amis, l'un qui aime les femmes, l'autre les hommes.

Ce jour X se planta devant son ami Y et lui posa cette question banale : « Que sais-tu de l'amour ? » Y ne voulant pas lui répondre étourdiment et avec effronterie, posa ses mains à plat et, ne trouvant rien à lui dire, lui parla du bout des lèvres : « J'ai une humilité naïve, assez fréquente en somme, qui, lorsqu'on la possède, vous rend, une fois pour toutes, impropre à être disciple de la morale qui me dit : tu t'es trompé ; où as-tu les sens ! cela ne peut pas être la vérité, aimer les hommes, oui les hommes, les hommes, mais ne parlons plus, si tu veux ? »

Si, fit X.

Et une conversation étrange commença : vraiment X, s'entendait à l'improvisation, surtout à celle de sa vie, il ne se méprenait jamais, quoiqu'il jouât sans cesse un jeu curieux. Il me faisait penser à ces femmes improvisatrices auxquelles les spectateurs voudraient attribuer de l'immoralité, mais à faux, car tout homme ou femme est davantage idéaliste, par le hasard de ses fantaisies imprévues. Homère aurait peut-être perdu le goût de la vie à cause de ces fantaisies, pensa X.

---

* Imprimé par PAB, Alès, mai 1950 ; trois exemplaires.

** Imprimé par PAB, Alès, mai 1950 ; lithographies de F.P. et de PAB ; quatre-vingt-quatre exemplaires.

énigmes sont un danger, du reste en voici la raison :

Si vous aimez les hommes, Y, c'est par dégoût, peut-être dégoût de la morale, qui passe son temps à nous dire : « ne faites pas telle chose », quoique les femmes à trente ans, dans les plus intimes replis de leur cœur, soient plus sceptiques que les hommes, et arrivent à croire au côté superficiel de la vie, comme s'il était l'essence même de leur vie, et puis ne serait-ce pas l'amour même qui leur conseillerait de ne pas aimer ?

Y s'écria avec une voix d'alto : « Tout le monde veut être d'accord pour élever dans l'ignorance des choses de l'amour les jeunes filles, et c'est peut-être pour cela que j'aime les hommes.

« Et puis, nous dit-il, j'aime les hommes parce qu'ils sont le point que souhaite les femmes, pour qui les hommes ne sont qu'apologie et pénitence. »

Ceci n'est pas mal, pensa X, mais Y reprit : « Il me semble que chez les lions le sexe masculin est considéré comme le beau sexe ?

« Car une femme est un paradoxe, pour moi, il me semble qu'une femme n'a pas de sexe.

« Aristote aurait pu dire la même chose, qu'en penses-tu X ?

— Penser autrement qu'il n'est d'usage, c'est beaucoup moins l'effet d'une meilleure intelligence que l'effet de penchants séparateurs, voilà tout.

« Et puisque la force chez les jeunes gens est immobilisée dans leur besoin de vie, ne t'étonne plus de voir combien ils ont de finesse ; aussi beaucoup se décident en faveur des hommes. En ce qui les attire, c'est le spectacle de l'ardeur qui entoure le sexe mâle, c'est pourquoi les séducteurs les plus subtils s'entendent à leur faire entrevoir le bonheur, plutôt qu'à les persuader par des raisons sociales : on ne peut être heureux ni gagner avec des arguments. Voilà où nous en sommes : à l'amour abstrait, comme la peinture. Veux-tu me répondre Y ?

— Eh bien, c'est très simple : c'est parce que la nature a été parcimonieuse à l'égard des femmes qu'elle ne les a pas fait vraiment luire, l'une plus, et l'autre moins selon l'abondance de leur argent, c'est tout. Aussi pourquoi les femmes n'ont-elles pas, dans leur lever et leur fin de vie, une aussi belle visibilité, même que celle de la lune ? Comme il y a moins d'équivoque à vivre avec un homme ! c'est ainsi que je pense. »

Mon avis à moi c'est que X a raison. Tout en étant peut-être idiot de rester un oiseau qui ne veut pas s'égarer dans sa cage en devenant l'objet de sa contemplation pour se transformer en cet objet même, sans oublier les affirmations. Et puis l'unique rival de l'amour est le sentiment d'amitié, pour moi plus sacré encore.

PREFACE A UNE EXPOSITION F.P.*

Lorsque je regarde avec les yeux de cette époque, je ne puis rien trouver de plus singulier chez les peintres que leur maladie particulière que l'on appelle l'abstrait, soi-disant réalité nouvelle. Il y a dans cette histoire l'amorce de quelque chose de tout neuf et d'étrange : que l'on donne un germe à cet art, il finira peut-être par en sortir une plante merveilleuse, grâce à quoi notre vieille peinture serait plus agréable à regarder. Depuis longtemps, 1907, je sais à peine ce que je fais. C'est l'indice d'une jeunesse qui vient, mais notre planète m'apparaît-elle comme une mélancolique maladie qui, pour oublier le présent, se met à peindre l'histoire de l'idéal ? C'est là un des côtés de la peinture nouvelle, qui présage la venue d'un bonheur, d'une noblesse dont aucun temps n'a jamais vu ni rêvé l'égal, un bonheur d'une peinture pleine de puissance, pleine de larmes et de rires ; sans représentation artistique et surtout sans valeur économique.

Paris, 19 octobre 1950

LE MOINDRE EFFORT**

J'écris ces lignes pour P.A. Benoit, un des très rares hommes qui ait compris ce que veut dire le moindre effort. Aimer se fait toujours avec le moindre effort.

Le moindre effort est pour nous reposer des autres et de nous-mêmes pour nous regarder de haut, rire et planer.

Le moindre effort est indispensable pour rester joyeux. C'est précisément parce que nous sommes des hommes lourds et sérieux que rien ne peut nous faire autant de bien que le moindre effort, car nous avons besoin d'un art dansant enfantin et bienheureux, pour ne pas perdre la liberté qui nous place au-dessus de tout, notre idéal l'exige, et ce serait un recul de tomber les yeux fermés dans cette bêtise de l'art abstrait, à cause des exigences de sa bêtise, et cela pour finir en devenant un monstre, un épouvantail soi-disant pour être moderne et dans la vie ? Quelle raideur absurde !

Il faut jouer très loin de tous ces académismes idiots. Et ne pas avoir honte de soi-même, en quoi que ce soit, pratiquer le moindre effort, surtout nous en avons assez des surexcitations artistiques qui n'ont rien à faire, bien au contraire, de l'art pour l'art, le plus loin possible de tous ces affreux mercantis.

---

* Exposition F.P., galerie Colette-Allendy, Paris, 13 décembre 1950-12 janvier 1951.
** Lithographie tirée par PAB, Alès, en décembre 1950 ; cent exemplaires.

L'HUMOUR POETIQUE*

J'ai toujours aimé m'amuser sérieusement.

Qu'importe de moi, mes arguments, s'ils sont les plus mauvais, tant mieux.

Où apparaît l'art la vie disparaît.

J'aime peindre et écrire, j'aime aller aux Folies-Bergère, à Tabarin, au Bal nègre. Les vernissages me remplissent de mélancolie, aussi les mariages, les enterrements. Il y a l'amour, mais si mon cœur l'effleure il est pris d'un mouvement d'impatience, et mon cœur jette son mépris sur l'être qui n'est pas exactement de ma nature, l'amour me fait passer sur les hauteurs sans que je m'en aperçoive croyant être en pleine sécurité, mais je suis toujours au milieu des vagues, vagues qui viennent me laver les pieds ; forts et faibles sont des conceptions relatives. La vie n'est pas évidemment un argument, car c'est dans les conditions de la vie qu'il faut trouver l'erreur loin de la connaissance, mais ceci doit être plus qu'un moyen. Peindre pour ne plus penser me plaît, penser pour peindre n'est qu'une singerie de la grande marée de l'esprit.

A quoi servirait une église si elle n'était pas la tombe de Dieu ?

L'humour est l'anthropophagie des végétariens.

L'humour avale des hommes comme des moules.

C'était une morte qui voulait hériter d'un vivant

> Une femme embrasse un lapin,
> je lui demande pourquoi ?
> elle me dit
> demain dimanche je vais le tuer.

Les lits sont toujours plus pâles que les morts.

J'ai quitté le paradis un dimanche pour aller voir des roses un vendredi au bord de la mer.

---

* *La Nef*, n° 71-72, décembre 1950 - janvier 1951, p. 116-123[192].

Je n'ai jamais pu que mettre de l'eau dans mon eau.

La morale est mal disposée dans un pantalon.

Ceux qui parlent derrière moi, mon cul les contemple.

Très heureux de votre nomination, suis enchanté de vous envoyer toutes mes félicitations.

Je me dis que je suis rassasié des femmes, il m'est impossible maintenant de les digérer et pourtant j'ai l'estomac vide. Qui m'a poussé à avaler des femmes ? peut-être le manque d'huîtres.

Je montrai un jour la mer à une jeune fille qui la voyait pour la première fois ; elle m'affirma trouver bien plus impressionnant un champ de pommes de terre.

Toutes les croyances sont des idées chauves.
Notre phallus devrait avoir des yeux, grâce à eux nous pourrions croire un instant que nous avons vu l'amour de près.

Le monde se divise en deux catégories : les ratés et les inconnus.

Moi je me déguise en homme pour n'être rien.

Spinoza est le seul qui n'ait pas lu Spinoza.

Les hommes couverts de croix font penser à un cimetière.

La nature est injuste ? Tant mieux, l'inégalité est la seule chose supportable, la monotonie de l'égalité ne peut nous mener qu'à l'ennui.

Mettez-vous donc dans la tête *qu'on ne fait pas de progrès.*

Faire l'amour n'est pas moderne ; pourtant, c'est encore ce que j'aime le mieux.

Il ne faut pas oublier que le plus grand homme n'est jamais qu'un animal déguisé en dieu.

Tout pour aujourd'hui ; rien pour hier, rien pour demain.

Ce qui manque aux hommes, c'est ce qu'ils ont, c'est-à-dire les yeux, les oreilles et le cul.

Où est allé Dieu ? aux cabinets.

Le mal,
est la dame de voyage,
lorsque sans frapper
elle entra dans ma chambre
pour me demander
de l'accompagner
jusque dans mon lit.
C'était une femme
douloureusement unique,
j'aimais Noémie.

JE M'ENTENDS SUR ELLE

Le vol ou le suicide
aimer avant de comprendre
poisson d'avril
cogner à la porte
acheter un chapeau
fermer les yeux
ouvrir la bouche
et délicatement elle se mit
à m'effeuiller
comme une marguerite.

Pour l'amour de la folie
je suis devenu la femme
de ma maîtresse,
nous dansons la nuit
sur la pointe des pieds.

Ns ns stons Top bin dédu
en ce pr sa Tese pr
sa pé pr sa pur pr l'hade —
ts ces grs qd is ns rasnt
ns dcent ne faisse ns rasnt
ns dcent ne faisse ns aims
de doer sr ee ss secs ss
pace ee et ne tee pacé ms
où count ls sédns ?

J'ai frotté mon amour
au papier de verre
pour oublier ma longue vie errante,

mon cœur est couché
sur un tas de copeaux,
il est né de père et de mère connus
naturellement je suis leur fils ;
mais je suis le fils de mon cœur,
votre métier de peintre
où l'avez-vous appris ?
Je l'ai appris en regardant ailleurs
excusez mon indiscrétion.

Je vais acheter un sou percé
j'éclate en larmes
sans savoir si c'était sur elle
ou sur moi.

AH ! LA ! LA !

Un poète, fier de son rôle,
étendu sur le dos
poursuit son râle.

LA LUNE SANS YEUX

Nous partîmes coude à coude
je ne t'écoute plus
ma petite
mais je retiens la moitié
de tes mots
et les autres je les crache
souffle contre souffle
nos têtes s'inclinèrent.

Les ennemis sincères
sont indispensables
tout ce dont ils ne peuvent
voir le fond devient
leurs pensées et des ombres
toujours plus obscures
et plus vides.

POUR CEUX QUI DOIVENT TOUJOURS VENIR

Un monde où il m'est possible de vivre ?
Sans barbarie rétrograde
Sans monuments de Dieu
Sans bombes
Sans tombes
Les âmes n'ont point de désintéressement
je suis seul à me dire
Ce n'est pas bon.

Je m'égare dans ma cage
Pleine de larmes et de rires
Mais forcé de rester sur mon propre chemin
Et vivre avec la joie connue.

J'étais couché à midi
A l'assaut
D'une échelle
qui conduit au paradis
Pour voir des rochers rouges
qui conduisent à la mer.

MON ATMOSPHERE

Aussi méchant que la bonne conscience
qui meurt éternellement.
La sagesse sur le trône de l'illusion
dans le cœur d'un Spinoza
cherche le travail
à cause du salaire.
Moi j'ai un remède
contre les remèdes
il s'appelle remède ;
Essayons toujours !

TRISTESSE

J'ai vu le nuage qui te porte
j'ai même vu le vent qui te pousse
Je t'ai vu descendre
comme un rayon d'or
et traverser mon cœur

313

tu t'appelles gaie
moi je suis
le vent
qui sait danser
pour chasser la poussière
des routes.

Hélas ! ce que j'ai peint sur la toile et le bois
Avec mon cœur et ma main
Devrait orner pour moi mon cœur et ma vie
Mais vous dites mon cœur est un fou
Et il faut nettoyer la toile et le bois
jusqu'à ce que la dernière forme ait disparu.
Mais je vais vous donner un coup de main —
J'ai appris à vivre seul
Comme peintre et comme homme sans cœur.
Lorsque ma vie sera finie,
J'aimerais bien vous voir, grands imbéciles que vous êtes
Souiller de votre sagesse la vie et l'amour.

Mardi à 9 heures

Fidèle à ma nature
Comme à mes tableaux
Je peins ce qui me plaît
Mais qu'est-ce qui me plaît ?
Ce qui me plaît.

Les yeux au ciel
Comme un insolent
Pauvre taureau sans corne
Tu tombes toujours en arrière
Dans un monde
Au nez crochu.

Il pleut et je pense
que la pauvreté
des pauvres
ne donne raison
à personne.

P
ROSES
U
ROSE*

Oui ! mon bonheur est d'écrire
        pour Rose Adler
Cela me rend tout heureux
Voulez-vous cueillir cette rose ?

CE QUE JE DESIRE M'EST
INDIFFERENT, QUE JE LE PUISSE
    VOILA LE PRINCIPAL**

Aimez mes tableaux amateurs
demain vous les trouverez très beaux
        admirables après-demain
ils vous donneront le courage
depuis que je suis fatigué de chercher
        j'ai appris à ne rien trouver
je vis avec peu d'espoir
où je suis je trouve la terre
mais en bas de mes pieds
est toujours le dégoût
enfin celui qui ne pense pas
se porte peut-être bien
c'est beaucoup.

QUOI***

        Il y a quelque chose

de monstrueux et de stupéfiant dans l'évolution des hommes qui se
disent peintres ; rien de plus paradoxal ! Au moins devraient-ils
demeurer instinctifs jusqu'au fond de leur cœur ; et n'avoir ni regards
ni pensées pour ce qu'ils considèrent comme périmé ; la peinture

---

  * Imprimé par PAB, Alès, janvier-février 1951 (hommage collectif à Rose Adler,
par Arp, Benoit, Gleizes, Laurencin, Lurçat, F.P., Survage).
 ** Imprimé par PAB, Alès, avril 1951 ; vingt exemplaires.
*** *Ma revue*, n° 4, éditée par PAB, Alès, avril 1951.

figurative ? Lancés par un coup de foudre dans l'abstrait académique, ces artistes peintres ne veulent jeter leur ancre que sur ce point, quelle ironie. Après ils se croient eux-mêmes devant eux-mêmes, et puis quoi ? Ces hommes considèrent leur peinture non pas comme un point d'interrogation pour leur idéal, mais comme une apologie. Art de pénitence, c'est tout. Car il n'y a chez ces artistes aucun amour, mais quelque chose tout de même, de l'ambition, un besoin de dominer qu'ils ne comprennent pas entièrement, mais avec quoi ils espèrent se faire entretenir ; pour moi, c'est bien peu de chose ; tout cela est arrangé comme un jardin anglais, rien de plus.

Quoi !

26 février 1951

LE DIMANCHE*

Penser autrement que c'est l'usage, c'est beaucoup moins l'effet d'une meilleure intelligence que l'effet de penchants forts, de penchants séparateurs, moqueurs et peut-être perfides. L'hérésie est la contrepartie de la sorcellerie, est tout aussi peu quelque chose d'innocent ou même de vénérable en soi. Enfin, moi je n'aime pas le dimanche qui n'est pas un jour de fête mais un jour d'ennui totalitaire.

(Sans titre**)

On veut non seulement être compris lorsque l'on peint, mais certainement aussi ne pas être compris — objection contre un tableau quand certains le trouvent compréhensible. Peut-être cela fait-il partie des intentions de Christine de ne pas être comprise par n'importe qui — tout esprit distingué choisit ainsi ses spectateurs lorsqu'il veut communiquer ; toutes les règles subies sont là à leur origine : elles défendent l'entrée de la compréhension, tandis qu'elles ouvrent les yeux de ceux qui sont parents par les yeux.

Mon cas particulier est d'être certain de ne pas être seul à aimer la peinture de Christine.

---

* Carte 10 x 14,5 cm, tirée à quelques exemplaires par PAB à Alès en 1951 (probablement en mai).

** *Christine Boumeester*. Paris, Instance, 1951, textes par Bachelard, Picabia, Clarac-Serou, Serpan, Arnaud.

316

LE SAINT MASQUÉ*

Ma vie est passée
Je cherche et n'ai pas trouvé
Elle fut douleur et erreur
La raison de ma recherche
C'est ce que je cherche
Mais je ne trouve pas

*

A partir d'aujourd'hui
Je suspends à mon cou
Tout ce que le temps n'a jamais proclamé

*

Je dois manger mon pain
A la sueur de mon front
Mais j'ai toujours froid

*

Tout bonheur sur terre
Me plaît
Mais il vient trop tôt
Ou trop tard

*

Que m'importe ce que dit le monde
Je viens pour toujours

*

Le plus grand bonheur
Est un malheur

*

Je suis mon chemin
Et toujours au-dessus du peuple

---

* Alès, PAB, septembre 1951 (avec dix lithographies de F.P.) ; trente-trois exemplaires.

Que toutes les clefs
    Se perdent
    En passe-partout

Un nomme vient de perdre la raison
    Tantôt soleil
        Tantôt nuage

       *

Celui qui est lui-même
Est un passe-partout

591*

Il fait du soleil
j'entends le bonheur
dans mon cerveau
je vais lui donner
un coup de main

mais le vent
éteint le soleil
pour que les étoiles
puissent dormir.

Je voudrais être l'envie
pour planer
dans un bois
et penser seul
pour que l'éternel désir
me mélange
à l'ombre des arbres.

*

* Alès, PAB, 21 janvier 1952 (avec cinq lithographies de F.P.) ; soixante-quatorze exemplaires.

Dans la tristesse
il y a autant de plaisir
c'est même la douleur
qui me donne
des instants sublimes
par le dégoût
de cette espèce de douleur
dont les étoiles
refusent de suivre
la route
dans le labyrinthe
de l'existence

La vérité d'un homme ce sont ses erreurs.

Peut-être les hommes ne sont séparés les uns des autres que par les degrés de leur misère.

Un esprit libre prend des libertés
même à l'égard de la liberté.

Il y a toujours des innocents,

des idiots qui s'ennuient à ne rien faire.

Pour moi il n'y a que cela de bien : ne rien faire.

La vie je la trouve
d'année en année
plus mystérieuse,

Elle n'est pas
un devoir ni
une duperie,

La seule façon de
trouver son absolu
c'est de se tuer.

aussi il
faut rire
de joie !

*

Raison ! me voici suspendu
à un jour nouveau

mais je déteste toutes les raisons

quand soudain qu'est-il arrivé ?
rien n'est arrivé
un désir après l'autre a coulé,
et déjà la lune s'est couchée
à l'asile de nuit.

           Cette femme est comme une vache
           qui voit passer l'amour
           elle invente des faiblesses
           de vertu et de pudeur
           quelle mélancolique histoire.

*

Un tableau n'existe pas

s'il ne sait pas transporter au-delà de tous

Je suis l'anti-artiste par excellence, un monstre quoi.

rien de plus

et c'est ce qui m'intéresse

les tableaux.

Les peintres sont des peintres,

Ce que je fais n'est jamais compris, même par moi !

Y a-t-il quelque chose à comprendre ?

(Sans titre*)

J'espère trouver l'idée
la notion de ma mesure,
m'approuver dans mes pensées
les plus étranges et les plus ardues.
Voilà ce qui m'ouvrirait
le problème de ma tragédie,
tragédie d'une passion dangereuse.
J'ai la crainte de la pitié,
c'est-à-dire le contraire
de la sagesse tragique,
là où je reconnais toujours
mes idées
parmi tout ce qui peut
se penser.
La répétition illimitée des choses
n'est pas une raison
de renoncer à l'espoir de l'avenir.
Mon attentat de lèse-humanité
peut-il réussir ?
J'ouvre l'infini mirage de l'avenir.

AUJOURD'HUI**

à Michel Perrin[193]

Ma vie est passée,
L'aiguille tourne et frissonne
Longtemps elle a erré déjà.
Elle cherche et n'a pas trouvé la raison de ma recherche !
oui je sais bien ce que je cherche — la raison de ma recherche !
qui est douleur et erreur.
Au monde le plus éloigné je destine ma clarté
Il faut rester pur avant tout
C'est ce que je cherche.

---

* *Fixe*, publication de la revue *Dau-al-set*, Barcelone, août-septembre 1952, numéro spécial publié à l'occasion du 30ᵉ anniversaire de l'exposition F.P. à la galerie Dalmau.
** *Ibidem.*

(Sans titre*)

Récréations de ma vie
la fréquentation des hasards sublimes
pour devenir un simple réactif
d'une autre forme.

Je ne veux pas qu'on me confonde
avec le hasard du monde
pour expliquer l'originalité
de mon expérience.

La nuit le cri des amoureux
éveille toutes les femmes
pour la divine tendresse
du destin le plus beau.

Quand on veut s'arracher
on a besoin de cocaïne
j'en suis encore à chercher la cocaïne
ou la volupté de l'enfer.

Croire encore à l'idéal de l'idée moderne
pour renouer le nœud de la civilisation :
symptôme caractéristique de décomposition
de la vie malade.

EXTRAORDINAIRE**

Qui n'est pas selon l'usage ordinaire, qui arrive rarement.
Singulier, bizarre.
Le contraire d'extraordinaire est le commun, vulgaire, banal.

L'art est avant tout la bonne volonté de l'illusion. Il faut créer par
nous-même ; un pareil phénomène, l'extraordinaire ; l'extraordinaire
ne doit être comparé qu'à celui qui peint, l'extraordinaire étant loin du
commun, du vulgaire et du banal ; alors ce n'est plus l'éternelle
déformation, l'éternelle imperfection que nous peignons avec l'auto-
matisme du devenir. En tant que phénomène esthétique, l'existence est

---

* *Ibidem.*
** *Ibidem.*

insupportable, mais au moyen de l'art, l'extraordinaire nous repose de la vie, et c'est cette projection qui nous repose de nous-même. Il faut donc se réjouir de notre folie que cache la passion de l'extraordinaire. L'extraordinaire est toujours joyeux et très loin de notre sagesse.

L'extraordinaire danse et dansera toujours sur l'art de celui qui pense aux groupes, car il est trop moqueur et enfantin pour ne pas avoir cette liberté qui nous place au-dessus des choses, et devient l'idéal. L'extraordinaire exige de nous cet idéal, qui est très loin des fabrications picturales pour les autres.

Comme cela est curieux, il ne suffit plus, aujourd'hui, que la peinture reste de la peinture, le succès a besoin de cris, il faut être quelqu'un de connu et cela par n'importe qui, la renommée a besoin de hurlements. La conséquence en est que les meilleurs peintres se mettent à faire n'importe quoi, et que cette marchandise est offerte par des êtres qui vendraient aussi bien du nougat que des tableaux, il ne leur manque qu'un fez sur la tête, mais avec de tels gens croyez-vous qu'il soit possible qu'il y ait du génie de nos jours. Et voilà une bien vilaine époque pour le véritable artiste : il faut qu'il réapprenne à trouver son silence — le mien — et parmi ces bruits absurdes, il doit faire le sourd. Tant que ces messieurs les peintres et littérateurs n'auront pas appris cela, ils seront certains de périr ou en danger d'impatience et de mort. C'est entendu, il doit y avoir pour bien des peintres de mauvaises heures, où ils pensent qu'importe de l'amour, du reste s'ils en ont, qu'importent les arguments, les plus mauvais deviennent les meilleurs. Ils pensent au fond d'eux-mêmes qu'importe de moi je sais crier le plus fort. Le moment est proche où les hommes vont se rendre compte qu'ils se sont trompés sur la nature de ce qu'ils ont appris, ils ont oublié que l'amour il faut l'apprendre et oublier la bombe atomique.

NE PENSEZ PAS PLUS
MAL DE MOI*

Celui qui s'élève sur
sa propre vie porte
avec lui son image
dans le ciel

---

* Alès, PAB, 1952 ; vingt exemplaires.

326

FLEUR MONTEE*

Où les critiques admirent infiniment
l'auteur n'est pas d'accord avec lui-même

J'erre au milieu d'un monde
Un monde qui a cessé d'aimer la vie

*

Une vie nouvelle
Cela seul t'importe
Par sensation nouvelle
Te jouer un personnage
Qui pourrait t'élever
Au-dessus de toi-même
Mais rien de tout cela
La vanité
Hypocrisie d'un nouveau masque
Etre monstrueux
Des minables amours
Qui donnent la fortune
En farandole de fleurs

*

* Alès, PAB, novembre 1952, « poème de F.P., sculpture planimétrique de Jean
Arp » ; cinquante-cinq exemplaires.

Pour étouffer l'amour
Dans les jardins
Les oiseaux chantent
Ils sourient aux fleurs
Un faible écho
Qui vient du souvenir
Comme un baiser posé
Sur des lèvres
Maintes fois dans l'allégresse
Tout comme la poésie
Les cyprès sont vivants
Sous les coupoles de la superstition
Dans le vermouth

*

Des temps nouveaux
Les amours
Voilà une recherche assez vaine
Capable de troubler les enfants
Là-bas la lune éclaire
Mais comme les morts
Eclairent les vivants
Je m'en rapporte à vous
Aujourd'hui le plaisir intérieur
Qui éclaire mon rêve
Est une huppe
Qui souffle dans un instrument
Lequel ne rend aucun son

*

Les oiseaux nagent
Dans l'eau violette
Puis s'envolent
Pour téléphoner
Plus rien que le souvenir d'un rêve
La beauté se soulève
Vous vous y connaissez amis
A l'aspect désolant d'un visage
Sans cœur
Sur lequel l'âge va s'acharner lâchement
Pour l'accuser
Le déchirer
Son seul mérite
Est de n'en avoir aucun
La femme de cette musique
Que j'entends
N'est qu'une vieille valse viennoise

Récréation du lendemain
Ce rêve n'aurait pas de charme
S'il n'avait pas de fin
Tendresses navrées
Si j'osais accepter
De caresser ta main
Echelle de corde
Dont il faudra descendre
Elle me tendit la main
Maintenant je peux bouger
Elle est partie
Vous savez qui c'est
Un portrait oublié
Par celles qui l'ont connue
Oubliée des hommes
Qui l'ont possédée
Vertige que l'on ressent
A contempler par une nuit d'été
Une forme d'insensibilité
Mettons-nous ici
Veux-tu
Une orchidée de papier bleu
A l'oreille
Et comme une ampoule nue
Allez lui dire que je suis là
Qu'elle vienne
Pour aller à Cousserans
Pauvre naufragée
Des dentelles et du parfum rose
M'en veux-tu donc tellement
Mon cerveau est bien las
Pour aller visiter l'avenir
Regarde ma figure
Pourquoi ne pas accomplir ta mission
La mission du miracle

*

Je suis torturé par le doute
Ce doute que j'aime toujours
Quel beau tableau gravé
En costume de voyage
Dans ma mémoire
Le bonheur est une énigme
Dans un coffre de diamants
Pour le jardin des Hespérides
Mais il y a une ombre sur ma figure
C'est ma tristesse
Car je connais par cœur

L'aspect désolant des visages
Il faut se contenter
Qu'ils soient vivants
Je tremble lorsque
J'ai besoin de comprendre
Ma mémoire
Qui voudrait
Parcelle par parcelle
Etre explorée
Quand flambe la trahison
De l'amour qui éclaire l'horizon
Mais y a-t-il place en elle pour moi
Place pour la souffrance
Des jours heureux
Modestie vaniteuse
De mon malheur d'espérer
A une longue branche
Je balance ma fatigue
Un oiseau devient mon ami
Il est tout noir
Couchez-vous autour de lui
Vous semblez faites pour ce passe-temps
Mais on verra plus tard
Si l'avenir odieux
Nous inflige des remords
Bonheur fragile
Celui qui se fonde sur le bonheur
Fouillis inextricable
Des rouages innombrables
Plutôt qu'un doute
Une certitude peut marquer
Sans décision et sans remords
Les cellules nerveuses de la vie
Repousser une certitude logique
Est le raffinement de l'intelligence
Des choses
Vérité pressentie
Des premiers temps de notre amour
Tout cela un après-midi d'été
Quand les oliviers montent vers le ciel
Avec les doigts neufs
Si sentimentaux
Et pleins de tendresse
A onze heures
Je rentre au château
Sous un clair de lune
De propos galants

Quand on n'a pas le cinéma
On a
L'indestructible besoin
Ou l'indestructible foi
Pour l'indestructible folle
Sans cesse
Dans une improvisation
De mauvais goût
Ceci est mon secret
Et sa bêtise
Mais il y a encore
D'autres manières
Vous pouvez essayer
En tendant la main
Vers elle
Vous n'arriverez pas à la saisir
Car je suis le joyeux garçon
Posthume qui danse
Sur les montagnes solitaires
Où à un seul endroit
Presque rond
Je puis rougir dans la pénombre
Il n'y a rien à changer à cela
Tout se paye trop cher
Tout ce qui est pensé
Composé
Construit
Formé
Est un art devant les autres
Vous le savez bien
Les grands modernes
Souffrent de la conscience
Mais quel miracle

*

Elle est encore là
Quel est son but
Son chemin son petit chemin
Je pense à toi
Je suis couché j'entends le vent
Le jour se lève
Il est tout noir
J'aimerais fumer
Et ne pas voir tes yeux
Par trop inégaux
Mais avec le regret
Qui ne touche plus
Mon cœur

Parlons d'autre chose
Faut-il trouver intéressants
Les hommes qui ont devant eux
Un très grand avenir
Ou parler des femmes
Qui ont un très grand passé
Le présent des femmes
Se trouve dans la jeunesse
Du passé
Et celui des hommes
Dans la vieillesse de l'avenir
Pour recueillir lentement
Le chagrin légal
Devenu doré
Comme un art inutile
Au commencement du monde
Tout était bien
Aujourd'hui le goût
A la mine tirée
Cela sans scrupules
Comme une artiste
Aux cheveux teints
Et à la figure fardée
Doucement
Je me mis à dormir
Comme une pendule
Qui attend son heure
Je dédie ce long poème
A celle
Qui ne sait pas se coucher
Sans vider son cœur
Dans le pot de chambre
De sa table de nuit
Et qui peut vivre
Sans le baiser
De nos lèvres unies
Histoire terrifiante
Si elle n'est pas vraie
Mais à qui en parler

Cousserans, 3 septembre 1947

332

NE SOMMES-NOUS PAS
TRAHIS PAR
L'IMPORTANCE*

L'IVRESSE INCAPABLE
j'ai peur que ton souvenir
s'en aille avec toi
tes lèvres
vont quitter
mes lèvres
ton cœur
est parti
tout comme le reste

*

LE BONHEUR
lorsque le soleil deviendra noir
alors seulement
la femme de mes cauchemars
deviendra le bonheur
elle aura pour cela
les cheveux ras
la poitrine plate
la peau tachée de jaune
les bras velus
alors je verrai
sa beauté
comme dans un miroir
mais j'ai peur
d'avoir mal choisi
car ses yeux
sont noirs
comme de l'argent
c'est une femme
qui passe
ou un souvenir
qui n'est pas le mien
devant moi
la vie s'en va
venez sous mon bras
et séchez vos larmes

* Alès, PAB, 1er mars 1953, gouache originale de Pierre-André Benoit ; trente exemplaires.

L'ABIME DE LA PERFECTION
comme vous êtes jolie
peut-être
plus que tu ne crois
peut-être moins
que tu ne penses
tu es une jolie fille
toutes les images des femmes
ne sont pas
aussi belles que toi
mais ne sois pas triste
si je trompe un jour
une volupté accablante
me réveillera secrètement
dans un nouveau
rêve

*

JE ME REPOSE SUR L'OUBLI
je n'ose plus
ouvrir les yeux
si mes bras
ne doivent plus
jamais t'étreindre

*

CONTRE LE THEATRE
tout est bon
pour celui
qui sait voir
contre l'injustice conjugale
le plaisir
du point final

*

ABIME DE LA PERFECTION
c'est une femme
qui lit ces lignes
elle est bien loin
dans la forêt
mais je la vois
je l'entends
et je la sens
comme si elle
me touchait
qu'importe
le reste du monde
qui la compare
à ce qu'il
voudrait connaître

334

JE ME RAPPELLE A PEINE
COMMENT J'AI PU AVOIR
UN TEL BONHEUR
donne-moi ta main
et serre bien fort la mienne
car nos mains
comme nos bouches
savent s'unir
et leur passion
n'a rien d'égal
mais surtout
ne parle pas
et écoute le vent
qui est moins doux
que tes mains

*

J'AI SAISI CETTE PENSEE
EN PASSANT
agenouille-toi
sans parler
pendant de longues heures
respire doucement
comme une petite fille
pour que ma bouche
puisse joindre la tienne
et être heureux

*

EN ATTRAPANT UN OISEAU
je rêve d'autrefois
dans la forêt
mais je voudrais
aller regarder
la mer à Cannes

*

NE PENSEZ PLUS AUTANT
on peut tout demander
à une femme
quand elle est nue
et qu'elle pense
à la lointaine destinée

*

ESSAIS ET EXPERIENCES
ma langue connut sa langue
et les yeux fermés
elle unit son cœur
au mien

IL FAUT CREER POUR SOI
UN PETIT SOLEIL
pourquoi chercher dehors
puisque l'amour est dedans
comme j'étais assis
dans la forêt
une femme est venue à passer
elle m'a regardé
elle m'a parlé
je l'ai prise
pour un oiseau

*

JE NE SUIS PAS
UN CALOMNIATEUR
je regarde un corbeau qui passe
dans l'ombre ronde
d'un sapin
qui me parle
alors
reculant un peu
je me mis
à sourire
inquiet
croyant
que j'étais
piqué

*

NE PAS SAVOIR
je veux choisir
dans toute la forêt
un arbre
à qui
je confierai
un secret

*

PLUS QUE JE N'AVAIS DESIRE
ce n'est pas un viveur
ni un mourant
il n'est rien
mais il sait rire
toute la journée

*

COUCHE SOUS LA MEME LUNE
mon regard
me rappelle le sien
mais je n'ai pas
de taches noires
sur les yeux

336

PAYSAGES SANS AVENIR
aime-moi
non pas
avec des sourires
mais avec ton cœur
pour que ta vie
touche la mienne
ma main
dans ton lit

*

C'EST UNE AFFAIRE DE GOUT
c'est elle qui me soigne
le soir au lieu de faire l'amour
elle donne à boire
aux poissons rouges

*

MES PENSEES
SONT LES OMBRES
DE MA VIE
le voile blanc tombe
laisse voir
ton ventre nu
pour que je cueille
les fleurs de ton corps
en voulez-vous

*

RIEN DE PLUS
les étoiles s'éloignent
oh ! que je suis triste
et seul ici
triste comme l'aube
s'il fait froid
il y aura peut-être
du feu ce soir

*

J'EN AI ASSEZ DE MA SOCIETE
c'est le cinquième été
que j'ai vu mourir
sur ces montagnes
les feuilles vont tomber
doucement comme la neige
il est temps que je disparaisse
chargé d'années
car elles me fatiguent

LE SENTIMENT DE LA NATURE
DOIT ETRE DIFFERENT
je n'appelle pas au secours
car ce petit jeu m'amuse
mais je suis
moins dispos
à me prouver
mes désirs

*

JE ME TROUVE TOUJOURS
EN MAUVAISE COMPAGNIE
LA MIENNE
ne passez pas
sans me regarder
mon automne est plus chaud
que votre printemps
je suis comme vous
un enfant

*

TOUT DECROIT
ne suis-je pas bien idiot
de me croire un enfant
flétri par les rides

*

IL M'EST PEUT-ETRE IMPOSSIBLE
DE RESTER STATIONNAIRE
je suis vieux
c'est pourquoi
je ne veux rien faire
la seule opprobre
est de vieillir
aujourd'hui
demain
ne me réveillera pas
car la vie a usé
mon espoir
et ne m'amuse plus

Rubigen, 19 août 1950

338

(Sans titre*)

Les sonneries du téléphone
vivent de leurs rentes,
le téléphone est le plus gentil
garçon de la terre,
il est célibataire,
sa faiblesse féminine
a un charme désarmant,
vous voilà renseigné,
mais là n'est pas la question importante,
ma préoccupation est de savoir l'avenir,
aussi j'ai une question à vous poser,
la glace peut-elle fondre au soleil ?
une voix frémissante d'impatience
me répondit,
tout va s'arranger.

---

* *Le Peignoir de bain*, n° 1, printemps 1953, Alès, PAB.

(Réponse à une enquête*)

— Croyez-vous qu'un homme puisse
    apprendre à avoir faim et soif ?
— Où cesse l'art,
  où commence la vie,
  Je suis le poète de ma vie,
  alchimistes
  astrologues
  sorciers
  faim et soif
  de ma propre vie
  pour me fortifier
  croyez-vous que cela m'intéresse
  que l'homme puisse apprendre
  ce que savent les autres ?
  Un poème doit être ce qui
  n'existe pas encore,
  ce qui n'a pas de valeur
  comme la nature
  qui est sans valeur par elle-même.

Mon idéal m'empêche de voir les bonnes mœurs de la société.

Le succès de l'insuccès est un succès.

La vie n'a ni but ni résultat.

Ma peinture est une femme qui ne veut pas entendre parler de son mari pour faire l'amour.

Qu'est-ce que la peinture ?

Faire quelque chose qui n'a pas de nom, quoique cela se trouve devant les *yeux*.

Maintenant, avec cette façon de faire les tableaux, ce n'est que l'étiquette qui les rend importants.

Un homme original est un homme sans nom.

Mes pensées me disent où je me trouve : mais elles ne m'indiquent pas où je vais.

L'ignorance de l'avenir est magnifique, je ne veux pas mourir d'importance, ni d'impatience, surtout croire par anticipation aux choses impossibles... ?

---

* Supplément de la revue *Preuves*, n° 29. « Problèmes de l'art contemporain », juillet 1953, p. 34[194]

OUI
NON
OUI
NON
OUI
NON*

Peinture musique littérature
fleurs de serres chaudes
oui non
*
Il faut se méfier
des êtres pittoresques
il faut se méfier
des peintres antiquaires
il faut se méfier
de se méfier
même de la peinture
peinte sans méfiance
*
Les gens sérieux
ont une petite odeur
de charogne
*
Le scepticisme
le cynisme
l'infini
quel spectacle à la mode
mais la nature
a une petite déclaration
à vous faire cher monsieur
elle n'emprunte pas le feu
à l'incendie
*

---

* Alès, PAB, 1953 ; cent onze exemplaires.

J'ai peut-être rendu
la peinture malade
mais quelle distraction
d'être docteur

demain je compte sur la peinture
pour être mon docteur
*
Dès le début de ma vie
le public m'a jeté
sa sentence

il se moque de nous

ce qui m'a toujours amusé
c'est ce public
qui me connaît
mais qui ne se connaît pas
*
Je ne fais que me nuire
je ne connais pas d'autre manière
dans les rapports avec moi-même
*
La profonde médiocrité
des peintres
me déprime
*
Les vieilles médiocrités
sont à la mode
les nouvelles aussi

connaissant ma force
je suis tolérant pour moi
il ne m'est plus rien défendu
*
J'ai ressenti la peinture
comme un objet de passion
mes tableaux sont des actes d'amour
c'est ma manière de travailler
*
Ma peinture est une contradiction
entre la vie et le sommeil
*
Le succès est un menteur
le menteur aime le succès
*

Les gens veulent que l'on parle d'eux
car ils ne s'intéressent qu'aux gens
de qui l'on parle
d'autres se cachent derrière
un masque
qu'ils pensent avoir choisi
séducteur
séducteur comme...

*

Les gestes sont muets
ils comptent sur le bruit
et le bruit compte sur les gestes

*

Ceux qui brillent comme le soleil
n'ont pas besoin de bruit
tous ces pauvres idiots qui pensent
que le bruit
peut les rendre luisants

*

Les gens parlent toujours
des petites choses
ils ne peuvent parler des grandes
leur cœur étant trop petit

*

Pour beaucoup de gens
le bonheur
c'est imiter

*

Comprendre tout
la vie devient monotone
tout aimer
sans comprendre
beaucoup de gens
comprennent cela

*

Le ciel est-il au-dessous
ou au-dessus de nous
il faut deviner
si vous pouviez me voir
mon sourire vous le dirait

*

J'aime la mer
les montagnes cachent les étoiles
si le soleil pouvait faire fondre
les montagnes
comme la neige

*

Je déteste les nuages
leurs formes ridicules
ils n'ont même pas
la beauté des tigres
sur leur proie
ces nuages idiots
qui ne vivent que du soleil
et qui passent leur temps
à le cacher

*

Les chats qui regardent les oiseaux
ont des yeux qui méditent
les oiseaux qui regardent les chats
ont des yeux qui doutent
les miens se ferment
pour penser aux miracles

*

Un jour prochain les fables
et les belles histoires de fées
reviendront à la mode

*

Il n'y a que les contemplateurs
des constellations
qui puissent encore
nous émouvoir

*

Maintenant si vous voulez
parlons de ma peinture
car je suis peut-être le disciple
de moi-même

*

1939

UN FOU QUI DEVIENT FOU*

La lune s'est couchée dans une cheminée
il fait froid dans la rue
j'entends la pluie
je suis assis dans l'attente de rien
j'ai trouvé un
je cherche deux
deux feuilles pour la couronne
de l'héritage
du fantôme solitaire
qui se traîne vers l'amour
pour me vider mon cœur.

* *Caractères*, nᵒˢ 7-8, 1953[195].

ECRITS
POSTHUMES

REVEIL-MATIN*

Notes pour un ballet

Tableau 1

Les décors de différents couloirs se mettent à danser pendant 2 minutes.

Les mêmes décors étant en caoutchouc tendus sur des châssis restent immobiles, mais des gens se trouvant derrière et appuyant dessus forment des formes curieuses étant donné que ces décors doivent être dans une lumière éblouissante.

Tableau 2

Dans ces mêmes décors de caoutchouc apparition de danseurs en maillot noir ayant des gants de boxe lumineux ainsi que leurs souliers.

Tableau 3

Décors métalliques en cuivre et fer.

Cinq danseurs deux hommes et trois femmes maillot argent et or, maillots qui devront recouvrir simplement la peau, souliers en argent et or contraire à leur maillot.

Tableau 4

La roulette danseurs et danseuses en maillot noir et rouge, une danseuse en maillot blanc.

Tableau 5

Danseurs et danseuses en maillot noir et blanc avec des petites glaces rondes sur tout le corps.

---

* Alès, PAB, février 1954 (écrit en 1950), trente-trois exemplaires.

Tableau 6

Costumes de soirée très élégants. *(2 minutes)*

Tableau 7

Costumes verts dansant dans l'air, quelques danseurs et danseuses dansent sur le plateau. *(2 minutes)*

Tableau 8

Costumes qui gonflent et se dégonflent.
Les costumes seront noir et rouge. *(2 minutes)*

Tableau 9

Danseuses et danseurs *couchés* les uns à côté des autres en costume blanc. *(2 minutes)*

DEMAIN DIMANCHE*

Demain dimanche à Rubingen
il n'y aura ni journaux
ni lettres
demain je relirai mes journaux
et mes lettres
pour lire entre les lignes

Demain dimanche
les esprits les plus vieux
mettent des habits neufs
en Suisse comme ailleurs

Une femme embrasse un lapin
je lui demande pourquoi
elle me dit
demain dimanche je vais le tuer

Demain dimanche
nous mangerons du poulet
mesure des choses

MAINTENANT**

Maintenant c'est le bateau
qui conduit le gouvernail
mes poupées de porcelaine
entendent l'écho lointain
des vagues

---

* Alès, PAB, mars 1954.
** Alès, PAB, non daté (1955) ; douze exemplaires.

IL FAUT QUE JE REVE *

Il faut que je rêve
il faut que je monte
pour vous entendre parler
vous l'avez voulu
c'est le moment

vous êtes perdu
si vous croyez au danger

hardi c'est le moment
mais personne
ne peut vous servir de degré

CHANT CARESSÉ
PAR LE PARFUM DESÉSPÉRÉ **

Le lac, mirage deux fois suisse
            N'est pas un rêve
Il est mon compagnon
        Par ma fenêtre l'horizon
        Enferme mon cœur séparé de toi
        Ma chambre qui a aimé trop
        ton visage
                Est une robe de souvenirs
                Sous les reflets du ciel.
        Tes lèvres, comme les caresses
                Des fleurs palpitantes,
        Autour de moi, frôlent mes nuits.

---

* *La Carotide*, n° 1, novembre 1956, Alès, PAB.
** *Ibidem*, n° 4, février 1957.

352

MON CRAYON SE VOILE*

Mon crayon se voile de tristesse
de grands yeux chargés de mélancolie
regardent des noms sinistres
je pense à l'assassinat de moi-même
entre un vainqueur et un vaincu
le choix est trop facile
curieux mélange de souffrance

Autour de moi tout vacille
par la plus grotesque ineptie
des pieds et poings liés douloureusement
sur mon lit aux couleurs d'opales

Je n'ai rien oublié de tes mains
étui-revolver du garde-à-vous
de haute société en pleine mer

Que fais-tu qu'entends-tu
depuis des semaines
moi je connais le bracelet
du bonheur.

L'AVENIR-ENFANT**

Tout simplement
il faut le sang absolu de la vie
pour l'effusion de l'illusion
il faut l'assimilation de l'imagination
qui produit l'opinion
des grands rêves
qui dorment
dans un monde
à l'abri du monde
avant l'impatience
de la peinture qui doit venir.

Francis Picabia
Bâle, 27 octobre 1948
(inédit à Marguerite Hagenbach)

---

* Alès, PAB, 1957 ; six exemplaires.
** *Panderma*, n°1, 1958, Bâle.

353

LA VOLONTE DE VIE ET SES COMPLICATIONS*

Marie vint s'asseoir sous le portrait de Joseph avec beaucoup de majesté et de grandeur.

« Marie, vous me semblez jeune, me permettez-vous de vous poser quelques questions ? Avez-vous de l'idéal ? Etes-vous préoccupée par les hommes ? »

Marie est au mauvais âge, à l'âge où les filles deviennent tristes. Elle était assise sur le bas-ventre d'un petit jeune homme, sa main lançait des feux bleus, avec quelque chose de prophétique.

« Je sors peu avec Joseph, me dit-elle, il est à la recherche d'une femme, comme d'autres à la recherche de la pierre philosophale. »

Elle se leva, sa jupe tenait à ses fesses. Cette pittoresque créature, en ayant l'air de rêver, me dit : « Je ferai mettre un bec de gaz genre papillon derrière les carreaux pour mieux voir le portrait de Joseph. »

Puis Marie se rassit en même temps que son ombre charmante. Elle demanda : « Est-il vrai que la loueuse de voiture à bras de la rue de l'Echelle se fasse cent mille francs par mois en louant ses voitures ? Ma concierge me l'a dit, mais, à propos de voitures, auriez-vous la complaisance de faire conduire le portrait de Joseph à la gare de Lyon ? Il a dû y laisser son portefeuille, j'ai bien peur qu'on ne le retrouve plus.

Excusez-moi, Joseph est si distrait et son portrait est si triste. »

En même temps, Marie me jeta un regard bizarre qui avait l'air de me poser des questions.

« Et puis au fait, me dit-elle encore, qui êtes-vous ?

Parlez-moi, par exemple, de l'oranger chinois ? Perd-il ses feuilles en été ? Enfin parlez-moi, si vous voulez, de Robespierre, de Marat au Panthéon, victime de son dévouement. »

Marie, le menton dans ses mains, était très belle ; elle avait en plus une extraordinaire magie dans son visage, quels détails dans le dessin de sa bouche, le tremblement de ses yeux, et une espèce de sourire à donner de la curiosité pour toute la vie ! Enfin, un visage qui reste là et qui s'en va, mais où ?...

---

* *Front unique*, nouvelle série n°1, printemps-été 1959 (Milan, Schwarz éd. ; Paris, Minotaure), p. 10-12[196].

Je croyais qu'elle était plutôt inintelligente, mais c'était pour reconnaître tout de suite que l'intelligence lui avait peu servi. Je me suis posé beaucoup de questions sur elle.

Par exemple, que toutes les qualités dont Marie a conscience, et surtout lorsqu'elle suppose leur visibilité et leur éloquence pour son entourage, sont soumises à de tout autres pensées de développement que les qualités inconnues, ou très mal connues, qui, au fond, ne savent que se cacher aux yeux des plus subtils ; je crois qu'elles se cachent derrière le néant de sa vie. Et que tous ses modes de pensée sont trop logiques, et que, fatiguée par elle-même, elle trouve plus de plaisir à faire des grimaces. Sa gentille tendresse et son abnégation sociale n'ont plus que du pain et de l'eau, ce qui n'est qu'une nourriture de prisonnière : ce n'est pas dans la boue de la raison qu'elle peut trouver un plaisir à vivre, il me semble. Maintenant, elle veut aimer, et dès lors elle regarde devant elle avec une si tranquille confiance qu'elle fait songer à la confiance des vaches : peut-être, malheur à elle.

Mais c'est là son charme insaisissable pour moi !

Un nommé Pierre de l'Illusion venait d'entrer en disant tout est simple. Marie riait un peu bas.

« Il se pourrait, nous dit ce Pierre, que son âge te surprenne, car pendant longtemps tu as eu l'illusion de posséder la vérité, ce qui t'a empêché d'être toi-même. Mais si je conjecture bien, pourquoi Joseph ? »

Marie tendait sa joue aux larmes, et sa bouche avait l'air inutile. Joseph s'était avancé vers elle avec une attention pleine de regrets.

Marie se recula plus loin et se mit à trottiner avec son habituelle fantaisie, puis, fixant le soleil à travers les vitres d'un regard de fonctionnaire indifférent, dit à Pierre de l'Illusion :

« Nous sommes la vie, n'est-ce-pas ?

— Oui, mais quelle vie ? dit Pierre de l'Illusion.

— Oh ! je vous en prie, murmura Joseph. »

Pierre de l'Illusion pensait je ne suis d'aucun temps, et que les autres existent ou aiment, que m'importe d'avoir ce que j'ai, d'être ce que je suis. Du reste, au fond, il me serait possible de vivre à toutes les époques sans m'étonner de rien ; pour moi les êtres ne sont que des silhouettes à coller dans les albums de l'avenir.

Marie parlait à Pierre de l'Illusion et lui disait, il faut travailler, lire et jouer au piquet, voilà la vie. Puis elle décroisa les mains, les recroisa, les mit l'une sur l'autre, l'une dans l'autre et enfin l'une à côté de l'autre.

Tout cela pour nous dire encore :

« Nous devons nous placer au-dessus de tout, de la morale, non seulement nous y placer sans raideur inquiète, comme ceux qui craignent à chaque moment de glisser et de tomber, mais qui ne peuvent planer ni jouer au-dessus d'elle, et vivre comme ceux qui n'ont pas honte de leur vie ! »

A ce moment, Pierre de l'Illusion sentit que Marie commençait à l'ennuyer très sérieusement. Marie était à genoux comme une triste amoureuse.

Oh ! pensa-t-elle, avec un visage de cimetière, les hommes croient qu'on les aime dès qu'ils font un geste ! Puis Marie s'assit devant le feu, et regarda ses souliers ; elle n'avait qu'un pantalon attaché par un ruban noir ; puis elle leva son visage, ne regarda plus ses souliers et, parlant à Pierre de l'Illusion, dit :

« J'en ai assez de la famille et aussi de vos questions, du reste quelle drôle de façon de parler de la famille pour un jeune garçon qui veut être intelligent, et de plus vous êtes à poil, ce qui n'est pas une tenue pour une visite et encore moins pour une conversation théologique.

« Et puis, je suis très préoccupée, dit-elle gravement en se repenchant sur ses souliers. (Le regard de Marie cherchait ma pensée.) Vous me croyez simple ? Une innocente peut-être ? »

Pierre de l'Illusion s'empressa de lui dire qu'elle était rigolote et que cela lui allait très bien. Moi, un peu agité, je dis à Marie bonjour. Et, pendant ce temps, Joseph, en redingote, cherchait à diminuer la lumière trop violente qui éclairait son portrait. Il souriait d'un petit sourire rare dans son foulard de mauvais goût. Et, s'adressant à Marie, il ne put s'empêcher de murmurer :

« N'as-tu aucun ennui de personne à supporter ?

— Je suis très heureuse, dit-elle. »

A cet instant, il surgit une extraordinaire vision de ses mains, un phallus en or, une vieille harpe, des chalumeaux de bar, un verre de vin blanc, dans une lumière éclatante, naturellement tout à son avantage !

Elle se mit à avoir mal aux dents, comme tout ce qu'elle faisait, avec distraction : « Je suis des cours de danse », dit-elle, puis elle posa trois roses sur ma tête et fit semblant de les respirer, avec un œil fermé ; l'autre paraissait en or comme celui d'une avare. Je lui demandai : « Etes-vous une femme à qui l'on puisse faire une confidence ? » Marie me dit oui de la tête.

« Eh bien, je pense que la vertu ne prouve pas le bonheur, elle est une espèce de béatitude pour ceux qui ont foi en leur vertu, et c'est la foi qui sauve et non la vertu ; as-tu pensé à cela ?

— Oui, mais j'aime les hommes qui ne sont pas des hommes et qui ne correspondent pas au concept homme, car ils ne sont que des spectres et pourtant ils sont l'humanité. »

Pierre de l'Illusion lui dit :

« Tu ne manques pas d'imagination. Et puis ne sucez pas votre pouce ! »

356

Il eut un malaise, décroisa ses bras et les recroisa. Il pensait qu'à l'égard de la vertu on peut aussi être flatteur et sans dignité. Marie le regardait.

Pierre de l'Illusion lui prit les mains, comme pour un jeu, et se mit à les balancer.

Marie tremblait comme une femme maladroite, son corps la surprenait, elle désirait l'étreinte, où l'on glisse comme dans un vertige, mais elle ouvrit les yeux, pour voir si elle était là.

Pierre de l'Illusion lui demanda :

« Est-ce qu'un homme t'a déjà caressée ? »

Puis il s'appuya au mur, les mains ouvertes, coiffé en arrière, son feutre mou et noir sur le côté de la tête, ayant l'air extrêmement triste, et cela parce qu'il pensait à Joseph. Il enleva son chapeau, et attendit la bonne volonté d'un ami pour savoir l'heure qu'il était. Mais personne n'osa le lui dire, il est si susceptible.

Enfin Marie enleva ses souliers, qui lui faisaient de plus en plus mal, et nous regarda d'un air peu aimable. Joseph parlait très haut : il disait pourquoi donner des lavements aux puces ! et puis le sexe masculin est considéré comme le beau sexe !

« Qu'est-ce que tu veux que cela nous foute », dit Pierre de l'Illusion ; puis il se promena en disant encore : « Le passé demeure encore tout à fait inexploré. J'ai besoin de beaucoup de forces rétroactives ; il fait si beau pour moi. »

Oui, tout est décoratif pensait Marie. Cela allait de plus en plus mal entre Marie et Pierre.

C'est mon avis, hélas ! pensait Joseph, car il n'est plus caressant comme elle le voudrait. Mais si c'était moi, j'aurais eu le plaisir de lui faire frotter ses souliers, car c'est dans sa nature d'être sérieuse. Et Marie n'aurait pas su où est le cirage, car elle croit que tout n'est qu'apparence. Et c'est par le manque d'apparence qu'elle m'a aimé !

Et Pierre de l'Illusion murmura :

« C'est par l'apparence qu'elle veut aimer Joseph. »

Pierre de l'Illusion ne se rappelait plus rien. Marie leva les yeux, la main et parla pour nous dire que, dans ses rapports avec les personnes qui n'ont pas de pudeur à l'égard de leurs sentiments, il faut savoir dissimuler, car ces personnes éprouvent une haine soudaine contre celles qui les prennent sur le fait d'un sentiment tendre, comme si l'on avait vu leurs pensées les plus secrètes ; puis elle se mit à chantonner.

Pierre, n'y tenant plus, voulait lui écrire un mot, mais quoi ?

Il avait un sourire secret qui adoucissait la gravité involontaire de son visage.

(La suite au prochain numéro)

(Sans titre*)

Il n'y a qu'une chose qui compte
c'est le céleste
tout vu de cette hauteur se rapetisse et s'efface
dans le mépris

OU BIEN ON NE REVE PAS**

Q'importe une femme qui ne sait pas nous transporter au-delà de toutes les femmes ?

Aujourd'hui je suis pauvre : mais ce n'est pas parce qu'on me l'a pris, mais parce que j'ai tout rejeté loin de moi. Elle ne comprendra jamais ma pauvreté volontaire.

Ses pensées seront toujours plus vides, elle aime tant à rester stationnaire.

Elle a cette pauvreté du riche, mais par la belle folie de la vraie pauvreté dissipatrice.

Je reconnais les femmes qui cherchent le repos au grand nombre d'imbéciles qu'elles placent autour d'elles.

Et qu'est-ce qui la fait dépérir le plus rapidement ? le narcotique bourgeois.

Quelles sont en dernière analyse les vérités d'une certaine petite femme ? Ce sont ses erreurs irréfutables.

Celle qui n'est pas occupée est toujours dans l'embarras.

Celle-là est une envieuse, il ne faut pas lui souhaiter d'enfants, elle leur porterait envie parce qu'elle ne peut plus être une enfant.

Il vaut mieux souffrir que d'avoir autour de soi des épouvantails.

---

* *691*, nu:néro unique, Alès, PAB, été (août) 1959, cent exemplai:es[197].
** Alès, PAB, février 1960 ; treize exemplaires.

LAISSEZ DEBORDER LE HASARD*

Fidèle à la nature et incomplet !
Finalement j'écris ce qui me plaît
Mais qu'est-ce qui me plaît ???
Ce que je crois savoir faire !
Si l'on me laissait choisir librement
je ne choisirais rien
Peut-être pour moi au milieu du bonheur
une petite place
et pour moi encore
et plus volontiers devant sa porte
Ma plume gribouille
Qui donc lit ce que j'écris ?
Mais vous êtes d'en haut
car vous vivez même au-dessus des louanges
Prédestiné à votre orbite
vous n'admettez qu'une seule loi
Soyez pur !

---

* Alès, PAB, 19 mars 1962 ; vingt-neuf exemplaires.

NOTES

1. Sur *Rongwrong*, cf. Tome I, note 18, p. 270.

2. Cette lettre fait suite à une conférence prononcée par Marinetti, chef de file du mouvement futuriste italien, au théâtre de l'Oeuvre le vendredi 14 janvier 1921. Les dadaïstes la perturbèrent violemment et distribuèrent un tract intitulé « Dada soulève tout » signé par la plupart des dadaïstes français, américains, allemands, italiens, etc. Marinetti avait souligné les nombreuses ressemblances entre dadaïsme et futurisme ; cette accusation, ajoutée à un patriotisme exalté, avait provoqué la fureur des dadaïstes. Marinetti tentait de lancer un nouvel art, le tactilisme, dont les œuvres devaient être touchées de la main. Déjà, dans *Comœdia* du 13 janvier 1921, il affirmait qu'il en était l'inventeur, et que seul Boccioni, autre adepte du futurisme, en avait été le précurseur dans certaines de ses sculptures. Marinetti répond à F.P. dans une lettre publiée par *Comœdia* à la suite de celle-ci. Il y déclare avoir tout ignoré du tactilisme de Miss Clifford-Williams et de la conférence d'Apollinaire. Il termine ainsi : « Ce qui m'importe, c'est que mon idée triomphe. »

3. Cette déclaration suit l'article d'Asté d'Esparbès qui annonçait la série d'excursions inaugurée par un rendez-vous à Saint-Julien-le-Pauvre. La manifestation, organisée par André Breton, devait être une visite absurde et caricaturale. Mais il plut beaucoup ce jour-là, et la manifestation se déroula dans l'indifférence.

4. Revue dirigée par Nicolas Beauduin et William Speth. Dans ce numéro, la collaboration dadaïste est importante ; on trouve au sommaire les noms de Louis Aragon, André Breton, Paul Eluard, Tristan Tzara, Paul Dermée.

5. Coquille ou erreur de F.P. Lire 11 mai.

6. Vente Kahnweiler, 13-14 juin 1921.

7. Madeleine Lemaire (1845-1928) : Madeleine-Jeanne, née Coli. Portraitiste et peintre de genre, elle était surtout connue par ses peintures de fleurs.

8. Nom du café situé place Blanche, où les dadaïstes avaient pris l'habitude de se réunir.

9. Exécuteur des hautes œuvres. Ces références de F.P. à la justice sont des allusions au « procès Barrès » organisé par A. Breton.

10. André Breton et Philippe Soupault.

11. Nom du loulou de Poméranie appartenant à F.P., souvent nommé aussi Zizi de Dada.

12. *Anicet ou le Panorama* (Paris, N.R.F., février 1921).

13. Voir Sanouillet, *Francis Picabia et 391,* Paris, Losfeld, 1966, p. 135.

14. Couturier parisien dont les modèles étaient inspirés par certains peintres contemporains, comme Dufy.

15. Voir Sanouillet, *op. cit.,* p. 138.

16. Pierre de Massot, jeune écrivain qui avait quitté Lyon pour Paris ; fervent admirateur de F.P., qui l'avait chargé de gérer *391* à partir de ce numéro ; auteur de quelques aphorisme, et de « Nocturne pour le matin » (*Pilhaou-Thibaou,* p. 7) ; devint ensuite précepteur des enfants de F.P.

17. Réponse à une enquête sur la mode lancée par *L'Intransigeant* : « Etes-vous partisan par ces chaleurs du faux col mou ou bien de la chemise échancrée ? » F.P. était alors une personnalité très en vue du Tout-Paris.

18. Réponse à l'enquête ouverte par la revue *L'Encrier*, et dont les résultats parurent dans le quotidien *Le Gaulois* du 29 octobre 1921, p. 3. Questions : « Existe-t-il selon vous une crise de la peinture française ? Quelles en sont les causes ?... Que faut-il faire ? » Les questions furent posées à « quelques peintres représentatifs des diverses tendances de la peinture française » : Félix Valloton, Georges d'Espagnat, André Mare, André Lhote, Van Dongen, F.P.

19. C'est dans une lettre du 12 avril 1921 qu'Ezra Pound avait demandé à F.P. de collaborer à *The Little Review*, il le persuada de contribuer au financement de la revue ; F.P. en devint à ce titre codirecteur (de 1921 à 1922) avec Jane Heap et Ezra Pound. Les relations de Pound et de F.P. se manifestèrent concrètement par la publication de deux textes de Pound, « Poème » et « Kongo Roux », dans le *Pilhaou-Thibaou*.

20. « Rhin », sur le manuscrit.

21. Cette phrase répond à la publication du tableau de F.P., *Les Yeux chauds* (1921), sur lequel on pouvait lire « L'oignon fait la force — hommage à Frantz Jourdain — remerciements au Salon d'Automne ». A côté de la reproduction du tableau de F.P., *Le Matin* montrait un schéma, publié par une revue scientifique qui présentait le même motif. Le *journaliste constatait que Les Yeux chauds* n'étaient que « la copie enluminée du schéma d'un régulateur de vitesse d'une turbine aérienne trouvé dans une revue scientifique de juillet 1920 ». Il poursuivait : « Mais nous avons appris encore que M. Picabia fit emplette naguère d'un solde d'épures mécaniques mises en vente pour l'excellente qualité du papier. Il exposa jadis l'une de ces épures à la Section d'Or et comme un ami, peut-être un disciple, trouvait la farce un peu forte, l'auteur (si l'on ose dire) répondit : " Si l'œuvre d'autrui traduit mon rêve, son œuvre est mienne. " Ce tableau fit beaucoup parler de lui, la rumeur ayant couru que l'œuvre devait exploser le jour du vernissage. Il fallut pour calmer les esprits que Frantz Jourdain, président du Salon d'Automne, fasse une rectification dans la presse pour assurer que l'œuvre était sans danger. » (*L'Intransigeant*, 13 octobre 1921, p.2.)

22. Journal futuriste italien qui avait subi l'influence de Dada. Il était dirigé par Julius Evola ; le rédacteur en chef était Gino Cantarelli.

23. On retrouve cette phrase dans « Notre-Dame de la peinture », Tome I, p. 259.

24. L'attribution de cet aphorisme à F.P. est douteuse. *Le Petit bleu* utilisait parfois satiriquement des signatures fantaisistes.

25. *L'Oeil cacodylate* est le titre d'un tableau de F.P. exposé au Salon d'Automne (1er nov.-20 déc. 1921). Sur « cacodylates », cf. Tome I, note 30. F.P. utilisa ce médicament contre un zona oculaire. Sur le tableau on pouvait voir, autour d'un œil sommairement dessiné, une accumulation de signatures, celles de ses amis ou connaissances, parfois agrémentées de formules succinctes plus ou moins banales ou fantaisistes. Un grand nombre de signatures s'y ajoutèrent lors du « Réveillon cacodylate » que Marthe Chenal donna quelques semaines plus tard et dont F.P. fut le maître de cérémonie.

26. Sur *Les Yeux chauds*, voir ci-dessus note 21.

27. La revue anversoise consacrait son numéro à Dada « sa naissance, sa vie, sa mort » ; on y trouvait comme collaborateurs Céline Arnaud, Pierre-Albert Birot, Christian, Jean Crotti, Paul Eluard, Pierre de Massot, Clément Pansaers, Benjamin Péret, Ezra Pound, Georges Ribemont-Dessaignes, René Dunan et F.P.

28. En 1921, à Jersey City, lors du championnat de boxe toutes catégories, Georges Carpentier fut battu par Jack Dempsey.

29. Cette phrase revient plusieurs fois sous la plume de F.P. (*Cf.* p. 81)

30. Tract abondamment distribué à l'occasion du Salon d'Automne de 1921. Il constituait une réponse ironique aux attaques dont F.P. avait été l'objet dans le numéro de *Dada* intitulé *Dada au grand air*, conçu par Tzara lors d'un séjour au Tyrol. On y trouvait les signatures de Hans Arp, John Baargeld, Paul Eluard, Max Ernst, Theodore Fraenkel, Georges Ribemont-Dessaignes, Philippe Soupault et Tristan Tzara ; F.P. en cite quelques-unes dans son tract. Arp avait signé un texte qui affirmait, contrairement à ce qu'avait avancé F.P. dans le *Pilhaou Thibaou*, que Tzara avait bien inventé le mot dada.
Plus directement, le tract de F.P. est une réponse à Tzara, qui l'avait appelé « pickpoket littéraire » ; il avait aussi écrit : « Funny Guy a inventé le dadaïsme en 1889, le cubisme en 1870, le futurisme en 1867, et l'impressionnisme en 1857. En 1867, il a rencontré Nietzsche, en 1902 il remarqua qu'il n'était que le pseudonyme de Confucius. En 1910 on lui érigea un monument place de la Concorde tchécoslovaque, car il croyait fermement dans l'existence des génies et dans les bienfaits du bonheur. » Funny Guy, sobriquet donné à F.P. par ses amis new-yorkais, et qu'il a repris comme pseudonyme dans *Pilhaou-Thibaou* (p. 22).

31. Victor-Lucien Guirand de Scévola, né en 1871, brillant portraitiste mondain.

32. Rue d'Astorg se trouvait la galerie Kahnweiler ; la galerie Rosenberg était rue de la Baume.

33. Le Salon des Indépendants (28 janvier - 28 février 1922) fournit à F.P. l'occasion d'une nouvelle diatribe contre cette institution ; en effet, malgré les statuts particuliers du salon (il n'avait pas, en principe, de jury), F.P. s'y vit refuser deux œuvres : *La Veuve joyeuse*, qui comportait la photographie de F.P. au volant d'une automobile, et *Chapeau de paille*, sur laquelle on pouvait lire « M... à celui qui le regarde » ; seule *Danse de Saint-Guy* (intitulée en 1949 *Tabac rat*) fut acceptée. Au verso de ce tract, F.P. avait fait imprimer le fac-similé de la lettre de refus de la Société des Artistes indépendants, dont voici le texte : « Paris, le 13 janvier 1922. / *Monsieur*, / *J'ai l'honneur de vous informer que l'œuvre que vous présentez à l'Exposition de la Société des Artistes indépendants sous le titre de « Chapeau de paille » ainsi que celle contenant une photographie n'entrant pas dans les catégories des œuvres admises à l'Exposition, le Comité a dû prendre la décision de ne pas autoriser l'accrochage de ces deux œuvres. / Veuillez agréer, je vous prie, Monsieur, l'expression de nos sentiments distingués.* » Cette lettre est signée de C. Igonnet de Villers, Secrétaire général, et P. Signac, Président.

34. Voir note précédente. Plusieurs journalistes parlèrent de la « mauvaise foi » de F.P.

35. André Breton, qui s'entendait de plus en plus mal avec Tristan Tzara, avait eu l'idée de réunir un « Congrès pour la détermination des directives et la défense de l'Esprit moderne », qui se proposait de grouper toutes les tendances contemporaines dans le domaine des arts et de la littérature. L'annonce de ce congrès avait paru dans *l'Ere nouvelle* le 1er janvier. Le comité organisateur comprenait André Breton, Jean Paulhan, Roger Vitrac, Georges Auric, Robert Delaunay, Fernand Léger et Amédée Ozenfant.

36. William Didier-Pouget (1864-1959), célèbre paysagiste qui s'était fait une spécialité de la peinture de bruyères baignées de brume.

37. Pierre de Massot, voir note 16.

38. William Hart, célèbre acteur de westerns.

39. Cette interview fait suite à l'affaire du Salon des Indépendants (voir p. 48, lettre du 19 janvier 1922). Plusieurs journaux publièrent la protestation de F.P. en des termes voisins (*Le Figaro, Lyon républicain*, etc.).

40. Suite de la polémique entre F.P. et la Société des Indépendants après un tract, une lettre de protestation et de multiples interviews (voir pages précédentes). F.P. répond ici à l'article de Raymond Cogniat (*Comœdia*, 21 janvier 1922, p. 2). « Pourquoi M. Signac a refusé deux toiles à M. Picabia. »

41. La publication de *La Pomme de Pins* est étroitement liée aux péripéties du Congrès pour la détermination des directives et la défense de l'esprit moderne (voir note 35). Les organisateurs du congrès avaient pris toutes les précautions afin d'éviter le chahut ou le scandale ; Tristan Tzara se désista alors, désintéressé par l'orientation que prenait le projet. André Breton le prit très mal, et accusa publiquement Tzara, qui lui répondit. Deux clans se formèrent. F.P., alors dans le Midi, se rallia à la cause de Breton, et le 17 février annonça que, pour soutenir le congrès, il publierait *La Pomme de Pins :* ce jour-là, Breton devait, à la Closerie des Lilas, reprendre les accusations qu'il avait portées contre Tzara. C'est vers le mois de mars que la revue circula à Paris tandis que le projet du congrès commençait à s'effriter. Finalement, après plusieurs désistements, une lettre d'Ozenfant à Breton du 5 avril 1922 marquera l'abandon du congrès projeté.

42. F.P. semble avoir choisi ce pseudonyme à dessein pour faire croire que la *Préface* était écrite par Georges Herbiet, qui signait Christian. Georges Herbiet était le propriétaire de la librairie Le Bel Exemplaire. L'ouvrage de Pierre de Massot (voir note 16) parut vers la fin de janvier. F.P. finança en grande partie l'édition sans en rien dire à l'auteur. Quant à la préface, toutes les bandes d'annonce indiquent que F.P. en est l'auteur (par exemple, le 9 février 1922 dans *Comœdia*).

43. Quarante artistes et critiques envoyèrent leur réponse, celle de F.P. est ainsi présentée : « A tout seigneur tout honneur, commençons par Picabia, plus profond qu'il n'en a l'air. »

44. Ce numéro de *The Little Review* — dont F.P. est l'un des codirecteurs (voir note 19) — lui est consacré ; il s'intitule « Picabia number » et contient seize reproductions de ses toiles de style mécanomorphe et des textes de Tristan Tzara, Georges Ribemont-Dessaignes, Christian, Jean Crotti, Jean Cocteau et Guillaume Apollinaire.

45. Fameuse vente qui avait déjà provoqué les sarcasmes de F.P. en 1921 ; allusion probable à la vente la plus récente des 17 et 18 novembre 1921 à l'hôtel Drouot.

46. Ruolz : métal argenté ou doré du nom de son inventeur Ruolz-Montchal (1808-1887).

47. Christian : voir note 42.

48. Il s'agit de Jean Cocteau ; cette épithète qu'il s'était lui-même donnée devint la risée de tous les dadaïstes.

49. Ce café célèbre fut le siège de plusieurs querelles artistiques ; les dadaïstes et leurs opposants s'y affrontèrent. La dernière réunion importante qui s'était tenue là avait vu Breton désavoué par nombre de ses amis lors de l'affaire du Congrès de Paris (voir notes 35 et 41).

50. Célèbres firmes commerciales.

51. A. Einstein était arrivé à Paris le 28 mars 1922, invité à donner des conférences au Collège de France. L'article de Charles Nordmann avait paru dans *Le Matin* du 29 mars 1922, p. 1, article anecdotique ; mais son auteur donnait des articles d'astronomie réservés aux spécialistes dans la *Revue des deux mondes*.

52. « La mise en accusation et le jugement de Maurice Barrès », organisés par les dadaïstes sous l'impulsion d'André Breton, avaient été désapprouvés par F.P. ; ce fut l'une des raisons de sa rupture avec Dada.

53. Allusion à Tristan Tzara qui avait de la prédilection pour la phrase : « je me trouve très sympathique » (*Manifeste sur l'amour faible et l'amour amer*). Il venait de publier une petite revue *Le Cœur à barbe* (avril 1922) qui était une sorte de réponse à la *Pomme de Pins* et qui malmenait F.P.

54. Cet article fut republié dans *La Meuse* du 5 décembre 1926.

55. Amédée Ozenfant : dirigeait la revue *L'Esprit nouveau* avec Jeanneret et Dermée, l'un des fondateurs du purisme ; avait fait paraître en 1915 la revue *L'élan* au patriotisme agressif et aux préoccupations modernistes.

56. Enquête, menée par Gilbert Charles ; les réponses parurent les 9, 16, 23, 30 avril, 7 et 11 mai 1922. En même temps que la réponse de F.P. on trouvait celles d'André Breton, Jacques Baron, Roger Vitrac et Louis Mandin. F.P. était ainsi présenté : « M. Picabia a déjà sa légende. C'est l'homme de *L'Oeil cacodylate* et des tableaux si l'on ose dire en ficelle, il a pour la nouveauté un goût dont on peut sourire à bon droit et toutes ses plaisanteries ne sont pas drôles. Il faut louer cependant des articles qu'il publie de temps à autre dans *Comœdia* et où il fait preuve non seulement de bon sens, mais encore d'une gymnastique intellectuelle de bon aloi. Mais attendons plutôt qu'il s'essaie à battre des records. »

57. *L'Ere nouvelle*, organe de l'entente des gauches ; paraissait sous la direction d'Albert Dubarry ; à partir de cet article, ouvre souvent ses colonnes à F.P.

58. Jacques Doucet (1853-1929). Le célèbre couturier était grand amateur d'art. André Breton était chargé de le conseiller dans ses achats. Il acquit plusieurs toiles de F.P. et devint son ami fidèle.

59. Les frères Bernheim (Josse : 1870-1941, et Gaston : 1870-1953) dirigeaient la galerie de la rue Richepanse ; vendaient des impressionnistes, des néo-impressionnistes et des artistes comme Cézanne, Matisse, Dufy, Utrillo, etc.

60. Jean Epstein (1897-1953), essayiste, critique et, à partir de 1922, auteur de films ; écrivait dans *L'Esprit nouveau* et dans *Les Feuilles libres*.

61. Paul Souday (1869-1929), critique littéraire célèbre ; signait depuis 1912 la chronique littéraire du *Temps*.

62. La première des *Mariés de la tour Eiffel* avait eu lieu le 18 juin 1921, l'argument était de Jean Cocteau, la musique des Six (*sic*), les décors de Delaunay ; spectacle interprété par les Ballets suédois. Dans le *Pilhaou-Thibaou* (10 juillet 1921, Paris, n° 15 de *391*), F.P. avait déjà commenté l'œuvre de Cocteau en des termes peu élogieux, mais qui laissaient place à une certaine ambiguïté.

63. Ferdinand Roybet (1840-1920), spécialiste de scènes de genre et de scènes historiques ; style fortement marqué par la peinture hollandaise.

64. Gustave Loiseau (1865-1935) avait travaillé auprès de Gauguin à Pont-Aven ; il peignait surtout des paysages, bords de Seine et marines. Emile Louis Maufra (1861-1918) avait connu Gauguin à Pont-Aven ; il fréquenta les nabis et exécuta de nombreuses marines et des vues des quartiers pittoresques de Paris. Henry Moret (1856-1913) subit comme les précédents l'influence de l'impressionnisme et gravita autour de Gauguin à Pont-Aven ; il peignit surtout des paysages de mer. Georges d'Espagnat (1870-1950), peintre et graveur, auteur d'œuvres décoratives au Palais du Luxembourg ; membre fondateur du Salon d'Automne.

65. Ce journal ne verra pas le jour, mais F.P. écrira en 1923 dans *La Vie moderne* puis dans *Paris-Journal* (acheté par Hébertot), dont Aragon sera quelque temps rédacteur en chef. On pourra lire dans ces deux journaux des déclarations d'intentions fort proches des souhaits exprimés ici par F.P.

66. Dans sa chronique « Mon film » (*Journal*, 20 août 1922), Clément Vautel avait vivement attaqué la désinvolture avec laquelle F.P. avait quitté le mouvement dada. F.P. use ici de son droit de réponse.

67. Georges Bertin, dit Scott de Plagnolles (1873), peintre aux armées.

68. Henry Caro-Delvaille (1876-1922) ; élève de Bonnat ; il avait acquis la notoriété en peignant des fleurs, des portraits, des nus féminins, des scènes de la vie mondaine et s'était ensuite consacré à la peinture religieuse.

69. Le prétexte de l'article est la guérison de Lénine et sa prochaine réapparition sur la scène politique. *L'Eclair* terminait ainsi la présentation de l'article : « On ne lira pas sans intérêt les originales réflexions que la sanglante fortune du tsar rouge ont suggérées au peintre cubiste *(sic)* Francis Picabia, dont certains pensent peut-être qu'il est pour la peinture ce que Lénine fut pour la société russe. »

70. Cette note sur *Littérature* fait état de changements intervenus dans la direction de la revue. A partir de ce numéro, Breton en est le seul directeur alors qu'auparavant Soupault partageait avec lui cette charge. Depuis le 13 mars 1922, *Littérature* avait inauguré une nouvelle série qui devait durer jusqu'en 1924. Mais les dissensions au sein du groupe avaient abouti à l'irrégularité dans la parution. F.P. revient en force aux dépens de Philippe Soupault. Les couvertures, à partir de ce numéro, sont de la main de F.P. La revue avait fait passer peu de temps auparavant dans la presse une annonce où il était dit notamment : « La revue *Littérature*, qui dédaigne les causes gagnées, abandonne définitivement Dada et entend passer à un autre ordre de révélations... Une tribune entièrement libre est réservée dans *Littérature* à tous ceux qui jugent dérisoires les diverses expressions assignées jusqu'à ce jour à la conscience moderne, se déclarent ennemis de toute vulgarisation, mais ne se refusent pas à concerter une action véritable dont les effets ne se fassent pas sentir seulement en littérature et en art. »

71. Voir note 55.

72. Voir note 60.

73. Le groupe de l'Abbaye de Créteil, fondé en 1906, était composé de René Arcos, Georges Duhamel, Albert Gleizes, Jules Romains, Charles Vidrac, Alexandre Mercereau, Jacques d'Otemar, Henri Martin-Barzun ; le groupe se définissait comme un « groupe fraternel d'artistes ».

74. Maurice Raynal, écrivain et critique d'art ; avait collaboré à quelques-uns des numéros de la 1re série de *Littérature*. F.P. lui reproche l'intérêt qu'il manifeste aux peintres cubistes et les critiques qu'il donne aux revues spécialisées, notamment à *L'Esprit nouveau*.

75. Jean Crotti, mari de Suzanne Duchamp ; un très bon ami de F.P. ; avait lancé à l'occasion du Salon des Indépendants de 1921 le mouvement Tabu en partie inspiré par F.P. L'annonce de son « mariage » avec Paul Guillaume peut être une allusion à la préparation de l'exposition que Crotti fit en 1923 à la galerie de Guillaume.

76. Pierre de Massot, voir note 16. F.P. s'était brouillé provisoirement avec lui au sujet d'une affaire d'ordre familial.

77. Ses décors des *Mariés de la tour Eiffel* avaient été dénigrés par les dadaïstes et F.P. ne les avaient pas épargnés dans le *Pilhaou-Thibaou* (juillet 1921, n°15 de *391*, p.14.)

78. Erik Satie avait pris parti, lors du « Congrès de Paris », pour le groupe de Tzara ; il avait collaboré au *Cœur à barbe, journal transparent*, en avril 1922. Avait écrit dans *Les Feuilles libres* un article où il soutenait Cocteau et les Six, bien qu'en général il fît preuve d'une certaine condescendance à l'égard de Cocteau.

79. C'est F.P. lui-même qui épargnait Jacques-Emile Blanche (voir Tome I, p. 220, *Cannibale* du 25 avril 1920).

80. Rosenberg était alors le protecteur et le défenseur du cubisme. Il était l'auteur de *Cubisme et Tradition* (Paris, 1920) et de *Cubisme et Empirisme* (Paris, 1921).

81. Fernand Divoire, poète et journaliste ; était l'auteur avec Henri Barzun de poèmes simultanés ; collaborait à de nombreuses revues, notamment à *L'Esprit nouveau* et aux *Feuilles libres* ; allait devenir rédacteur en chef de *L'Intransigeant*.

82. Mme Renée Dunan, critique au *Populaire* en 1920, au *Journal du Peuple* en 1921, avait gravité dans les milieux dadaïstes ; en 1922, publiait *La Triple Caresse* puis *La Culotte en jersey de soie*, ouvrage auquel on avait reproché son érotisme. S'intéressait à Freud et à l'occultisme ; mais F.P. la range du côté des femmes de lettres post-symbolistes telles Anna de Noailles ou Gérard d'Houville (pseudonyme de Marie-Louise Antoinette de Heredia, fille de José Maria, et épouse de Henri de Régnier).

83. Ce jeune écrivain était parmi les signataires de la motion contre André Breton lors des péripéties de l'affaire du « Congrès de Paris », motion signée à la Closerie des Lilas le 17 février 1922.

84. André Lhote écrivait aussi des articles, notamment dans *Les Feuilles libres* ; F.P. pense à la série de dessins d'André Lhote publiés dans le n° 27, juin-juillet 1922.

85. Sur Georges Desvallières (1861-1950), voir p. 53, « Sur les bords de la scène. » L'inspiration religieuse de ce peintre et surtout son attitude patriotique et revancharde avaient tout pour déplaire à F.P.

86. Déjà, dans le *Pilhaou-Thibaou* (10 juillet 1921), F.P. avait fait remarquer le rôle de Cendrars dans la formation du « groupe des Six ». Depuis que F.P. habitait au Tremblay-sur-Mauldre (mai 1922), les deux hommes s'étaient beaucoup fréquentés. F.P., une fois de plus, fait allusion à l'épithète de « parisien » que Cocteau s'était lui-même donnée.

87. Voir note 60.

88. Dans le même numéro de *The Little Review* paraissait p. 61-62 sous le titre *« Good Painting »* la traduction anglaise de « La Bonne Peinture » (voir p. 77).

89. Riciotto Canudo, poète et essayiste d'origine italienne, avait été un ardent patriote français ; nombre de ses poèmes s'inspiraient de la guerre. S'intéressait à la peinture et au cinéma ; avait créé la revue *Montjoie* et dirigé *Les Ecrits pour l'art, L'Europe artiste* et *La Plume*.

90. Interview faite au Tremblay où Picabia avait installé depuis quelques mois la « Maison rose » ; il y vivait avec Germaine Everling. Blaise Cendrars habitait non loin de là.

91. Paul Morand avait écrit en 1919 et 1920 dans *Littérature* ; on le trouvait ensuite au sommaire dans *Le Coq* (dirigé par Jean Cocteau), *Aventure* (dirigée par Roger Vitrac), *Les Ecrits nouveaux*, les *Feuilles libres*, etc.

92. Léon Bérard était alors ministre de l'Instruction publique, et le journal *Comœdia* faisait grand cas de ses propos et de ses promesses, notamment au sujet d'une mesquine querelle entre Emile Fabre, directeur de la Comédie-Française, et deux sociétaires : Albert Lambert et Cécile Sorel.

93. Ce grand ami de Picabia était mort le 21 mai 1922 ; il avait laissé F.P. s'exprimer librement dans les colonnes de son journal. Le nouveau directeur, Gabriel Alphaud, n'était pas prêt à tant d'ouverture d'esprit.

94. Les rapports entre Philippe Soupault et F.P. étaient peu amènes depuis plusieurs mois.

95. Léon Bakst (1866-1924), auteur des décors et des costumes de plusieurs des créations des Ballets russes.

96. Le célèbre critique Louis Vauxelles avait été un défenseur acharné de l'impression-nisme ; il considérait rarement le cubisme avec bienveillance. F.P. cite pêle-mêle des artistes modernes qui ont déjà été l'objet de ses attaques et dont les noms reviendront plusieurs fois dans ses diatribes.

97. René Blum (1878-1942, frère de Léon Blum), critique d'art et écrivain ; fut l'un des promoteurs de l'Exposition des arts décoratifs de 1925. Fernand Divoire, voir note 81. Waldemar George, critique d'art, collaborait à *l'Esprit nouveau*, à *La Vie des lettres*, etc. André Levinson, critique éclectique, surtout spécialiste de la danse ; célèbre comme défenseur du style classique chorégraphique ; considérait souvent les recherches d'avant-garde avec un mépris caustique ; n'épargnait pas les Ballets russes. Robert André, dit Rob Mallet-Stevens (1886-1945), célèbre architecte. Roland-Alexis Manuel Lévy, dit Roland-Manuel (1891-1966), célèbre musicien. Léon Moussinac, critique, écrivain ; avait publié en 1922 *La Décoration cinématographique ;* venait d'écrire un recueil de poèmes, *Dernière Heure ;* s'intéressait surtout au cinéma. Raymond Cogniat, journaliste et critique d'art ; faisait alors dans *Comœdia* et dans *Le Figaro* des interviews concernant la vie artistique.

98. Enquête menée par la revue belge *Le Disque vert* sous le titre général « Le Symbolisme a-t-il dit son dernier mot ? » Les questions posées étaient : 1/. Considérez-vous que le symbolisme ait entièrement rempli sa mission, épuisé le contenu de la formule esthétique qu'il proposait ? 2/. Les manifestations actuelles de l'esprit symboliste vous apparais-sent-elles comme de suprêmes sursauts ou comme de nouveaux aspects d'une esthétique toujours vivante ? 3/. Si le symbolisme « n'a pas réussi », s'il a tourné court, apercevez-vous d'autres raisons de ce demi-échec que celles qu'indique M. Jules Romains dans son article « Commencements de réponse à une question », *Les Ecrits du Nord*, 1er janvier 1923 ? 4./ Estimez-vous que le symbolisme n'a pas encore tout dit, de quel ordre pensez-vous que soient les révélations qu'il lui reste à faire ? Quels sont les éléments du premier symbolisme qui peuvent encore germer ?
De très nombreuses réponses parvinrent à la revue ; citons : Marcel Arland, Fernand Divoire, Henri Pourrat, Gabriel Audisio, Philippe Soupault, Jules Supervielle, Pierre Jean Jouve, *Littérature* (Louis Aragon, Jacques Baron, René Crevel, Robert Desnos, Max Ernst, Paul Eluard, Max Morise, Roger Vitrac...), Jacques Rivière, etc.

99. Alfred-Philippe Roll (1846-1919), auteur de portraits d'hommes politiques, de scènes naturalistes montrant des ouvriers en grève, de fresques à thèmes historiques (Hôtel de Ville de Paris) ; il avait été à partir de 1905 président de la Société nationale des beaux-arts. Henri Jean Guillaume Martin (1860-1943) avait emprunté quelques-uns des aspects du style divisionniste et exécuté plusieurs commandes officielles, notamment la décoration du Capitole de Toulouse. Henri Lebasque (1867-1937), à la fois influencé par les nabis et les fauves produisait des œuvres d'un timide modernisme.

100. Le Salon des Indépendants se tint du 10 février au 11 mars 1923 ; F.P. y exposait *Optophone*, *Volucelle* et *Volumètre*.

101. Jean de Pierrefeu, historien de la Première Guerre mondiale, critique littéraire au *Journal des débats*.

102. Mme Bessarabo, femme de lettres, était inculpée de l'assassinat de son mari en 1920. Son procès avait défrayé la chronique en 1922.

103. Georges Goursat, dit Sem (1863-1934), l'un des caricaturistes les plus célèbres de la vie parisienne depuis 1900. Cet article était illustré d'une caricature de Sem par Georges de Zayas.

104. André Warnod (1855-1960) écrivain et critique d'art, était aussi dessinateur humoristique ; collaborait régulièrement à *Comœdia*.

105. Le Dr Barnes, collectionneur et critique d'art américain, créateur de la Barnes Foundation, à Merion ; les peintres les mieux représentés étaient Renoir, Cézanne, Matisse, Picasso ; on trouvait aussi des œuvres de Manet, Van Gogh, Daumier, Derain, Utrillo, Pascin, Zadkine, Lipschitz, etc.

106. Adresse du marchand et critique Paul Guillaume, qui avait participé à la constitution de la collection.

107. L'acteur italien était célèbre pour ses innombrables transformations.

108. Allusion au célèbre tableau de Duchamp *Nu descendant un escalier* qui avait fait un scandale retentissant à l'Armory Show de New York en 1913.

109. F.P. exposa en effet chez Danthon du 14 mai au 18 juin 1923 des portraits de femmes dites « Espagnoles », au graphisme élégant et conventionnel. Dès 1902, il avait exécuté des œuvres de ce genre, et en décembre 1920, à l'exposition chez Povolozky, on annonçait : « Etudes espagnoles et toiles modernes. » Voir aussi l'interview de F.P. par R. Vitrac, *Le Journal du peuple*, 9 juin 1923, P. 123.

110. La revue *Temps mêlés* indique : « Ce manifeste, provenant de la collection Germaine Everling-Picabia, fut écrit en mai 1923 lors d'une exposition chez Danthon. Il nous a été obligeamment prêté par M. Poupard-Lieussou. »

111. Ce numéro de *Littérature* sera l'avant-dernier de la revue ; il est conçu comme une anthologie poétique ; on y trouve les signatures de Robert Desnos, Benjamin Peret, Max Ernst, Roger Vitrac, Georges Limbour, Max Morise, Germain Nouveau, Paul Eluard, André Breton, Joseph Delteil, Philippe Soupault, Louis Aragon.

112. *Erutarettil* : palindrome de *Littérature*.

113. L'amitié de F.P. et d'Ezra Pound datait de 1921. F.P. lui avait rendu hommage quelques mois auparavant, voir *L'Ere nouvelle*, 14 juin 1923. Il écrit cet article à l'occasion d'un concert donné à la salle du Conservatoire le 11 décembre 1923 avec Olga Rudge au violon et Georges Antheil au piano. Au programme : la 1re et la 2e Sonates de Georges Antheil pour piano et violon, une œuvre ancienne déchiffrée par Ezra Pound, etc.

114. Cette revue fondée par Paul Dermée n'eut que deux numéros ; au sommaire, Paul Dermée, Georges Ribemont-Dessaignes, Georges de Lacaze, Duthiers, Waldemar Georges, Paul Morand, Céline Arnauld et Jean Bouchary, ce qui témoigne d'un certain éclectisme. Bien que le journal que dirigeait Dermée avec Ozenfant et Jeanneret, *L'Esprit nouveau*, ait été violemment critiqué par F.P. au cours de l'année, Dermée ne semble pas lui en tenir rigueur puisqu'il lui offre avec insistance de collaborer à *Intervention*.

115. Duchamp était à Paris depuis février 1923, il avait alors pris la décision de ne plus peindre. F.P. est conscient du rôle que Duchamp et lui ont joué dans l'évolution de la peinture moderne.

116. Alexandre Cabanel (1823-1889), peintre d'histoire, professeur aux Beaux-Arts ; représente le type même du peintre académique.

117. F.P. avait déjà donné un aperçu de son opinion sur la prolifération des prix littéraires. (voir *L'Ere nouvelle*, 14 juin 1923). Dans la presse, les polémiques à ce sujet allaient bon train ; il était question de tractations entre éditeurs, candidats et membres des différents jurys. F.P., qui a toujours manifesté son mépris pour les littérateurs, profite de nouveau de l'occasion pour les fustiger.

118. Le rédacteur en chef de la *N.R.F.* avait écrit un long article sur Dada intitulé « Reconnaissance à Dada ». *N.R.F.*, 1er août 1920, qui avait fait date. Il traitait à nouveau de Dada dans le numéro de la *N.R.F.* de février 1924. F.P. y voyait l'indice de la collusion entre la *N.R.F.* et les anciens dadaïstes, d'autant plus que la maison d'édition annonçait plusieurs ouvrages écrits par d'anciens dadaïstes, surtout des membres du groupe *Littérature*.

119. F.P. pense sans doute aux romans d'Aragon, qui, en 1923, avait fait paraître *Les Plaisirs de la capitale* à Berlin ; *Le Libertinage* était annoncé par la N.R.F. Aragon, pour ne pas être considéré comme un poulain de la N.R.F., éprouva le besoin de se justifier et fit paraître dans *Paris-Journal*, en avril 1924, une « Lettre ouverte à Jacques Rivière ».

120. Il s'agit de Tzara, d'origine roumaine, à qui l'on avait souvent reproché ses fautes de français.

121. Poiret était une ancienne connaissance de F.P. Le 25 avril 1924, *Paris-Journal* allait publier une lettre de Poiret : « Dans un article de critique qu'il a osé écrire sur André Derain, Francis Picabia me prête des propos ridicules que je n'ai jamais tenus. Je tiens à protester pour la forme, bien que cela n'ait au fond aucune importance. »

122. En fait, le surréalisme se préparait, et F.P. réagit en faisant passer un communiqué dans la presse annonçant que la revue *391* allait reparaître. La plupart des futurs surréalistes étaient exclus des collaborateurs, mais il était précisé ironiquement : « MM. André Derain, Aragon, Breton, Vitrac, Morise, Marcel Noll sont invités cordialement par le maître de la maison... La revue sera consacrée au surréalisme ». F.P. semble donc ne pas avoir envie de se laisser embrigader dans un mouvement placé sous l'égide d'André Breton. Breton, avec tout le groupe de *Littérature*, se sentit blessé par le geste de F.P.

123. Erik Satie avait alors des projets en commun avec F.P. : le ballet *Relâche* et le film *Entr'acte*. Le 2 mai 1924, *Paris-Journal* avait annoncé qu'il se préparait quelque chose entre les deux hommes et Rolf de Maré, le directeur des Ballets suédois.

124. *391* reparaît après une interruption de près de trois ans (le n°XV fut le *Pilhaou Thibaou* du 10 juillet 1921). La reprise de *391* constitue la riposte de F.P. à la naissance du mouvement surréaliste. Jusqu'à son n°XIX et dernier, la revue s'acharnera contre Breton et ses amis. Cf. Sanouillet, *op. cit.*, p. 153-157.

125. Balthy, actrice connue dans le monde parisien pour sa méchanceté et sa verve.

126. Le « Groupe d'études philosophiques et scientifiques pour l'examen des idées nouvelles » annonçait dans *Comœdia* du 22 mai 1924 une série de conférences sur l'art et la littérature modernes ; on trouvait au programme une conférence de Leger, mais elle avait pour thème « Le Spectacle » ; en revanche, Ozenfant devait parler de « L'Art dans la société mécanisée ».

127. Au-dessus de cette *Réponse*, F.P. publie une lettre personnelle d'A. Breton sous le titre « Une lettre de mon grand-père ». Cette publication consacre en fait la rupture entre F.P. et André Breton.

128. La lettre en question est de Pierre de Massot qui rapportait comment, le jour de la générale du ballet *Mercure*, musique d'Erik Satie, décors de Picasso, le 14 juin 1924 au Théâtre de la Cigale, Aragon avait vilipendé Satie, soutenu par Auric, Breton, etc. Cette manifestation, provoquée par des séries de ragots véhiculés aussi par des gens tels que Cocteau et Poulenc, permettait en effet de renouer avec la tradition de scandale instaurée par le dadaïsme, et témoignait de la vitalité du nouveau mouvement.

129. Voir note 35. F.P. oublie qu'il avait à l'époque (début 1922) soutenu l'idée de ce « Congrès ».

130. Le film en question est *Le Ballet mécanique* ; F.P. avait publié un dessin au fusain portant ce titre dans *391*, n°7, New York, août 1917, p. 1.

131. A. Dubarry, directeur de *L'Ère nouvelle*.

132. Le numéro entier de *L'Esprit nouveau* est consacré à Guillaume Apollinaire ; les collaborateurs sont : Pierre Albert Birot, Céline Arnaud, Paul Dermée, Fernand Divoire, Yvan Goll, Louis Marcoussis, Pablo Picasso, Roch Grey, André Salmon, Alberto Savinio, Tristan Tzara, Giuseppe Ungaretti, etc.

133. Dans *Les nouvelles littéraires* du 11 octobre 1924 (p.1), Maurice Martin du Gard présentait le surréalisme, dans un long article favorable à André Breton.

134. Coupeaux pour Soupault, lapsus volontaire de F.P.

135. Le membre de phrase (voir note ci-dessus) imputait l'invention des contrepèteries surréalistes à Marcel Duchamp et à Roger Vitrac, alors que Robert Desnos en revendiquait la paternité.

136. La lettre d'envoi, sur papier de chez Maxim's, est adressée à René Clair. Le film *Entr'acte* devait être projeté entre les deux actes de *Relâche*. Il fut interprété par Jean Borlin, Inge Fries, Man Ray, Duchamp, Satie, Auric, Achard, Rolf de Maré, Touchagues, Charensol, etc., et F.P.

137. Le titre du ballet était initialement *Après-dîner* : il est barré sur le scénario et remplacé à la main par *Relâche* de Picabia, Erik Satie et Jean Borlin. Le titre *Après-dîner* était de Blaise Cendrars ; c'est en effet à Cendrars que Rolf de Maré, directeur des Ballets suédois, avait confié le projet de ce ballet après le succès remporté par *La Création du monde*. Mais Cendrars était parti pour le Brésil ; Satie, qui devait écrire la musique, proposa F.P. ; celui-ci modifia profondément le projet. Cendrars en voulut longtemps à son ancien ami Picabia. Ce texte n'était qu'un point de départ ; au cours des répétitions, l'argument subit de nouvelles modifications, notamment le projet cinématographique qui prit plus d'extension.

138. *Le Mouvement accéléré* est le nouveau titre de la revue *Intervention* fondée et dirigée par Paul Dermée.

139. Paul Dermée s'oppose, à l'époque, à André Breton, et tente de s'approprier le terme de surréalisme, et insiste auprès de F.P. pour qu'il collabore au *Mouvement accéléré*.

140. Maurice Rostand, qui possédait une maison à Cambo, au pays basque.

141. Joseph Delteil avait collaboré au pamphlet *Un cadavre* à l'occasion de la mort d'Anatole France.

142. Lapsus volontaire de F.P. : il s'agit de *La Révolution surréaliste*. F.P. n'a pas cessé de considérer le surréalisme comme une résurgence de Dada.

143. Voir le manifeste instantanéiste, ci-dessus, p. 151, octobre 1924.

144. Georges Pioch, journaliste à *L'Ere nouvelle*, militant communiste actif, fervent admirateur d'Anatole France ; avait trouvé le pamphlet *Un cadavre* finalement moins dommageable à la mémoire d'Anatole France que les honneurs officiels.

145. Sur Fernand Divoire, voir note 81.

146. Maurice Martin du Gard, frère de Roger ; rédacteur en chef des *Nouvelles littéraires*. F.P. pense à l'article de Maurice Martin du Gard sur le surréalisme, du 11 octobre 1924 (voir note 133).

147. *Entr'acte* ; voir p. 181.

148. Danseur étoile et chorégraphe des Ballets suédois.

149. Danseuse étoile des Ballets suédois.

150. Créateur et directeur de la troupe des Ballets suédois, dont la première représentation avait eu lieu à Paris le 24 mars 1920.

151. Cette série d'articles formait un numéro spécial de la revue : *La Danse*, entièrement consacré aux Ballets suédois ; outre les textes de F.P., on trouvait des articles de plusieurs artistes ayant collaboré aux Ballets suédois, notamment un texte de Blaise Cendrars sur le danseur Jean Borlin, un texte d'Erik Satie sur sa propre musique et un texte de René Clair. Ce numéro de *La Danse* fut vendu comme programme (Bibl. J. Doucet, Dossier F.P. A 1 X, p. 293 sqq.). Ce programme de *Relâche* était illustré de nombreux dessins et portraits signés F.P. ; la mise en pages témoignait d'un évident souci d'originalité.

152. *Montparnasse*, revue à faible tirage dirigée par Paul Husson, Géo Charles et Marcel Say.

153. La première de *Relâche*, prévue pour le 27 novembre, ne put en effet avoir lieu que le 4 décembre en raison de l'état de santé de Jean Borlin.

154. F.P., peu de temps après les représentations de *Relâche* et d'*Entr'acte*, écrivit à l'occasion du 31 décembre 1924 une revue intitulée *Cinésketch*, donnée au Théâtre des Champs-Elysées ; le texte en est perdu ; cette interview accordée par F.P. à Paul Achard constitue un témoignage si ce n'est pas la revue, du moins des intentions de son auteur. René Clair était chargé de la mise en scène, et la plupart des rôles étaient tenus par des amis ou connaissances de F.P. Au même programme, on donna de nouveau *Relâche* et *Entr'acte*.

155. Les questions posées par *L'Art vivant* étaient les suivantes : que pensez-vous de la création d'un musée français d'Art moderne ? Quels sont les dix artistes actuellement vivants qui doivent y entrer les premiers ?
Au début de 1925, F.P. s'était retiré sur la Côte d'Azur, en compagnie de Germaine Everling. Il s'était installé à Mougins dans une maison construite d'après ses plans, le « Château de Mai ». Il peint alors des tableaux de la série dite des « Monstres » et continue d'exécuter des assemblages dans l'esprit dadaïste. Mais ses écrits se font beaucoup plus rares.

156. Félix Ziem (1821-1911), paysagiste célèbre pour ses vues de port (Venise, Constantinople) d'une technique brillante et monotone.

157. Jean Jacques-Charles de son vrai nom ; illustrateur de revues à partir de 1900. Spécialiste de portraits d'actrices.

158. Jean-Jacques Henner (1829-1905), spécialiste de nus féminins aux chaires pâles et satinées ; eut une carrière comblée d'honneurs et de charges officielles. Ses œuvres furent très cotées au début du siècle.

159. Ce numéro du *Journal des hivernants* était consacré à F.P. à l'occasion de son exposition au Cercle nautique (28 janvier-7 février 1927).

160. Le Star est une salle de spectacle de Cannes où fut présenté *Entr'acte*.

161. Cet article, écrit le 1er février 1927, portait initialement le titre *Rats et Papillons* qui fut d'abord remplacé par *Une crise artistique*, et était initialement destiné à la *Gazette*.

162. Christian, pseudonyme de Georges Herbiet (voir note 42).

163. Ce numéro de la revue *This Quarter*, publiée par Ethel Moorhead, était consacré à F.P. L'interview, signée Christian (voir note précédente), avait paru avec d'infimes variantes dans *La Volonté* du 4 mars 1926. Herbiet était venu voir F.P. à Mougins.

164. A la vente publique de l'hôtel Drouot du 8 mars 1926, Marcel Duchamp avait revendu les peintures et dessins de F.P. qu'il lui avait achetés peu auparavant.

165. Au sommaire de cette revue, dirigée par Jacques-Henry Levesque, on trouvait les noms de Georges Ribemont-Dessaignes, Jean Van Heekeren, Philippe Soupault, Joseph Delteil, Georges Hugnet, Pierre Reverdy, etc.

166. Au sommaire du même numéro : Giorgio de Chirico, René Daumal, Jean Giono, Michel Leiris, Pierre Mac Orlan, Robert Desnos, etc.

167. *L'Intransigeant*, sous le titre « Enquête 1830-1930 », posait les questions suivantes : 1). Depuis plus d'un siècle, la peinture s'est développée avec des fluctuations diverses qui l'amenèrent à la surprenante activité de ces trente dernières années. Voyez-vous là le bénéfice de certaine constance révolutionnaire fatalement féconde ? 2). Ne pensez-vous pas que les mouvements esthétiques qui ont marqué le XIXe siècle avec l'éclosion du classicisme de David et d'Ingres, la réaction romantique de Géricault, Delacroix, puis celle de Corot et de l'école 1830, retrouvent des analogies au XXe siècle depuis Cézanne, Seurat, Renoir, avec le fauvisme, le cubisme, les artistes de l'après-guerre et nos jeunes ? A votre avis quelles sont les plus évidentes de ces analogies ?
En même temps que la réponse de F.P., on trouvait celles de Othon Friesz, Jean Metzinger, Marcel Gromaire, André Le Ridder et Marcoussis.

168. Malgré les injures lancées par F.P. aux frères Rosenberg (Paul et Léonce) et à la galerie de la rue de la Beaume, Léonce Rosenberg devint à partir de 1930 l'un des principaux marchands de F.P. Le catalogue de cette exposition reproduisait une lettre de Léonce Rosenberg à F.P., et cette lettre de F.P. où il s'explique sur ses « transparences », qu'il avait commencé à peindre vers 1928.

169. F.P., qui exposait régulièrement à cette galerie, avait participé à l'organisation de l'exposition.

170. L'ouvrage, consacré aux Ballets Suédois, rendait hommage au danseur et chorégraphe Jean Borlin, mort peu de temps auparavant, et à Rolf de Maré dont la troupe avait cessé ses activités en 1925. On y trouvait des textes de Claudel, Cendrars, Cocteau, Milhaud, Pirandello, etc., et des illustrations de ceux qui avaient créé les décors et les costumes de spectacles donnés par les Ballets Suédois : Bonnard, Chirico, Foujita, Laprade, Léger, Steinlen, etc. L'ouvrage reproduisait aussi les articles de F.P. publiés dans *La Danse* (novembre 1924) et « Pourquoi j'ai écrit *Relâche* », *Le Siècle* (27 novembre 1924).

171. La conférence de Vivian du Mas, « L'Occultisme dans l'art de Picabia », était publiée dans *Orbes, ibidem*, p. 113-128.

172. Titre de l'article : « Picabia au casino municipal. » Le sketch est ainsi présenté : « Nous avons le plaisir d'annoncer à nos lecteurs que Francis Picabia est chargé d'organiser le gala de Noël au casino municipal. Son nom est tout un programme : gaieté, élégance, originalité et cachet artistique de premier ordre. M. F. Picabia a bien voulu nous communiquer la primeur d'un sketch qu'il a composé à cette occasion. »

173. Ces poèmes ont été écrits en 1939, à Rubigen (Suisse) où F.P. s'était installé lors des menaces de guerre chez les parents de sa compagne Olga Mohler, qu'il devait épouser en juin 1940.

174. Ce recueil des poèmes, dont certains parurent séparément dès avril 1940 dans la revue de Paul Eluard, *L'Usage de la parole*, a probablement été composé pour l'essentiel pendant l'hiver 1939-1940.

175. « Mon amie » est l'un des cinq poèmes parus dans *La Révolution surréaliste* (15 décembre 1929) sous le titre général « Des perles aux pourceaux ». C'était à la suite d'une visite de Paul Eluard dans le Midi que F.P. avait accepté de donner ces poèmes à l'organe du mouvement surréaliste, bien qu'il se soit toujours tenu éloigné des activités du mouvement.

176. Poème paru dans *La Révolution surréaliste* du 15 décembre 1929.

177. Henry Goetz, né en 1909 à New York, s'installa à Paris en 1930. Sa peinture, d'abord marquée par le surréalisme, évolua peu à peu vers l'abstraction totale. Sa femme et lui devinrent des amis fidèles de F.P.

178. Christine Boumeester (1904-1971) épousa Henri Goetz à Paris en 1935 ; son œuvre s'inscrit dans le large courant d'art abstrait qui se manifesta à Paris après 1945. (Voir p.272.)

179. Revue dirigée par Jean Laisné, et qui eut peu de numéros. *Ennazus*, palindrome de Suzanne.

180. Allusion à l'importante exposition d'art abstrait qui eut lieu en juin 1945 à la galerie Drouin sous le nom d'« Art concret ».

181. Le Salon des Réalités nouvelles, fondé par Fredo Sidès, regroupait un grand nombre de jeunes peintres ayant adopté l'abstraction. La première exposition des « Réalités nouvelles » avait eu lieu en 1939, à la galerie Charpentier ; elle était organisée par Mme van Doesburg et Fredo Sidès.

182. Initiales des peintres qui exposaient : Hartung, Wols, Picabia, Stahly, Mathieu, Tapié, Bryen.

183. Francis Bott, né en 1904 à Francfort-sur-le-Main ; adhéra en 1937 au mouvement surréaliste, puis évolua vers une forme d'expression non figurative.

184. Pierre-André Benoit, maître-imprimeur à Alès (Gard), poète et dessinateur, admirateur de F.P. ; imprima plusieurs de ses poèmes de janvier 1949 à mars 1962.

185. Une feuille intitulée *491, cinquante ans de plaisir*, servit de catalogue à la grande rétrospective F.P. à la galerie Drouin, du 4 au 26 mars 1949. Michel Tapié en dirigea la rédaction ; on y trouvait des textes d'André Breton, Michel Tapié, Charles Estienne, Olga Picabia, Henri-Pierre Roché, Michel Seuphor, Camille Bryen, Suzanne Gandhi, Pierre de Massot, Jean van Heeckeren, Michel Perrin, Georges Charbonnier, Christine Boumeester, Henri Goetz, Francis Bott, Gabrielle Buffet, Jean Cocteau, Robert Desnos, Marcel Duchamp, Marie, Bernard Fricker, Dédé de l'Opéra.

186. Ce n°3 de *K-Revue de la poésie* était intitulé « De l'humour à la terreur, hommage à Kurt Schwitters ». La revue était dirigée par Alain Gheerbrandt à Henri Parisot ; les principaux collaborateurs en étaient Maurice Henry, Lewis Carrol, Bertolt Brecht, Jean Arp, Henri Michaux, Franz Kafka, Paul Klee, etc.

187. Poème publié en novembre 1949 par Pierre-André Benoit à Alès (quatre exemplaires).

188. Poème publié en octobre 1949 par Pierre-André Benoit à Alès (dix-neuf exemplaires).

189. Poème publié en novembre 1949 par Pierre-André Benoit à Alès (trente-trois exemplaires).

190. Poème publié en septembre 1949 par Pierre-André Benoit à Alès (treize exemplaires).

191. Poème publié en septembre 1949 par Pierre-André Benoit à Alès (vingt-cinq exemplaires).

192. Ce numéro de *La Nef* était consacré à l'humour poétique. Les textes de F.P. n'étaient pas tous inédits.

193. Michel Perrin, journaliste et écrivain, ami de F.P. ; avait collaboré en 1949 à *491*.

194. Ce texte figurait dans le supplément de la revue *Preuves* (n°29), consacré aux « Problèmes de l'art contemporain », et qui avait pour titre « L'Esprit de la peinture contemporaine. Enquête sur le réalisme socialiste ». Une très longue suite de questions était posée et se terminait ainsi : « En conclusion, rejetez-vous ou acceptez-vous le réalisme socialiste ? » Le texte de F.P. était ainsi présenté : « Picabia nous envoie quelques lignes qui posent le problème de l'art et de l'artiste dans le monde et répondent ainsi d'une manière indirecte à notre enquête. La vie et la peinture de Picabia ne sont-elles pas le plus bel exemple de non-conformisme que l'on puisse donner ? »

195. F.P. mourut le 30 novembre 1953. Ce poème est donc sa dernière œuvre parue de son vivant.

196. Revue trimestrielle dirigée par Jean-Jacques Lebel et Tristan Sauvage.

197. Cette plaquette fut éditée par Pierre-André Benoit à Alès après une suggestion de Yves Poupard-Lieussou ; elle constitue un hommage à F.P. mort en 1953 et à sa revue *391*. On y trouvait aussi des textes de Marcel Duchamp, Jean Arp, Tristan Tzara et Clément Pansaers.

TABLE DES MATIERES

1923

1925-1932

ACHEVÉ D'IMPRIMER
SUR LES PRESSES
DE BERGER-LEVRAULT A NANCY
LE 31 MARS 1978
N° D'IMPRESSION : 779413-3-78.